君よ知るや五月の森　上

古谷清刀

溪水社

学舎《まなびや》にその名を呼べば風薫る

君よ知るや五月の森　上

目次

君よ知るや五月の森　上

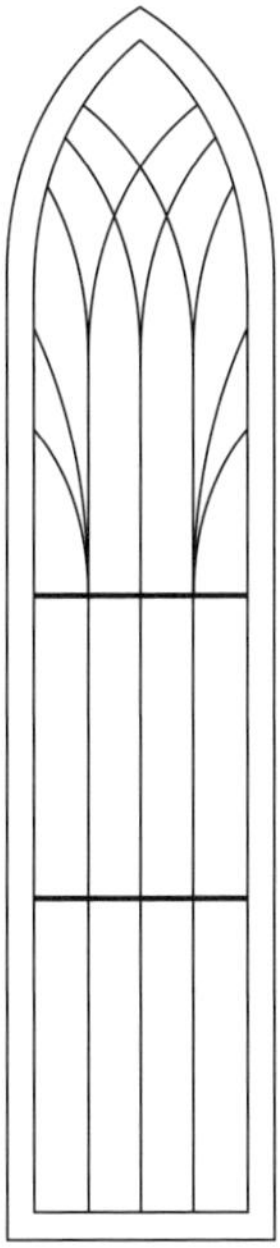

I

緑樹《りょくじゅ》の章

一　黒枠《くろわく》の葉書《はがき》

医局の昼休み。パンを噛りながら、研究棟の廊下をぼんやり歩いていた。

「遠野先生、遠野先生！」

と呼ばれて振り返ると、内科の青木《おうぎ》くんが息せききって廊下の果てからこちらへ駆けてくる。廊下は長い。走ってくる者を観察する時間が少なくとも二十秒はある。青木くんはレントゲン・フィルムらしきものを一束小脇に抱え、片方の手に何か紙切れをつかんで、ひらひら振り回しながら接近中だ。近頃愛用し始めた健康サンダルは、自分の足より一回り大きいサイズを購入したとみえて、途中で一度シンデレラになった。脱げた履物を回収するのに約十秒費やし、結局トータル・タイム四十五秒ほどで廊下を走破して私のもとに辿り着いた。

「遠野先生。はぁ、探したで、もう」

「久しぶりだね、青木先生。先週のコンペ以来だ」

「三日前に会《お》うとって久しぶりもないもんじゃ。まあええわ。おい、君んとこにもこいつが来とってじゃろう？」

と、例の紙切れを突き出して見せる。黒枠の葉書――また誰か死んだのか。『故、山田一男』。よくある名だ。

「誰だい、これ？　内科の先生？」

「内科の山田は欽之助《きんのすけ》じゃ。ピンピンしとるで。ま、忘れとるのも無理はないが……」

ここで青木くんは、風呂敷のように大きなハンカチを出して鼻の頭の汗を拭った。これは彼が極めて神妙な心持ちになったときの徴候《シンプトム》である。

「山田一男いうたら、ほれ、学院で倫社教えよったじゃろうが？　若いのに頭が涼しゅうてのう、いっぺん誕生日に、ⅢC全員でカンパしてカロヤンハイを贈呈した奴じゃいや」

「覚えがないなあ……もっとも、三年になってからは、倫社の授業なんて滅多に真面目に受けたことがないから、それで忘れてるんだろうけど」

「はっきり言うて、髪の毛同様印象の薄い先生じゃったけぇ。しかしまあ、死人の悪口は言わんとこ。ところでのう、告別式、学院のチャペルで十六日三時からとなっとるじゃろう。行く？」

十六日は土曜で、幸い当直にも当たっていないし、午後からはテニスコートの整備でもしようかと思っていた。このコートとサッカー・グラウンド及び野球場の管理は、いつの頃からか完全に大学病院職員のボランティア活動と化しており、奉仕精神に富むドクターは、率先して草むしり、石拾い、ローラー整備等々の時間外労働に身を捧げねばならない。午前中の外来をすませた内科の先生などが、昼過ぎになると麦藁帽子をかぶって、のんびり草を引いている姿をよく見かける。地方大学の付属病院ならではの牧歌的な風景である。

当番制ではないし、サボッても怒る人とてないのだが、産婦人科学教室に入局したての頃、いかにもしんどそうにローラーを転がしているひ弱そうなお爺さん——後に医局長のH先生とわかった——に、つい同情して手を貸して以来、何となく習慣になって今日まで続けてきた。土曜日は泌尿器科のF先生と、まずコート周辺に生い繁った雑草の除去から始めようということになっているが、F先生は釣りが趣味なので、一緒に草引きをするたびに必ず「のおのおミミズがおったら絶対こいつに入れちゃってくれえやあ」と、フルーツ蜜豆の空き缶を渡される。私は蚯蚓《みみず》が嫌いである。葬式に出るという理由でならば、スッポかしてもよかろう。覚えてもいない男の葬式……

「一応、母校の恩師ということになるのか」

「恩になった奴は誰もおらんはずよ。けど、わしはとにかく行こう思いょうるんじゃ。同窓会の幹事をさせられとるけぇ、ついでにクラス会にしちゃろう思うてのぅ」

「急に集まるかな?」

「まぁあっちこっち電話してみょうわい。おっ、ヤバい! 外科のS先生が来ょうる。わし、あの先生、ブチ苦手なんじゃ。こないだも満員のエレベーターで一緒になってのお、『内科の奴らが乗っとるけぇ込むんよ。早よ降りや』言うて、マイルドセブンの空箱《から》を投ぎょうるんで」

青木くんは、そういえば、中学時代から他校の男子生徒によくいじめられていた。実際に殴られた経験こそないそうだが、登下校の際、電車の中やバス停で、ガクランにリーゼントのつっぱり兄さんたちから、罵声を浴びせられたりからかわれたりすることは日常茶飯時だった。中高六年制の男子校で鍛えられたとは名ばかり、所詮、温室のようなミッションスクールの卒業生にすぎない彼や私の如き人物の運命は、驚くほど哀しい歴史の繰返しである。

青木くんは、私を含む何名かの同期生に混じって医学部に進んだが、クラブ勧誘の際、断り切れずに入部させられた漕艇部《ボート》で、先輩のしごきに黙々と耐え、練習中の叱咤激励と試合後の罵詈雑言は引きつった頰に微笑を浮かべて聞き流し、五年になると年功序列で部長になったものの、気迫と闘魂の点で、工大付属や県立高校出身のワイルドな若者たちには到底かなわない。(青木くんに聞こえる所で「わしゃ、あがいな先輩見ょうったら殴りとうなるで」と豪語した一年生もあったとか。) 彼らの気持ちを荒立てまいとの一心で、和気靄々とお茶を濁しているうちに、気骨ある部員は一人去り、二人去り、弱体化したボート部は、部費を削られて、とうとう同好会になり下がってしまった。

国試にパスして就職も決まり、これからはわしの天下じゃ!と有頂天になっていたのも束の間、現在S先生をこれほど恐れているのを見ると、青木くんの受難は社会人になってからも続いているらしい。

「ほいじゃぁ、わし帰るで。土曜日、遅れなや」

素早く踵《きびす》を返して立ち去るその姿は、かつて鶴江《つるえ》の電停にたむろするつっぱりアンチャンの集団を見るや否や、音もなく速やかに脇道へ逸れていた鶴島学院時代の彼そのままの敏捷さであった。

二　鄙《ひな》の別《わか》れ

鶴島《つるしま》学院と亀甲《きっこう》学院は兄弟校である。私は中学三年の三学期に、亀甲学院のあるK市から鶴島市へ転校した。亀甲学院では、中二の二学期から約一年間を過ごしたのであり、その前はやはり兄弟校の横浜旭日《きょくじつ》学園に通っていた。転校の理由は所謂「家庭の事情」である。

私の父はやはり医者だった。ローマン・カトリックの信徒でもあった。大学病院に籍を置く傍ら、東南アジアの難民救済事業にも首を突っ込んでいたため、時々日本を留守にしていたのだが、私が塾に通ったりピアノを習わされたり忙しく暮らしている頃、現地のどこかの密林でマラリアに罹って知らないうちに死んでいた。訃報が届いたのは二ヶ月後。翌年の春、私は名門旭日学園の中等部に合格した。寮に入れられ、母は再婚して姓が変わった。

父は世話好きで人なつこい性格だったので、生前は友人に恵まれていた。中でも教会関係の人たちとは、医者仲間以上に親しくつきあっていたらしい。私は堅信礼《けんしんれい》も初聖体拝領《ファースト・コミュニオン》も受けていないから、厳密にはクリスチャンとは言えないが、生まれたての赤ん坊の時、父の一存で洗礼を受けさせられた。その際、私の頭に尊い水をかけて祝福して下さったのが、当時の旭日学園校長ウォリック神父であった。父も母も一人っ子だったので、私の親戚は皆無に等しい。おまけに、もとからしっくりいかなかった父方の祖父母が、再婚の話が持ち上がると同時に母を離縁した。私は、父への忠誠心からというわけでもないが、なぜか母の連れ子になるのが嫌で、かと言って、いくら父の両親とはいえ、三才《みっつ》のとき以来ろくに顔を合わせたこともないじいさんばあさんの世話になるのも釈然としなかった。とりあえず「遠野」の名のままで学校生活を続けながら、私の将来はますます暗澹たるものになっていった。

父の一周忌が過ぎ、私の不安定な状況を案じる母のたっての頼みで、ウォリック神父は私の後見人になることを承諾して下さった。ある日校長室へ呼び出されて事情を説明され、片言ではあるが流暢な日本語で、ダイジョブダイジョブヨ、シンパイアリマセンス、と言われた時の笑顔は今でもよく思い出す。

　ウォリック神父は間もなく旭日学園から関西の亀甲学院へ転任された。役職《ポスト》は相変わらず校長先生であった。母の要望というか懇願によって、私もまたその後を追い、亀甲学院の寮生としてK市へ移った。校長先生の任期は最低五年となっていたから、その間は私もここにいて、おそらくこのまま高等部に進んでこの学院を卒業することになるのだろうと思っていたら、中三の三学期という大切な時期に、神父さんは何と心筋梗塞でポックリ逝ってしまわれた。時期を同じくして、遠野家の後継ぎがどうのこうのという時代錯誤な問題が祖父母から持ち出された。母との長い相談の末、私は鶴島にある父の生家に養子として迎えられることになった。母には言わなかったが、私が最終的にそのように決めた原因は、母の再婚相手の苗字であった。遠野という姓に特に愛着があるわけではない。が、私の名前はちょっと変わっているので、苗字との組合せ次第ではずいぶん妙な氏名になりかねないのである。

　祖父母は思ったより穏やかな人たちであったが、旧弊で退屈なところは予想通りだった。盆栽や陶芸や書画骨董は、世の中の楽しみをあらかた味わい尽くして、暇と金を持て余している者には持ってこいの趣味かもしれない。だが、当時の私は弱冠十五才の少年である。松の木の枝払いに来る植木屋を相手に、世間話をしながら碁を打つなどの芸もない。

　私が新幹線鶴島駅からローカル線を四つも乗り換えた挙句、霜の降りた真っ暗な道を三十分も歩いて到着したその夜、祖父はどこからか汚い木刀を持ち出してきて、毎朝食事の前に素振りと座禅を行ってはどうかと言った。厳冬のさなか、朝食は午前六時に、かわいらしい火鉢が一個、ちんまりと端座する二十畳の座敷でとる。私の就寝時刻は毎晩午後八時と決まっている。居室と定められた北側の離れから御手洗いまでは、どんなに気が急《せ》いていようと二分半はかかる。(渡り廊下を走ることまかりならぬという厳しい掟があるからだ。)そうしてやっとのことで辿り着いた厠《かわや》の電球は切れ、手水鉢《ちょうずばち》の水は凍りついている。

たまりかねた私は、冬休みの明ける直前、鶴島学院の校長室へ転入の挨拶をしに行ったその足で、事務室に寄って入寮申し込み手続きをしてきた。表向きは、祖父母の邸があるA郡字《あざ》O村からは通学に時間がかかりすぎるという理由で、保護者と学校を何とか説得した。正月に京都まで会いにきてくれた母には、寮に入った方が新しい学校に早くなじめるから、と苦しい嘘をついた。

斯くして、明けて一九七＊年一月八日、私は鶴島学院中等部三年B組十八番遠野緑《とおのりょく》として、新しいスクール・ライフに乗り出した。担任は綱曳馳男《つなびきはせお》先生（専門、保健体育）。クラスは四十名。私のすぐ前の十七番は津々浦洋《つづうらひろし》くん、後ろの十九番は苫屋金太郎《とまやきんたろう》くんだった。この時、出席番号が一番で、B組級長という大役も担っており、クラス代表として新入りの私に歓迎の辞を述べてくれた人が、先程登場した大学病院内〈いじめ〉の犠牲者、シンデレラ青木《おうぎ》くんである。その頃まだ、健康サンダルは履いていなかったが。

三　亥子《ゐのこ》

私の入寮許可は、ところでなかなか下りなかった。鶴島学院にはルカ寮、パウロ寮、ペテロ寮、ヨハネ寮と、キリストの使徒の名を頂く四つの寮があって、校舎の裏にある体育館のそのまた裏手に、ケンブリッジ大学の方庭《コート》のような、四角い中庭を囲んで建つ木造家屋群がそれであった。入寮希望者は多く、原則として自宅が県外にある生徒優先となっていた。しかし、たとえ保護者の家が鶴島県内にあっても、A郡字O村のような僻地から通学する私よりは、むしろ隣接するY県のI市などから来る者の方が、時間的にはよほど早く学校に着くことができる。私が入寮の申し込みをした時点で、偶然パウロ寮に二名の欠員があったのは、まさに恩寵というほかはないが、舎監のシュヴァイツァー先生に面接された時、私は懸命にこの地理的ハンデのことを力説した。

「スカシ、E島《ジマ》カラ船ン乗ッテクルヒトモ、オルマスケェネェ……」

と、先生は最初かぶりを振っておられた。

「リョウデクラス、ナカナカシンドォデスヨ。ニワノスォジ、キンギョウノエサヤレ、イッショケンメデ、コヅカイアルマセン」

　O村から脱出するためなら、庭掃除だろうと金魚の餌やりだろうと喜んで無料奉仕しようという気になっていたから、私はつい力んで、

「はいっ、かまいません。僕はキンギョウ大好きです！」

と宣言してしまった。（それ以来、パウロ寮舎監室にある広大な水槽に遊ぶ、ベタ、グッピー、エンジェルフィッシュらの世話をするのは、私と、もう一人の熱帯魚愛好家――こちらは本物――猫本仁志《ねこもとひとし》くんの名誉職となった。）

　面接から十日後にようやく通知が来た。「入寮を許可す。パウロ寮七号室。舎監、G・シュヴァイツァー。寮長、柘植忍《つげしのぶ》（高ⅢC）。室長、花小路真理也《はなこうじまりや》（高ⅡD）。」私の安堵と喜びのほどは、とても語り尽くせない。火の気のない離れで、身のまわりの物を学院の風呂敷に包みながら、鼻歌など歌ったものだ。

　風呂敷は、旭日、亀甲、鶴島を転々とした私の目に、鶴島学院の特色を最も色濃く反映する象徴《シンボル》として映った。これら三つの兄弟校では、授業のカリキュラムが同じで制服も似たりよったり、年中行事もほとんど共通である。しかし、学生鞄の代わりに黒い木綿の風呂敷を使用させているのは、鶴島学院のみであった。自宅通学者で、教科書や体操服や、何やかやと家から持ってくる者には、荷物を運ぶのに風呂敷一枚ではとても間にあわない。アディダスのバッグを下げて、

辞書と弁当箱だけ風呂敷に包んでくる者が多かったようである。

荷造りはあっという間にすんだ。私の所持品は、小さなスーツケース一個に充分収まるほど少なかったのだ。（それを三枚の風呂敷に分けて包んだのは、一重に入寮時の第一印象を良くしたかったからである。）祖父母の居間へ行って、お世話になりました、休みには帰ります、と挨拶をすると、うむ、寮に入っても座禅を組みんさいよ、と祖父が頷《うなず》いた。祖母は用箪笥の抽斗《ひきだし》から巾着を出し、巾着の中から誰袖《たがそで》と仁丹の匂いのこもるお札を――一万円札だったか五千円札だったか忘れた――取り出して私に持たせ、いるもんは、ゆえばハァすぐ届けるけぇ、と言ってくれた。後日聞いた話では、この日私が出て行った後、祖母は一日中、緑さん腹巻は持ったかのう、と心配していたという。幸い私の学院在学中、腹巻は一度も寮へ送られてこなかった。

室長《ルーム・キャプテン》の花小路真理也さんは、もと神父志望のクリスチャンであった。高校進学と同時に神の啓示を受けて進路変更し、経済学部へ進むことに決めたそうだが、以前は東京のM市にあるカルヴァン神学大学付属中学に通っていたそうだ。お父さんは伝導師。私と同じ中ⅢBに弟の由理《ゆり》也《や》くんがいた。由理也くんは名が体を表わす花のような美少年だが、兄の真理也さんは全く違うタイプの人だった。各種のスポーツで鍛えた鋼《はがね》のような体。鬼瓦のような顔には体育祭のたびに増える向こう傷。学院アスレチック・クラブに所属していて、朝夕ボクシングとウェイト・リフティングに精を出していた。「これからの神父はヘヴィ・デューティ」というのが、お父さんの口癖だったのだ。

寮の各室は全て縦割りの四人部屋——即ち、学年の違う者四名が一室に同居することになっていた。花小路さんの他、高一の来栖《くるす》さん、中二の森懸《もりかけ》くんが、私の最初のルームメイトだった。来栖さんと森懸くんは同郷で、四国E県にあるY市から来ていた。前者は小児科、後者は耳鼻咽喉科の開業医の坊ちゃんだった。(「僕とこから橋渡ってすぐのとこに来栖さん方《かた》の病院があるぜ」と、森懸くんはよく言っていた。)同郷だからウマが合うというものでもないだろうが、この二人はクラブ(水球部)が一緒の上に、宗研《しゅうけん》こと宗教研究会のメンバーでもあり、何かと行動を共にすることが多く、いつ見ても仲がよかった。夏休みに帰省する前、みんなはまだ期末テストの後遺症に悩んでいるのに、彼らだけは楽しそうに港祭や花火大会の話などしていた。

部屋の掃除当番は一週間交代だった。花小路さんが無類のきれい好きではなかったために、パウロ寮七号室の整理整頓はついおろそかになりがちだった。月に二、三回、寮長が検閲に来るという建前だったが、高三になると皆忙しいので、たいてい高二以下の誰かに代行させる。柘植《つげ》さんの代わりに見回りをする宗光《むねみつ》さんは、鶴島県で一、二を争うスーパーマーケット・チェーンの社長令息だ。幼少の頃から商売の英才教育を受け、高校生になってからは、休暇のたびに欧米の有名ビジネス・スクールの特別セミナーを受講しているという噂だった。そのせいか、気の練れた話のわかる人で、脱ぎ飛ばしたシャツやトレパンで足の踏み場もない七号室を見ても血相を変えず、「当番、服はこれにかけときんさいや」と、スーパー・ムネミツ寄贈の赤札付きハンガーを手渡してくれるだけだった。

もちろんどの寮でもそんな寛容さがまかり通っていたわけではない。中庭を挟んでパウロ寮の真向かいにあるヨハネ寮などでは、部屋の屑籠を空けるのを一日サボっただけで、先輩たちから「布団むし」や「いのこ」の刑に処せられたという。私は実際にこの目で目撃するまで、「いのこ」なるものの正体をまるで知らなかった。旭日にも亀甲にもない、これは風呂敷に並ぶ鶴島学院独特の現象《フェノメノン》であった。

入寮して間もないある日のこと、私は中庭でただならぬ騒ぎが起こっているのを聞きつけ、森懸くんと一緒に窓から覗《のぞ》いてみた。数人の逞しい上級生が、「いのこじゃ、いのこじゃ！」と鬨《とき》の声を上げながら、一人の生徒の手足を各自一本ずつつかんで、中庭中央へ運んでくる光景が目に飛び込んできた。運ばれている方は、さしずめ四肢を伸ばし腹を出した亀である。石畳の中庭は真中だけ芝生になっていたが、冬場はそれも枯れ果てて地面がむき出しだった。哀れな亀は、そこへ何度も背中と尻を叩きつけられた。心優しい森懸くんは肝をつぶし、私は私で気の毒には思うけれども、高校生の猛者連《もされん》を向こうに回して勇敢な浦島太郎を演じる決心がつかない。

おろおろしている間に刑は滞りなく終了したらしく、お兄さんたちは散り、亀は尻をさすりながら立ち上がった。見ると、青木《おうぎ》くんであった。私が今日、「いのことは何か」と尋ねられて、その実態と様式を手に取るように説明できるのは、彼のおかげである。

四　仔猫《こねこ》

毎年、高等部への進学試験が終わると、今度は中等部の入試のため、二日間全校休みとなった。旅行に行くには短かすぎるし、寮のフォイヤーで宴会でもしようということになり、いつものように私と森懸くんが、坂下のムラオカ商店まで、こっそり缶ジュースとビールを買いに行かされた。

鶴島学院の所在地は、電車、西陽《せいよう》バス、鶴電《つるでん》バスなど諸々の交通機関の終点、鶴江駅から、つづれ折のだらだら坂を上りつめた丘の頂とあって、寮で生活する者の環境といえば、まことに下界から隔絶された〈陸の孤島〉の趣がある。真夜中のパーティを開こうにも、酒や肴を調達するのがまず至難の技。坂の途中にあるタカスベーカリーは六時にはもう閉まっているし（どうせビールはおいてない）、そうなると更に下って、坂の麓のムラオカ商店まで遠征するしかない。店の親爺は、自動販売機の前で学院生がアルコール飲料の缶をせっせと取り出しているのを見ても、咎めなかった。「お父さんのお使いで来た近所の子」を精一杯演じる姿が、いじらしかったのかもしれない。

宴もたけなわになった頃、コーラ片手に突然私の肩を叩いて、わし、高二の藤井御代輝《ふじいみよてる》いうんじゃ、と自己紹介した人があった。体形と風格から推してクラブは当然柔道部、と見当をつけたが、意外や、吹奏楽部《ブラバン》の第一クラリネット奏者であることが判明した。コーラの中に、どこからか密輸入したラムを混ぜていたらしい藤井さんは、ほろ酔いの潤んだ眼差しをひたと私の顔に据え、傍らの椅子を引き寄せて、どっかと腰を下ろした。

「遠野くん、亀甲学院には君のファンクラブがあるんとのう」

「はあ?」

「ファンクラブじゃ。わしの友達で亀甲へかわって行きょうった男が、あっちで知りおうた奴に『鶴島へ行った遠野くんはどないや?』いうて訊かれたんよ。わしの友達は君のこと知らんけぇ、な〜んも言えんかった。そいつがこの前、わしんとこへ電話かけてきちゃってのぉ。あっちの、特に今の高一、高二が、遠野くんがおらんようになったいうて、がっかりしとるんじゃそうな。隅におけんのう」

「初耳です」

というのが、私の偽らざる返答だった。亀甲学院に在学していた頃は、とにかく家庭の問題で頭が一杯で、親しい友人を作る余裕もなく、ましてやファンクラブなど――いや、待てよ。一度だけ、更衣室の下駄箱経由で、変な手紙をもらったことがあった。『仔猫のようなとおのみどりくん。いつか朝のコーヒーを一緒に飲みましょう。』差出人は今もってわからない。

私の名前は、無理もないことだが、幼稚園からこの方、しょっちゅう読み違えられてきた。（大学病院には、現在も私のことを女医さんだと思い込んでいる人がいるかもしれない。）緑と書いて「りょく」と単純に音読させるのも、考えてみればどこか奇矯《エキセントリック》だが、父親の名前が銀《しろがね》、祖父は銅《あかがね》、曾祖父は鉄《くろがね》だから、私は「黄金《こがね》」と命名されるところを辛くも免れたと思えば、「りょく」でも「みどり」でも、まだ我慢できるというものだ。

中学時代の遠野緑は、一体、仔猫のような少年だったのであろうか？　ふたつみっつ上級のお兄さんが、ついモーニング・コーヒーを一緒に飲みたくなるような？

当時の写真を見ると、非常に小柄だったことは確かだ。私の背が伸び始めたのは、ようやく高一の終わり頃になってからだった。それまでは、どの学校のどのクラスに入っても、常にチビの首席争いをしていた。席替えの時も、私の移動範囲は著しく限られていて、最前列のあっちの端へ行くか、こっちの端に来るか、中ほどにおさまるか、の違いだけであった。

鶴島学院の生物教室と音楽室だけは、なぜか階段教室だった。それで、座高の高さにかかわらず、出席番号順に座らされた。音楽の授業は月曜日と水曜日の第三時限だったと思う。

三月の初めのある月曜日、二時間目の数学が終わってどっと気のゆるんだB組生徒は、始業ベルが鳴って音楽のW先生が教室に入って来られても、まだ喧しく喋りまくっていた。W先生は、か細い声で、きょうのレコード鑑賞はマーラーの交響曲第一番ニ短調『巨人』です、皆さん静かに聴いて下さい、と独り言を呟きながら、レコードをセットして、隣の資料室へ引きこもってしまわれた。

これといってインパクトのない第一楽章の冒頭が緩やかに流れ始め、私は退屈だった。ある者は五目並べを、ある者は次の時間の予習を始め、机につっぷして仮眠をとる者も出てきた。四時間目は英語だ。音楽が少し陽気になってきたのを幸い、眠り込む前に単語調べでもしておこう、と、朝から持ち歩いていた英和辞典を出した。その時、机の中にもう一冊、何か入っているのが手ざわりでわかった。誰か私のように、音楽室へまで辞書を持ってきて、忘れていったものか——取り出してみると、辞書ではなく、外国語の本だった。タイトルは読めなかったが、平家物語に出てくる女の人のおでこについているような点々が、あちこちに散らばっているので、亡き父の蔵書から類推して、多分ドイツ語だろうと見当をつけた。所々、透明なブルーのライン・マーカーで印がつけてある。『青い影』って、プロコルハルムの曲だったかな?

この机に入っている、ということは、おそらく前のクラスの十八番の忘れ物だ。土曜日の放課後には月末全校大掃除があった。その時ここにあった物なら、とっくに発見されて遺失物係に届けられていただろう。本日三月＊日の月曜日、一時限か二時限が音楽だったどこかのクラスの、十八番が忘れていったに違いない。（私は当時エラリー・クイーンを愛読していた。それで、どんなに平凡で瑣末な事柄についても、一応論理的な因果関係を組み立ててみなければ気がすまぬという第二の天性が育っていた。）

日本で、中学生がドイツ語を読むのは珍しい。珍しいというより稀である。高校生ならどうか？ やはり珍しいが、ありえないことではない。大概のミッションスクールは英語教育に定評がある。英語に飽き足りぬ者がドイツ語を読んでも不思議はないだろう。月曜日の一または二時間目が音楽である高等部のクラス……

レコードは第二楽章へと進む。W先生が再び現われて、ボリュームを調節した。私は咄嗟《とっさ》に席を立ってレコード・プレーヤーのある場所まで行き、

「先生、すみません、僕らの前にこの教室を使ったのはどのクラスですか？」

と尋ねた。先生は悲しそうに私を眺めた。授業に無関係の質問をされるのには、慣れっこになっておられるようだった。

「高ⅡAですよ」

と、おとなしく答えて下さった。

「それじゃ、一時間目は？」

「一時間目には、音楽の授業はありません」

折しも鳴り渡る勇壮なホルンの響き——高ⅡAの十八番。ドイツ語を読む学院生。

五　星《エトワール》への道《みち》

風呂敷と「いのこ」の他に、もう一つ、鶴島学院を象徴する日中行事があった。その名を「業間体操」という。授業と授業の合間にする体操だから、という素直な発想のネーミングだ。

毎日第三時限が終了すると、全校生徒が一斉に服を脱ぎ始める。夏でも冬でも上半身裸の、トレパンいっちょうでグラウンドへ集合する。まずトラックを駆け足で一周して「全タァーイ、止マレッ！」の掛け声で止まり、ラウドスピーカーから流れる音楽のリズムに合わせて手足を動かす。この間、十五分。ボイコット組——制服着用のまま堂々と教室に居残る者から、掃除道具入れに隠れて息を殺す小心者まで——を除いて、中一から高三まで全員が参加した。

宴会以来、この業間体操の時間がくるたびに、藤井御代輝《みよてる》さんと彼の友人らしい数名の高校生が、わざわざ中三の列を回ってから体操の位置についているように思えて仕方がなかった。私の気のせいだったかもしれないが。

音楽室で見つけた忘れ物を届けに行くのは、従って、四時間目の後の昼休みまで待たなければならなかった。高等部の校舎で、万一藤井さんらに出くわした時のことを慮って、青木《おうぎ》くんに同行をお願いした。（単独逃走に自信がなかったので。）転入当初、鶴島市内のことは西も東もわからない私を連れて、鶴島城周辺にコンパクトに構成された繁華街を、鶺鴒《せきれい》館書店、金賞堂書店、丸善、三越、鶴島スカラ座、地元百貨店の双璧、徳屋《とくや》、天馬屋《てんまや》、タカスベーカリー本店〈アンダルシヤ〉、お菓子と喫茶の〈アマデウス〉、お好み焼きの〈将軍〉、テイクアウトの〈丁稚《でっち》寿司〉と、手取り足取り案内してくれた面倒見のよい青木くんだ。おう、行っちゃろうじゃないか、と二つ返事でＯＫしてくれた。

青木くんは、よその学校の生徒には、かわいさ余ってか、よくいじめられるけれども、学院の上級生の間では至って評判がよかった。いつか見た「いのこ」の場面《シーン》は例外的なもので、所謂「愛の鞭」の範疇《カテゴリー》に属する、男子校ならではは愛情表現の一種と呼んでよかろう。いや、彼は、他校のつっぱりからでさえ、たまには極めてストレートに親愛の情を示されることも事実あったのだ。たとえば、連れ立って〈山〉を下りて〈町〉まで参考書など買いに行く時、電車で向かい合わせたつっぱりさんが、青木くんの隣に座った自分の同級生らしき人に、

「おまえ、隣に学院が座っとるけぇ、早よサインしてもらえーや」

と言う。同級生は、こちらもやはり一目でわかる筋金入りのつっぱりだが、青木くんの風呂敷に白く染め抜かれた彼の苗字を惚れぼれと眺め、

「青木《アオキ》か。ええ名前じゃのう。『美しき青きドナウ』じゃ」

色白の青木くんは、コスモスの花片《はなびら》めいた可憐なピンクを頰に咲かせて、つっぱりの賛辞を無視しているが、やがて両つっぱりが声を揃えて、おまえみたいな学院生は好きよ、とエキサイトしてくるに及んで、完熟トマトも恥じらう赤い顔に変わる。そして、

「遠野、次、降りるで」

と（目的地から二駅も前だというのに）無理矢理私を引っ立てて、名残り惜し気に手を振るつっぱり氏らに見送られながら、電車を降りてしまうのだった。殴られるよりいいじゃないか、と私が言うと、おまえ、ようそがいなこと言えるのう、と大いに呆れて、

「こっちにも好みがあるんで。わしゃ、面食いなんじゃ」

と、きっぱり宣言した。

青木くんが、忘れ物届けについて来るのを快諾してくれたことについては、彼のこの唯美主義も一役買っていたのだった。彼が言うには、中高どの組にもカリスマ的存在の生徒が一人や二人はいるものだが、高ⅡAとは謂わば学院のエトワール（即ち「星《スター》」）の集大成のようなクラスなのだそうだ。揃って成績が優秀であるのはもちろん、スポーツに秀で、奉仕活動も熱心に行ない、

去年の文化祭のテーマ《歌って踊れる学院生》に最も貢献したエンタテイナーたちが、綺羅星《きらぼし》の如くひしめくⅡA。生徒会の重要役職は、生徒会長（高三）を除いてほとんどⅡAの者によって占められている。ハンサムが多いことは言うまでもない。体育館や図書室への行き帰りに高等部の校舎を通って、偶然ⅡAの人たちが教室移動などしているところに来あわせたりすると、まるでオールスター・キャストのガラ公演でも見ているような気分になる、と青木くんは言うのである。

学院生になってまだ日が浅い私にはピンと来ないミーハーぶりだが、それでも彼の熱心さには、どこか人の心を動かすものがあった。昼食をそそくさと終えて高等部へ行く前に、二人でトイレに寄って、鏡の前でためつすがめつ髪を撫でつけた。（「おまえ、散髪どこへ行きょうるん？」、「あ、そう言えば、こっちへ来てから一度も行ってないなあ。そろそろ前髪がうるさくなってきた」、「あんまり伸ばしょうったら綱曳《ハセオ》先生がハサミ持って追い回すで」、「あの先生は、髪を切りに行く手間が省けていいね」、「ほうよ。髪の毛があんだけしかのうて床屋へ行きょうったら、床屋が馬鹿にすな言うて怒るじゃろうのう」、「アデランスには抵抗がある世代かな？」、「カロヤンで地道に伸ばしちゃろういう魂胆じゃ。戦中派じゃけぇ」……）

中等部のキャピキャピした雰囲気に比べると、高等部にはさすがに燻銀《いぶしぎん》のような威厳と落ち着きが満ち満ちている——に違いない、と想像していた私は、高等部校舎一階のホールに足を踏み入れたとたんに電撃のようなエレキギターの音に打たれて怯《ひる》み、続いて起こった雑巾《ぞうきん》を裂くような悲鳴に血が凍った。

「おう、ええ時に来たで。ディープ・パープルをやりようる」

青木くんは嬉々として眼を輝かせた。

「あの声は古畑《ふるはた》さんじゃ。学院屈指のマルチ・ボーカリストでのう。ギラン、プラント、アンダーソン、ハードからプログレなら、誰のどんな歌でも歌《うと》うちゃってんじゃと。のお、わし、サインしてもらお！」

サインペンはないかとせわしなくポケットを探る間に曲が変わって、ギターはレッド・ツェッペリンの『天国への階段』のイントロを奏で始めた。高二の教室は二階にある。今や完全に青木くんの気分に感染してしまった私には、玄関ホール奥の薄暗がりに聳える階段が、さながら星々の国に通じる狭く険しい道に見えてきて、思わず背筋が緊張するのであった。

六　教場破《きやうじやうやぶ》り

中高どの教室にも、それぞれ二つの出入口があった。先生方はたいてい教壇に近い前方のドアから出入りされ、生徒たちは前も後ろもなく無差別に使用していた。どちらから入るべきか？忘れ物を届けにきた私たちは、しばらく躊躇した。他学年の、しかも上級生の教室を訪ねるのだから、謙虚に後ろのドアから入るのが無難かと思う。が、一方、（青木くんが言うには）こうした善意の目的で訪問する場合ならば、裏口でなく表から堂々と入った方が「印象がええじゃろう」。

青木くんが特に好印象を与えたい人物が誰なのか、遠慮してそこまでは訊かなかったが、とにかく私たちは前のドアから入ろうということで合意した。

昼食を終えた生徒たちが三々五々、食堂から戻ってくる。クラブの部会でもあるのか、購買部で買ったパンと飲物を携えて、体育館方面へさっさと歩いて行く者もいる。すれ違う私たちには目もくれない人、ちらと好奇の一瞥を投げて連れの友達に何か耳打ちする人、中学生が高校校舎で何しょうるんじゃ、という訝しさをもろに顔に出す人——私は内心、いつ藤井さんに出くわすかとひやひやしながら、青木くんの背中に隠れてやっとⅡAの教室の前まで来た。とうに寒が明けたとはいえ、名残雪でもちらつきそうな空模様の日で、廊下側の窓は全部閉まっていた。廊下は各階とも雨よけの天井があるだけで、直接戸外に面した吹きさらしだから、こんな所でグズついていると体が冷えることおびただしい。早く先に入ってくれと私にせきたてられ、ほいじゃぁまぁ入ろうかのう、と青木くんはドアの捉手《ノブ》をつかんだ。ドアはすると何の警告もなく彼の頭上に倒れかかってきた。驚く青木くん。狼狽する私。その刹那、

「あ~あ、めがしたでー!」

歓呼とも非難ともつかないどよめきが、教室を揺るがした。

ドアは三個ある蝶番《ちょうつがい》のうち二つが破損しており、一番下の一個だけで辛うじて繋ぎ止められていた。青木くんが捉手をつかんで引いた拍子に、バランスが崩れたのだ。私は遅ればせながら飛び出して、普段決して力持ちの方ではない青木くんが、火事場の何とやらで支えているドアの重みを分かちあった。いつか台風の日に、はずれた雨戸を立て直そうとして苦心惨憺の乱舞を強いられたことがあったが、きょうのパニックは——見物人《ギャラリー》がいると思うせいか——それを凌いで余りあった。

教室の中には相当数の生徒が残っていた。まだ弁当がすんでない人もあれば、食後のコーヒー

の紙コップを手に、談笑しているグループもあった。あっちに傾《かし》ぎ、こっちに傾《かし》ぎするドアにしがみついて、二進《にっち》も三進《さっち》も行かなくなった私たちは、少しばかり退屈していた午下《ひるさ》がりのエトワールたちにしてみれば、恰好の見せ物だったに違いない。爆笑の渦の中、卵焼きを挟んでいた箸を一瞬止めて、ありゃ、青木やないか、と言った人があった。青木くんが所属している化学部付属料理研究会の会長、鍋島《なべしま》さんだった。

「おまえ、この頃、クラブにも顔出さんと、何しょうるんじゃ。罰としてこの新作は（と卵焼きの箸を振り振り）食わしちゃらんぞ。わしのブレンドしたオリジナルだしを使う画期的なだし巻きじゃ。おまえは、わしらの教室の戸をめがした責任をとって、しばらくそこに立っとれ」

青木くんの名前がわかったもので、喝采は一段と激しくなった。オーギガメガシタ、オーギガメガシタ、という力強い男声合唱が延々と続く。私たちはもう一体何のためにここへ来たのだったかも忘れて、ひたすらおろおろとドアの立て直しを試みたが、道具も部品もないのに、どうしたって成功するわけがない。困り果てた青木くんは、

「先輩、あんまりですよ。このドアはもともとめげとったんじゃないですか」

と、悲痛な声で訴えた。鍋島さんは、画期的だし巻きを悠々とたいらげながら、やはり忙しく箸を使っている隣席の友人に向かって、

「そがいなことあるまぁが。のお、皿本《さらもと》？」

皿本と呼ばれた丸顔の隣人は、口いっぱいに何か頬張って、嬉しそうに目を細めながら、

「ええ、そう、少なくとも、ドアは君らが来るまで何事もなく立っていたんだからね。で、青木くんがさわったら倒れた。僕たちみんなが目撃しました。観念して直していってくれるとありがたいね。おい鍋島、もう一つくれぇや。こいつはうまいで」

話にならない。こんな時、人によったら、たとえ相手が年上であろうと、何言うとるんなら、わりゃ、ちょっと来てみいや、などという大それた言葉を吐くことだってできるのだろうが、私と青木くんに関する限り、大言壮語の裏付けとなる腕力が今一つ不足していた。束になってかかっていっても、皿本さん一人にすら勝ち目はないだろう。昼休みは刻々と過ぎてゆく。校庭に出ていた生徒たちも教室に引き上げて来た。ここで永遠にドアを相手に怪しいステップを踏んでいるわけにはゆかない。今にもラウドスピーカーからアルゼンチン・タンゴの名曲でも流れて来やしまいかという幻想的な恐怖が頂点に達した時、ありがたいことに、青木くんと自分の本来の用向きを思い出した。そこで、思い切って、

「出席番号十八番の方はいらっしゃいますか？」

と大音声を張り上げた。「当選番号」と言わなかったのが不思議なほど、実は混乱していた。鍋島皿本始め、一同この予期せぬ質問で気勢がそがれた。大合唱は止んだ。変わって、ほう、十八番のう、十八番誰じゃ？　おるか？　おらんのう、どっか出て行きょうったで、等の囁きが小波《さざなみ》

のように広がった。

スマートなメタルフレームの眼鏡をかけた長身の生徒が、颯爽と席を立ってこちらへやって来た。襟元には級長と生徒会副会長のバッジが光っている。思うに青木くんのエトワールの一人だ。

「十八番は今おらんけど、そろそろ戻って来るじゃろう。用があるんじゃったら、ドアはもうええけぇ、入って待っとりんちゃい。こら、美化委員、ええ加減にこれ何とかせぇや」

級長さんの一声で忽然と現われた美化委員が、キャスター付き小黒板を転がしてきて、壊れたドアを立てかけた。ようやく自由の身になれたのだ。青木くんと私は、感謝のあまり我々の解放者を拝まんばかりだった。なんぞ急用か、と尋ねてくれた級長さんに、はい実は——と事情を説明しかけた時、私は肝腎の届け物、例の外国語の本を持っていないことに気がついた。青木くんがあわやドアの下敷きになるかと仰天して助っ人に駆けつけた際、放り出してきたらしい。もう一度外へ出て拾って来なければ。

私は教室後方の安全な出入口から、あたふたと寒い廊下へとって返した。本は既に拾われていた。級長さんと同じくらい背の高い、ほっそりしたまっすぐな姿の人が、眉根のあたりに少し怪訝な表情を浮かべながら、確かめるようにページを繰っているところだった。

「あの、その本は僕が——」

十八番はどなたと呼ばわったパニック・リアクションの余勢は既になく、我ながら情けない声だった。本を持った人は、はっと顔を上げて私の方を見た。

「僕が――音楽室で、見つけたんです」

「そう。ありがとう。僕のです。なくしたかと思って、落ちこんでいたんだ」

どこにも訛りのない、明快なアクセントだった。

七　白衣公子《びゃくえのきみ》

いきなり雲が切れて日が射してきた。校舎も、グラウンドも、寮も、中庭も、冬中くすんでいた鶴島学院は、降りそそぐ早春の光に隈《くま》なく洗われた。私は梟《ふくろう》のように目を瞬《しばたた》いた。にわかに明るくなった世界の中で、一際眩しいのはA組十八番だった。立っている位置のせいだったろうか、それとも衣服（体操服）の白さだろうか、突然ぱっと燃え上がった光の輪に包まれているように見えたのだ。

後光を背負《しょ》った人がこちらへ一足踏み出したので、私は畏《かしこ》まって一歩退《しりぞ》いた。その人は、構わずスタスタと近づいてきて、私もそれに合わせて少しずつ後退したのだが、コンパスの長さが違うため、たちまち追いつかれ、追い越されてしまった。私とすれ違って教室へ入る時、ちょっと足を止めて不思議そうな顔をした。

「名前も書いてないのに、よく持ち主がわかったね」

しかしそれ以上追及するでもなく、もう一度「ありがとう」と軽く頷《うなず》いて室内へ消えた。入れ違いに青木くんと鍋島さんが出てきた。と同時に、五時間目の予鈴が鳴った。

「本、返したんか?」

「あ、うん……返した」

「どしたんや、ボーっとして」

「え……?」

「予鈴が鳴ったけぇ帰ろうで」

青木くんは鍋島さんに一礼して、今週の調理実習には必ず出ます、と約束した。

「うむ。今週は先週に引き続き、安く手軽で喜ばれる弁当特集をやる。次回の課題は〈ちょっと危険なサンドイッチ〉じゃ。土曜日放課後、エプロン持参で実験室へ三時集合。遅刻はいけんで」

と、鍋島さん。青木くんに倣って私も機械的に頭を下げた。

帰りの階段は、雲を踏んでいるような感触だった。青木くんは私の顔をちらちら横目で見て、熱でもあるんやないか、と訊いた。気分は頗《すこぶ》る良かった。爽快と言ってもいい。落とし物を届けるのがこんなに心はずむ行為だとは、ついぞ知らなかった。本一冊でこうなのだから、中身の入った財布なんかを拾って返した日には、それこそ人生バラ色になるだろう。青木くんがしきりに何か喋っていた。私は上の空で相槌を打っていたが、突然「旭日学園」という言葉が耳にとまった。

「ごめん。今、聞いてなかった。旭日学園が何だって？」

「ほじゃけぇのう、あの人も、遠野とおんなじで、旭日行きょうった、言うて鍋島さんが――」

「あの人って？」

「野瀬《のせ》さんじゃ」

「級長のバッジつけてた人？」

「違う違う。何言ょうるんじゃ。おまえが本拾うちゃった人じゃいや」

私たちはホールを出て、L字形の雨天通路を中等部校舎へと急ぎつつあった。青木くんが「違う違う」と言いながら角を曲がった途端、藤井御代輝さんとばったり鉢合わせした。藤井さんの広大な顔に快心の笑みが溢れた。私の顔からはたちまち血の気が引いた。

「遠野くん！　ご無沙汰じゃのう。元気か？」

豊かなバリトンが朗々と私の安否を尋ねた。玄武岩でできたような双手《もろて》で、がっしりと両肩を押さえ込まれ、のっぴきならなくなった。

「はい、なんとか元気に……あの、五時間目が始まりますよ」

藤井さんは、いよいよ相好を崩した。野暮なことを言うてくれるな、と今度は私の背中を叩いて——その勢いで前方につんのめったところを青木くんが支えてくれた——一八五センチの高みから、ハッハッハ！と笑った。

「わしら次は倫社じゃけぇ、どうせサボるんよ。君らもどうや？ たまにはつまらん授業をエスケープして、みんなで青春せんか？」

青木くんの表情を窺《うかが》うと、彼の顔も色を失っていた。断わったらどうなるのだろう？ 二人まとめて皿本さんにさえかなわないと思った私たち。到底藤井さんの敵ではない。ここはおとなしく言われるとおりにした方が——か弱い二人の少年が、藤井さんに絶望的な「諾《ウィ》」を与えそうになった時、救いが現われた。私たちが後にした高等部の方から、軽い、早い足取りで誰かこっちへ来ると思ったら、なんと今しがた別れたばかりのⅡA十八番だった。通路いっぱいに立ち塞がっている奇妙なトリオの中に、私の顔を認めて、

「君、これ。本の中に挾んであったよ。君のだろう？」

と、二つ折りにしたルーズリーフを一枚、差し出した。開いてみると英単語のリストで、冒頭に

は『三月某日某曜日。音楽。レコード鑑賞。青い影――プロコルハルム？』と書いてあった。音楽の時間に単語調べをして何気なくあの本に挾んだものの、先生が忌引きで英語は自習になった。それを幸い、青木くんといっしょに数学の宿題をやってしまったので、単語表のことはすっかり忘れていたのだ。

「どうもすみません、わざわざ……」

なぜかうまく言葉が出てこない。しかし青木くんは違った。降って湧いたようなこのチャンスを逃したら、ほんまに藤井さんと青春する破目になる、と恐れた彼は、

「あーどうも、ありがとうございました！　それじゃ、先輩、もう授業が始まりますんで」

お辞儀をしながらハキハキと大声で述べたて、早よ行こうで、と私の方に顎をしゃくって足早に歩きだした。置いて行かれては大変だから、もちろんすぐに追いかけた。だがその前に、どういうふうに魔がさしたものか、

「あれ何の本だったんですか？」

という問が、吟味する暇もなく口から飛び出した。既に自分の校舎の方へ戻りかけていた野瀬さんとやらは、肩越しに振り返って、微笑《わら》った。

「ポルノだよ」

私は呆気《あっけ》にとられて一瞬立ち竦《すく》んだが、面白そうに成り行きを見ていた藤井さんが、ここでま

た破顔大笑したおかげで我に返り、青木くんの後を追って駆け出した。第五時限の本鈴が、脅《おびや》かすように鳴り始めた。

八　視聴覚休日《AVホリディ》

卒業式がすみ、私たちは晴れて高等部に進学した。クラス分けの表を見ると、私は高ＩＣに入れられていた。青木《おうぎ》くんもＣ組だった。（今度は相原くんという人がいたので、出席番号は二番になっていた。）

両脇に貼り出されたＢ組やＤ組の表を何気なしに眺めていて、同じ学年にもう一人、青木という生徒がいることを知った。高ＩＤだ。姓は「おうぎ」とルビを振ってあるが、名前が読めない。これが実は青木くんの実弟だと聞かされて、びっくりした。兄さんは麗《うらら》、弟は煌《きらら》という二卵生双生児だったのだ。業間体操の時、顔ぐらい見ていたのだろうけれど、少しも似ていないので言われるまで全然気がつかなかった。お兄さんよりはるかに体格のいい煌くんは、水球部の花形選手として活躍していた。ヘヴィ・デューティ・クリスチャン花小路真理也さんに勝るとも劣らぬ強靱なボディ。岩より堅い拳。麗くんは、弟のことを密かに〈生ける凶器〉と名づけて恐れ憚っていた。

C組で私たちと同じ中ⅢB出身の者には、洲々浜澄夫《すずはますみお》くん、津々浦洋《つづうらひろし》くん、花小路由理也《はなこうじゆりや》くん、茶村一樹《ちゃむらかずき》くん、大佐古茂治《おおさこしげじ》くん他がいた。

世の中には、自然と群れをなして生きるように定められた動物がある。同様に、努力してそうなったわけではないのに、本能的に歩み寄り、引かれ合い、気がついたときには対をなして生きるように運命づけられた人たちがいるものだ。洲々浜くん、津々浦くんなど、その好例であった。なんでも、学院入試の日に、洲々浜くんの落とした御守りを津々浦くんが拾ってやって以来、合格発表の番号が並んでおり、中一からずっと同じクラス、席は前後か隣同士、クラブ活動はＡＶＣ（Audio Visual Club《オーディオ・ヴィジュアル・クラブ》）。ある年の学院祭参加作品『学院のシンデレラ』というミュージカル・フィルムでは、ボンネットをかぶった洲々浜くんが〈意地悪な姉Ａ〉、リボンを結んだ津々浦くんが〈意地悪な姉Ｂ〉を演じて、大好評を博したそうだ。二人の間に働いている宿命的親和力を彼らも自覚していて、新任の英語の先生や教育実習生には、"We are twin sons of different mothers"《ウィ アー トゥイン サンズ オヴ ディファレント マザーズ》（「僕ら、異母双生児です」）と、穿《うが》った自己紹介をしていた。数学のハッシーこと長谷川先生など、誰にも解けない難しい問題をわざと津々浦くん洲々浜くんに順番に当てて、二人とも答えられない時は、「おまえら、東大はあきらめて漫才でもやれ！」と、冷たいことをおっしゃった。

確かに津々浦&洲々浜ペアは、人も知る駄洒落コンビだった。しかし彼らのシャレは、「〈アンダルシヤ〉に靴売場ができたよ」、「パン屋のくせに何《ナン》ダルシヤ！」、「夏のお履物大バーゲンだとさ」、「そんなら君はサンダル（に）シヤ」、などという超現実的《シュール》で字余りで独善的なものが多かったので、一般受けはしなかった。

洲々浜くんは、鳶《とび》ノ橋の電停近くにある鳶ノ橋産婦人科の次男坊だった。お兄さんの波夫さんとは、かなり年が離れていた。波夫さんは、高校受験の時、県下の名門三校――鶴島大学教育学部付属、鶴島学院、求道学院――を受けて三つとも合格し、迷った末、共学だからという理由で鶴大付属を選んだ。入学式から戻った波夫さんは、弟の澄夫くんを呼びつけ、「わしは早まった。女がおると思うたけぇ付属へ行ったのに、なんじゃあれは！」と嘆いた。おまえ、青春したい思うんじゃったら、絶対付属なんか行くなや！と、お兄さんに懇々と言い聞かされて、澄夫くんは鶴島学院を受験したのだった。

鶴大付属高校の女生徒を見て夢破れた波夫さんは、「わしゃこれから、サッカーと受験勉強に命をかけるで！」と誓った言葉どおり、高二の時にソウル、バンコク、シンガポール、高三でオーストラリアのメルボルンなどへサッカー遠征をして輝かしい戦歴を残し、大学はストレートで鶴大医学部に合格した。（現在の私の上司《オーベン》、洲々浜波夫医師《せんせい》とは、他ならぬこのお兄さんなのだ。）

澄夫くんのオーディオ・マニアは、お兄さんの影響だった。アンプやチューナーやスピーカーの機種と性能に滅法詳しく、小遣いはほとんどコンポのグレードアップとレコードに注ぎ込んでいた。同病相憐れむ津々浦くんや上月《こうづき》くんが一緒になると、マランツだのボーズだのヤマハアカイだの、方言とも暗号ともつかぬ符牒の頻々《ひんぴん》と飛び交う、ミステリアスな「怪話」に花が咲くのだった。

ある時、Camel《キャメル》というロック・バンドの新譜を買った、しかもイギリス盤だ、というので、クラスメイト何人かで誘い合わせて拝聴しに行くことになった。（ノーチラスで聴こうわい、と招待主《ホスト》が言うので、黄色い潜水艦《イエロー・サブマリン》にでも乗り組むのかと思っていたら、スピーカーのことだった。）

土曜の午後だったから、調理実習のある青木くんは、残念ながら来られなかった。私は、同じ寮生の弓削《ゆげ》くん、花小路くんと一緒に、二時ごろに学院を出て電車で鳶《とび》ノ橋へ向かい、鳶ノ橋の電停で曾根くん、福間くん、津々浦くんら自宅通学者と落ち合って、総勢六名で洲々浜くん宅へお邪魔した。

急勾配の屋根と広いバルコニーのあるスイス山荘《シャレー》風の自宅が、芝生《ローン》を隔てて診療所に隣合っていた。窓という窓に揃いのレース・カーテンがふわふわとそよぎ、窓辺の植木鉢には、赤や紫や橙色《ダイダイいろ》の、顔中くしゃくしゃにして笑っているような花が、賑やかに押し合いへし合いしている。玄関でドヤドヤと靴を脱いでいると、奥から波夫さんが出てきた。澄夫くんのおっとりした風情とはまた違い、動作にも表情にも精悍なところのある人で、濃い一文字の眉や力んだ鼻のあたりに、遠からず辣腕の産婦人科医として大成する兆しが早くも顕《あらわ》れていた。

「お兄《にい》ちゃま、どこ行くん?」

「試合じゃ。退《の》け」

というさりげない対話の中にも、兄弟のキャラクターの差は歴然と見て取れた。

洲々浜くんの部屋は二階にあった。白とブルーで統一した爽やかなワンルームで、習字の表彰状や英検四級の合格証などと並んで、日本盤、英国盤、ヨーロッパ盤の美しいレコード・ジャケットが、麗々しく壁を飾っていた。皆がとりわけ感心したのは、かの〈ノーチラス804〉というスピーカーだった。この威風堂々たる芸術品は、以前は診療所の待合室に置いてカッコーワルツや月光奏鳴曲《ムーンライトソナタ》を流していたのだが、名曲ファンの付添いたち(主に患者さんのご主人)が聴き惚れて座りこみ、奥さんの診察がすんでも帰ろうとしないため、澄夫くんの部屋に移動させたのだとか。

「あー、そうじゃ! 待合室に、母親学級用の100インチモニターがあるんよ。きょうはもう診療終わっとるけぇ、だーれもおらんじゃろう。ジェネシスのライヴのビデオを観《み》ん? ピーガブええで~!」

観る観る、と歓声を上げた二、三人に、ジェネシスを知らぬ残りの者もにこやかに付和雷同して、我々はまた階下《した》に降り、ドヤドヤと靴をはいた。中学時代、クラシック一辺倒だった私などは、芝生を越えて診療所へ移動する道すがら、日曜学校やチャペルアワーの記憶を懸命にたぐり寄せ、創世記《ジェネシス》に出てくるキャラクターを思い出そうとした。（アダムとエバの他に、ピーガブなどという生き物が創造されたかしらん？）

診療所の玄関はあいていたが、受付の窓口にはカーテンが降りて、『本日の診療は終了致しました』の札が下がっていた。洲々浜くんは、ちょうど通りかかった看護婦さんに、今からビデオ観るけぇね、と言って、私たちを待合室へ案内した。受付と待合室は正面入口を入って左手、右手には電話室とエレベーター・ルームがあった。二階のエレベーターを出た所に飲物の自動販売機がありますよ、と看護婦さんが教えてくれた。〈亀甲のおいしい水〉のようなミネラルウォーターがあるかと行ってみたが、ジュースとコーラとウーロン茶しかなかった。ま、いいや。

財布の中から百円玉を選り出していると、エレベーターが静かに上がって来た。扉が開いて、出て来たのは白いチューリップをいっぱい抱えた野瀬さんだった。

九　白蕾《しろつぼみ》

奇妙なことに、私はその日その時まで、チューリップには赤と黄と桃色しかないと思い込んでいた。（「あか、しろ、きいろ」に咲いた並んだと、有名な童謡に謳歌《うた》ってあるにもかかわらず、である。）幼少の頃の絵画作品にしろ、白いチューリップなど描いた覚えはない。仮に素描《デッサン》の段階で白いのを写していたとしても、何やら塗り残しのように思えて、律儀にいちいち彩色を施したのかもしれない。

野瀬さんの腕いっぱいに溢れる花は、従って、新鮮であった。透き徹るような薄緑の茎の先に、少しほぐれかけた雪白の蕾が優しく首を擡《もた》げているところは、まるで生まれて初めて見る花のようだった。花売り息子《フラワーボーイ》の方はどうかと言えば、一分の隙もない休日の出で立ちだった。写生《スケッチ》を試みれば、まず眼につくのが純白のプルオーバーと、Vネックの襟元から程よくのぞかせたライト・オリーブのシャツ。ボトムはスリムなホワイト・ジーンズに、下ろしたての真っ白いスニーカー。恰もチューリップのために装ったかのようだ。

お互い、思いがけない場所で出会った驚きは隠せなかった。野瀬さんは私の爪先から頭の天辺まで二、三度素早く見上げ、見下ろし、

「制服でこんなところへ来るとはいい度胸だ。相手の女性は大丈夫?」

と真顔で言った。こういう会話になると、今も昔も私は極端に螢光灯である。スイッチが入ってから点《つ》くまでに時間がかかる。ただし点灯時は威勢がいい。この時も、途端に顔が火照《ほて》って息が詰まった。誰にも言わないから、と軽く頭を叩かれる。なんとふざけた人だろう!

「そ、そ、そ、そちらこそ……な、何なんです、そのチューリップの集団は!」

野瀬さんは花束を抱え直し、片足をちょっと引いて、ダンサーのように気取ったお辞儀をした。

「僕は潔白です。清く正しい花キューピッドのお使いだよ」

そして笑いながらナース・ステーションの方へ歩いて行った。怒り心頭に達した私はますます物が言えない。すると本当に、こんにちは、花キューピッドです、患者さんにお花をお届けに上がりました、と挨拶する声が聞こえた。さっきとは別の看護婦さんが奥から出てきたが、野瀬さんを見ると苦笑いした。

「あんたぁ、はぁ、いけんじゃないの。こないだもそう言うて当直のナースをかついどったんじゃないんね。親戚の人なんじゃけぇ、自分で持って行ってあげんちゃいや。えーと、長田富美子《おさだとみこ》

さんじゃったわいねぇ。五号室、と。間違えんちゃんなよ」

そう言って看護婦さんは、ナース・ステーションの窓をぴしゃりと閉めてしまった。私の立っている所からは野瀬さんのプロフィールしか見えなかった。眉をひそめ、持て余した花束に半ば顔を埋めるようにして、何か考え込んでいる。と思うと、いきなりくるっとこちらを向いて、

「君、ちょっとつきあってくれ。五分でいいから」

(なに言うとるんなら、わりゃ!)

「階下《した》で友達が待ってるんです」

「そういうなよ。ちょっとだけ――」

(わしゃこがいな先輩見よぅったら殴りとうなるで!)

「これから友達とビデオを鑑賞するんです。ジェネシスのライヴのピーガブを」

私はいまだに正体のわからぬ被造物をかつぎ出して抵抗した。

「テレビなら無理にとは言わないけど、ビデオなら待てるだろ? な、三分ですむから」

ちょっと来てみいや!――と凄《スゴ》む代わりに、私は野瀬さんについて不承々々五号室へ行った。

五号室は個室だった。白と青は当院のイメージ・カラーなのか、ここでも明るい水色の壁とシーツの対比が清々しい。髪を二つに結んだぽっちゃりした妊婦さんが、笑くぼをたくさん浮かべ、重ねた枕の上に凭れかかっていた。枕元の小卓に一輪挿しの花瓶があり、ラッパ水仙が二本、無

造作に投げこんであった。

「あらまあ、洌《きよい》さん！　まあまあ、お花がいっぱい！」

チューリップと野瀬さんを見て、妊婦さんは嬉しそうだった。大きなお腹の上にトレーが渡してあり、半分食べかけのケーキが載っていた。野瀬さんは軽く会釈して、花束を差し出した。

「叔父さんが、用事があって遅れるので、花を先に持って行ってくれって。どこに生けましょうか？」

「そうお？　遅れるの？　遅れついでに〈アマデウス〉のザッハトルテを買ってきてくれるといいんだけど。そこまで気がつくかしら。お花は、洗面台にお水を張って、そこへ入れておいてちょうだい。あとで看護婦さんに大きい花瓶を持ってきてもらうから。一緒に来たのはだあれ？お友達？」

部屋の一角に作り付けの洗面台があった。野瀬さんは、花を水に漬け、ぶっすり押し黙った私の顔を斜《はす》に眺めながら晴れやかに嘘をついた。

「ええ、クラブの後輩なんです。実はきょうこれから、こいつのトレーニングにつきあう約束なので、あまり長居できないんですが……」

「大変ねえ、皆さん。お勉強もあるのに。そうだ、あなたたち、シュークリーム好き？　冷蔵庫にたくさんあるの。〈アンダルシヤ〉の、カスタードの方よ。いかが？」

「どうも。残念だけど、時間がないんです。またこの次に戴きます。じゃ、遠野、行こうか?」

叔母さんにしてみれば、勉強にクラブにと忙しい身でありながら、花を持って会いに来てくれた甥の言うことを疑う理由はない。私は鶴島学院の制服を着ていた。浮かない顔つきは、これから筋トレでシゴかれる新入部員なんかにふさわしい表情であったかもしれない。「クラブの後輩」で充分通る格好だった。しかし、野瀬さんの、いかにも屈託のない天使のような先輩ぶりを見ていると、またムラムラと怒りが再燃してきた。誰がこのままおとなしく後輩の振りなんてしてやるものか。カスタード・シュークリームは私の大好物だったのだ!

私は、野瀬さんの虚言を暴く何か決定的な一言はないかと腹の中で思案した。だが私には、そう珍しくもないけれど、一つの困った癖があった。大切な問題を考えている最中に、全く関係のない些細な事がふと頭に浮かんで、すっかりそちらの方に気を取られてしまうという癖だ。この時、私の復讐計画を挫折させたのは、野瀬さんがなぜ私の名前を知っているのかという疑問だった。野瀬さんの名がわかったのは偶然だ。青木くんが鍋島さんから聞いて、そして……

「遠野くん」

気がつくと、私たちは既に五号室を出て、ナース・ステーション前の廊下に戻っていた。窓口は依然、閉まっていた。野瀬さんは片腕を私の肩に回して——おそらくこうしてエスコートされながら病室を後にして来たのだろう——ほっとした面持ちで私を見下ろしていた。

「助かったよ、ありがとう。君には『ありがとう』ばかり言ってるな。おかげで無事切り抜けられた。一人で行っていたら、ケーキを少なくとも三つ食べるまでは帰れないところだった」

シュークリームなら三個が十個でも喜んで食ってやる。私はますます憂鬱《ブルー》になった。

「ビデオの邪魔して悪かった。さあ、もう機嫌を直してピーター・ガブリエルを鑑賞したまえ。『月影の騎士』は僕も好きだよ」

伸びすぎた前髪が耳のあたりで素早くかき上げられた。羽毛でさっと触れられたような、軽く柔らかいセンセーションが頬をかすめた。何をされたのか了解できるまでに多少時間がかかった。（了解した時には野瀬さんはもういなかった。）十代人《ティーンエイジャー》となって初めて経験した接吻に対する私の正直な心的反応は、ああ本当に、もう床屋へ行かなければ、という自戒の念であったと思う。

一〇　春愁《はるのうれひ》

日曜日は雨だった。向かいのヨハネ寮から、青木《おうぎ》くんが、おやつ持参で私の部屋へ遊びに来た。〈苺のお帽子タルト・タタン風〉というゼリーとスポンジケーキの合体菓子で、ゼリーの軟度に関しては、まだ試作の段階だということだった。

男子校には家庭科室がない。料理研究会の実習はいつも化学教室で行われていた。化学部の実験日とかち合うと困ったことになった。材料はともかく、食器・調理用具は当然実験室にあるもので代用しなくてはならない。乳鉢でドレッシングを混ぜ合わせ、耐熱ビーカーで茶碗蒸しを作り、〈KCN〉とレッテルを貼った壜から調味料を匙ですくいだす。かと思うと、たとえば化学部で使う坩堝《るつぼ》が紛失した時、料理研究会のメンバーの一人が、お姉さんの結婚式の引出物の余りだというフォンデュ・セットを気前よく寄付するなど、クラブ間協調も奨励されていた。

化学部付属というだけあって、分量、火加減、タイミングのとり方に、普通の料理学校には見られない厳格さが目立った。サラダ油、酢、塩胡椒、スパイスの類は、メスシリンダーや分銅秤を駆使して厳密に測定された。ケーキの切り分け方の講義など、分度器とコンパスと三角関数の知識がなければとてもついていけなかった。私も何度か見学に行ったことがあるが、

「バーナー用意！」「バーナー用意！」

「点火！」「点火！」

「醤油滴下十秒前！」「醤油滴下十秒前！」

「カウントダウン開始！」「カウントダウン開始！　十、九、八、七、……」

という具合に、鍋島さんの号令を皆がいちいち忠実に復唱しながらテキパキと作業を進め、精密

な料理を構築してゆくのだ。

青木くんの試作品を賞味するにあたり、私はまず紅茶を入れることにした。〈学院のエスコフィエ〉鍋島仕込みの青木くんは、茶の種類、葉の新しさ、湯の温度、注ぎ方などにもなかなかうるさい。本日はフレッシュ・フルーツを使《つこ》うたお菓子じゃけぇ、シンプルでリフレッシングなダージリン春摘《ファースト・フラッシュ》みがお奨《すす》めじゃ、お好みでオレンジ・スライスを一片《ひときれ》浮かべても宜し、とのアドバイスに従い、私は給湯室のキチネットで湯を沸かして、これも青木くん指定の丸形ポットに注いだ。

「砂糖は？」

「要《い》らん要《い》らん。せっかくのデリケートな甘味がだいなしじゃ」

雨にも負けず、他のルームメイトは全員外出していた。私も、久々にO村へ帰ろうかと思っていたのだが、祖父母が三泊四日の温泉旅行に出かけるというので、寮に残ることにしたのだった。

「きのう、洲々浜んとこ行ったんじゃろう？」

「うん」

「キャメルどうじゃった？　わし、ほんまはあんまり知らんグループなんじゃ。よかった？」

「うん」

「弓削がえろう感動しとったのう。新加入の美声ベーシストがブチ渋い言うて」

「うん」

青木くんがきれいに切り分けてくれた〈苺のお帽子〉は、おいしかった。BGMはサティだった。《Gymnopédie No.1》《ジムノペディだいいちばん》——雨は次第に小降りになって、窓の下の櫟林《くぬぎばやし》の枝から枝へ、淡い紗幕を掛け渡したような狭霧《さぎり》に変わる。七つの川が流れる鶴島市の、どの川の岸辺にも、河面にも、無言の歌の調べのように、春の夕靄が白々とたなびいているのだ。

この季節になると父の記憶が甦る。春の最初の休日に、私たちは出かけたものだ。三月の鉄道旅行。低い土手、くぐもる汽笛、暖かい雨を含んだ山峡《やまかい》の朝——線路沿いの、仄かに明るむパステルトーンの風景が、次々と車窓へ描写され、その一瞬のスケッチの中から、早春は薫り、揺らめき、立ち上る。小さな汽車は、内海のほとりを過ぎ、緑なす河に寄り添い、やがて薄青い谷間にさしかかり——私は一時《いちどき》に思い出す。春先の草地の色、穏やかな水の温《ぬく》もり、雨模様の西の空を、緩い大きな弧を描いて吹き抜けていった風——そして夕暮れ、野生の果樹の花の匂いがあたりをいっそう紫に霞ませる頃、私たちは夢見心地にくたびれて、淡い灯影《ほかげ》のまたたく田舎の駅に降り立つのだった。

私が物心つき始めてから、父がクアラルンプールへ行ってしまうまでの数年間、母も一緒に三人で毎年訪れていた、あれは何というところだったろう？　鶴島のどこかではなかった。もっと鄙《ひな》びて、日がな一日うっとりするような光と憩《やす》らぎのたゆたう、浮世離れした場所だった。丘の上で花を摘んだような気がする。花束を抱えて誰かが手を振った。蕾の形をした白い花――？

「B面にしょうで」

と、青木くんが言った。私の紅茶はすっかり冷めていた。カセットを裏返すと、ベイシティ・ローラーズだった。

「おまえって、時々自閉症かと思うことあるのう」

私は冷たい紅茶を一口啜って、バツの悪さを隠そうとした。物思いに耽っていた何分かの間、青木くんの存在を完全に忘却していたのだ。

「ごめんよ。これ、癖なんだ。何か考え事を始めると、止まらなくなるんだ」

「そがいなことわしにじゃてようあるけど、おまえのはちとキツいで」

「うん。悪い」

「癖じゃ言うても――そうじゃのう。まあ、健康体のまんまで頭だけが先天的にぼおっとしとるいうことも考えられるが、それにしてもこのごろ特に、後天的にエスカレートしてきたと思わん？」

「どうしてそんなこと？　エスカレートって――」

「普段のボンヤリがますますきつうなっとるということじゃ。変わってきたばっかしの時はそうでもなかったで。どしたんや、五月病みたいなもんか？」

私は紅茶茶碗から顔を上げた。こちらを見る青木くんの眼には、純粋な心配と隣組的野次馬根性が、上手にブレンドされたスパイスのように入り混じっていた。私はまた視線を落として手に持ったカップの縁を見つめた。ちょうどいい時にオレンジを取り出さなかったからか、紅茶は少しほろ苦くなったような気がした。

「青木くん――」

部屋には私たち二人しかいなかったのに、私は誰かに聞かれるのを憚るように声をひそめた。

「訊きたいことがあるんだ。訊くのが恐い気もするけど……正直に答えてくれる？」

「おう、もちろん」

「僕のボンヤリがひどくなったって、いつごろから気がついてた？」

青木くんの皿にはゼリー寄せの苺の最後の一かけらが残っていた。フォークで追いかけても追いかけても、ツルリと空しく逃げられてしまう。業を煮やした青木くんは、

「はっきり言うて、ごく最近なんじゃ」

と言いながら、器用な指先でゼリーをつまんで口の中へ放りこんだ。

「こないだの――ほうよ、月曜日、野瀬さんに本を返しに行った時からじゃ」

一一　英会話《えいくわいわ》Ⅰ

桜の頃、新入生と一緒に新しい神父さんが学院にやって来た。恐ろしくのっぽで、削《そ》いだように瘠せており、羽をたたんだ大きな鳥のようだった。栗色の髪は幸いまだふさふさと蒼白い高い額に垂れて、中年には今少し猶予期間があるように見えた。日本語はあまり達者でなく、高等部の英語並びに美術の授業、聖歌隊の指導、宗研の副顧問などを担当されることになった。

チャペル内にある宗務部《しゅうむぶ》の隣に〈お祈りの部屋〉と呼ばれる静かな小部屋があった。造作《つくり》は八角形で、二面の細長いフランス窓に挟まれて、磔刑のキリスト像を納めた壁龕《へきがん》があり、入室すると、何はさておきその十字架が目に入る仕組みだった。新任のペン神父は、この〈お祈りの部屋〉で、よくチェロを弾いておられた。通りすがりに聞こえた限りでは、古典作品の解釈が非常に独創的で、チャイコフスキーやベートーヴェンが墓の中でもんどりうつような、大胆な演奏だった。

神父さんたちは皆、チャペル横の楓林荘《メイプルロッジ》という建物に住んでおられた。学院の周囲は大部分が鬱蒼たる竹林だったが、敷地内には桜、梅、楓《かえで》、櫟《くぬぎ》、樺《かば》、楡《にれ》、落葉松《からまつ》など様々な樹木が植えてあった。チャペルとロッジの間の小さな空き地は神父さんたちの手できれいに耕され、一部は菜園、一部は薬草園になっていた。寮生は、多かれ少なかれ放課後でも学院内に残っているわけだから、この近所を暇そうにぶらついていたりすると、突然呼び止められて農作業を手伝わされることがあった。私も何度か、シュヴァイツァー先生につかまったことがある。コンヌツワ、チョットイッショウ、ハタラケ！と言われて、移植鏝《いしょくごて》や散水ホースを手渡され、止むなくちょっと一緒に一時間ほど働くことになるのだ。

K市のS女子短大で講師をしておられる、故ウォリック先生の妹さんのお宅で春休みを過ごした私は、学院へ戻る早々、二十日大根《ラディッシュ》と菠薐草《ほうれんそう》の植えつけに駆り出された。日没前にようやく作業が終わり、痛む腰を伸ばしていると、〈お祈りの部屋〉の窓が開いてペン神父さんがひょっこり顔を出した。

Father Penn: Hullo there!（「やあ！」）

Good Boy Tohno: Good evening, sir.（「こんばんわ、先生」）

P: Lovely evening, isn't it?（「いい晩だね」）

T: Yes, sir. It's very pleasant. The setting sun—（「ハイとても気持ちいいです。夕日が——」）

P: Yes, the sun! It's gorgeous, isn't it?（「そう、お日様！　素晴らしいよ。ねえ？」）

T: Yes, sir. Yes indeed.（「はい。ほんとうに」）

P: Would you do me a favour?（「ちょっと頼みがあるんだけど」）

T: Certainly, sir. What can I do for you?（「はい、何でしょうか？」）

P: Please go and get me some plaster.（「貼るものをいくらか、取ってきておくれ」）

T: Plaster, sir?（「貼るもの、ですか？」）

P: Yes. Sticking plaster.（「そう。絆創膏《ばんそうこう》を」）

T: Did you hurt yourself, sir?（「怪我をなさったんですか？」）

P: No. But I broke my instrument.（「いや。楽器を壊した」）

T: Oh....（「はあ……」）

P: Now, go quick! There's a dear. It's bleeding like a pig.（「ささ、いい子だから早く行ってきて！ひどく血が出てるんだ」）

ニヤリと片目をつむって神父さんは引っ込んだ。保健室はもう閉まっていたので、私はわざわざ寮へ帰って自分の救急箱の中から絆創膏を探し出してきた。〈お祈りの部屋〉の窓にはいつも薄紗のケースメントが降りていたので、室内は仄暗かった。譜面台だけでなく、床の上にもあちこちに楽譜が散らばっていた。神父さんは鉛筆でしきりに何か書き込みをしていた。スコアの一部を手直ししているようだった。私が絆創膏を渡すと、文字通り手放しで喜んだため、五線紙、鉛筆、諸共に落っことし、足元の床はいっそう乱雑になった。紙の山をかき分けて、鉛筆と一緒に弓を拾い上げたのを見ると、真中でポッキリ折れていた。鉛筆なら削ればまた使えるけれど。

P: I must fix this somehow.（「こいつを何とか直さなくちゃ」）

神父さんは、絆創膏を気前よく剥いで折れた弓にぐるぐる巻きつけた。応急処置、というところだろうか。聖職者の俸給では、持ち物が壊れてもすぐに新品を買うというわけにはゆかないのかもしれない。弓はだいぶ酷使されていて、糸がほつれ、擦り切れていた。楽器の方も、あれだけの音色が出るのだから物はいいのだろうが、裏も表も傷だらけで、思わず駈け寄って手当てをしてやりたくなるような有様だった。

T: Looks rather awful .... shall I call an ambulance?（「ちょっとひどそう……救急車を呼びましょうか？」）

P: It's very considerate of you. Never mind. But, thanks all the same. Poor thing! I should have handled this more tenderly.（「気配りのある人だね。いいんだよ。でも、ご心配はありがたい。かわいそうに、もっと懇《ねんご》ろに扱ってやればよかったんだ」）

屈んで一生懸命に弓を修理する合間に、神父さんは長い睫毛の下から時々私を見上げて、戯れにウィンクなどしてみせた。

ペン先生の最初の授業があった日、高ＩＣでは——青木くんを含む——何名かの生徒が、完全に舞い上がってしまった。生まれてこの方十五年、浮いた噂の一つもなく、清廉潔白この上ない精神生活を送ってきた大佐古茂治《おおさこしげじ》くんのような人までが、「色っぽい神父さんじゃのう」と溜息をついたくらいだ。

美術の時間には早速、世界一有名な作品――レオナルド・ダ・ヴィンチの《La Gioconda》《ラ・ジョコンダ》即ちモナ・リザ――を採り上げて、オーディオ・ヴィジュアル・クラブの部員たちの向こうを張る秘《エソ》儀的《テリック》な芸術怪談を披露して下さった。椅子にかけて上半身を艶《なま》めかしく捻《ひね》って〈contrapposto〉《コントラポスト》の動的《ダイナミック》な効果《エフェクト》をご覧《ろう》じろと言い、青木《おうぎ》くんを教壇に呼んで目尻や口角に青色チョークの粉を擦《なす》りつけながら〈sfumato〉《スフマート》でございと謎めいた微笑を浮かべる。文字通り煙《ケム》に巻かれて曖昧に微笑みを返す聴衆の中で、ウンウンと納得しつつ拝聴しているのは、真知須《まちす》くん剛岩《ごうがん》くん毛尻鰐《もじりわに》くんたち美術部員だけだった。

英語の授業はキビキビしていて、適当に脱線しながら要点はちゃっかり叩きこむところなど、なかなかソツがないと私は思ったが、その他には特に舞い上がる理由も見つからなかったので、地に足をつけたまま冷静にペン先生を観察していた。

〈お祈りの部屋〉で趣味の音楽をやっている姿を見ると、確かに神父にしては些か節操がないようだ。胸元ややはだけぎみに引っかけたシャツは、エメラルド・グリーンとターコイズ・ブルーとショッキング・パープルの縦縞柄《ストライプ》だし、洗いざらしのブルージーンズには随所にきわどい穴や裂け目がある。靴はまるで、決して磨かないからという約束で靴屋から無理矢理せしめた代物であるかのようだ。少し鼻にかかった滑らかなテナーで喋る。標準よりやや早口で、アクセントは概ねハーヴァード式だが、語彙にどこやら英国風のところがある。（ロンドンでしばらく放浪生活でもしていたのかしら？）敏捷に動く眉。鼻翼の薄い華奢《きゃしゃ》な鷲鼻。捻り姿勢《コントラポスト》で、唇の端をちょっとだけ上げて、口をつむったままで微笑むあの笑い方は、どうも気に入らない。誰かを思い出させる。ジョコンダ夫人の他にも、『ファウスト』の悪魔メフィストフェレスとか、ヴィスコンティ監督作品に出る常連俳優だとか。もっと身近なところでは——私は突如思い当たった——野瀬さんとか。

P: I believe we have met in class already. What year are you in?（「君にはもうクラスで会ったことがあるね。何年生だっけ?」）

T: I'm in my freshman year at senior high, sir.（「高等部の一年です」）

P: Why, I remember you, of course! You seem to feel quite comfortable about speaking English. Only a few more boys have spoken to me freely so far. One of them speaks particularly well. He said his first language was actually German. Wait a minuit! I must say your accents sound wonderfully alike. In fact, identical. Rather curious, isn't it?（「そうだ、もちろん覚えてるよ！ 君は英語を喋るのが苦にならないようだね。今までのところ、進んで気軽に話しかけてくれた生徒はまだ二、三人

しかないんだ。中に一人、特にじょうずな人がいる。最初に喋った言語はドイツ語だなんて言っていた。待てよ。そう言えば、君たちのアクセントは実によく似てるな。実際、そっくりだ。ちょっと面白いね」)

T: Yes ... rather .... (「ええ……まあ……」)

P: Now, what was his name? I wish I could remember— (「はて、あの人は何て名前だったかなあ? 思い出せるといいんだが——」)

T: It's alright, sir. I think I know him. (「いいんです、先生。僕の知ってる人だと思います」)

P: Oh, do you really? Are you sure? (「え、知ってるって? 確かかい?」)

知っているとも! 私には絶対の確信があった。

一二　英会話《えいくわいわ》Ⅱ

旭日学園の英語教育は非常に徹底していた。他の学校に比べて顕著なのは、読み書きと並んで「話す」ことに特に重点が置かれているということだ。中一、中二では文法と並んで発音の授業の比重が大変高かった。しかも、生徒の間ではA語《エイご》（American《アメリカン》 English《イングリッシュ》）、B語《ビーご》（British《ブリティッシュ》 English《イングリッシュ》）と言い慣わされていたように、アメリカ式とイギリス式の二通りの語彙発音を教えられる。単語の綴り方は無論である。たとえば、〝favor《フェイヴァー》〟と〝favour《フェイヴァー》〟、〝theater《シアター》〟と〝theatre《シアター》〟、〝draft《ドラフト》〟と〝draught《ドラーフト》〟など。いずれを用いても宜しいが使用の際に混同しないように、と注意されていた。たとえば、〝Ask my aunt《ア(ー)スク マイ ア(ー)ント》〟と言う時に、〝ask《ア(ー)スク》〟の〝a《ア(ー)》〟と〝aunt《ア(ー)ント》〟の〝au《ア(ー)》〟は、A式(æ)《ア》かB式(a:)《アー》に統一しなければならないのである。

先生たちは、UK《イギリス》から来た人もUS《アメリカ》から来た人も仲よく教鞭を取っておられ、お国ぶりの違いが原因で戦争が起こることはなかった。オクスフォード出身のマシューズ先生は、花瓶(vase)のことを〝veis《ヴェイス》〟と言おうと〝va:z《ヴァーズ》〟と言おうと一向に構わないけれども、腹が立ってむしゃくしゃしている時、わたくしならばやはり、〝This infernal vase《ディス インファーナル ヴァーズ》!〟と言って壊すでしょう、この種の「気取り《スノバリ》」は、わたくしの学びました学寮《コリッジ》周辺に蔓延する風土病でありましたから、と笑っておられた。（その時、共に笑い合える者がクラスに一人もいなかったのは、お気の毒だったが。）

風土病に感染したのか、生れつき血の中に幾許《いくばく》かのスノッブ因子が潜んでいたのか、私はいつの間にか〝jail《ジェイル》〟を〝gaol《ジェイル》〟と書き、〝vast《ヴェイスト》〟を〝va:st《ヴァースト》〟と発音するようになった。一番の理由は、単に、自分の耳にはA語よりB語の方が聞き取りやすく真似しやすかったから、というだけのことだったと思う。他にもそんな生徒が多かった。その結果、マシューズ先生がおどけて〝Oxonian《オクソニアン》

stuttering《スタッタリング》"（オクスフォード吃《ども》り）と自称される話し方には遠く及ばないが——鸚鵡《おうむ》や九官鳥なら、もっと短期間で完璧なオクスフォード・イングリッシュを話すようになったことだろう——生徒たちはある程度、先生の発音、抑揚、語彙、スタイルを継承することになった。みっちり二年間も模倣を続ければ、多少なりとも似てこない方が不思議である。ペン先生が私の英語のアクセントに言及された時、真っ先に思い浮かんだのは、この旭日メソッドと、そして野瀬さんのことだった。

野瀬さんはいつ旭日学園から鶴島学院へ転校して来たのだろう？　私が高一に進んだので、野瀬さんは当然高三になっていた。高二から高三へはクラスも担任も持ち上がりだ。ⅡAのエトワールたちは、二年時の受持ちの長谷川頼光《はせがわよりみつ》先生（数学）諸共、そっくり最上階のⅢA教室へ移った。

校舎が同じになったのだから、今までよりも更に頻繁に顔を合わせてもよさそうなものだが、鳶ノ橋の産院で偶然会って以来、長いこと野瀬さんと言葉を交わす機会はなかった。廊下やホールで見かけたことはある。ⅡAの時に級長だった太刀掛《たちかけ》さんや、新しく生徒会長に選出された脇《わき》千冬《ちふゆ》さん、未来のビジネス・エリート宗光さん、色が白く髪が赤くお姫様のように綺麗なボクシング部の正岡《まさおか》さんなど、いつも錚々《そうそう》たる顔ぶれに囲まれているので、とてもこちらから気軽に挨拶できる雰囲気ではなかった。青木くんらと一緒に遠巻きに眺めていると、一、二度目が合ったような気もしたが、野瀬さんの方で私のことは忘れているようだった。少し気が抜けた。

「仔猫のようなとおのみどり」は、もちろんまだ恋愛未経験者であった。身近な女性といえば、母と祖母とミス・ウォリックしか知らなかった。小学校卒業後は寮生活で、自宅から通学したことがないため、登下校中に乗物の中で芽生えるロマンスなどにも縁がない。

　中二の時、ウォリック先生に連れられて、とある女子短大付属高校の文化祭に行った。背丈も身幅も私よりずっと大きいお姉さんたちが、お茶や手作りケーキを次から次へと出してきて奨めてくれた。私は実は、シュークリーム以外の甘い物はそう好きではない。しかし生来シャイな性《た》分《ち》なのでいやとは言えず、出されたものを律儀に全部平らげていたら、とうとう気分が悪くなった。また、〈ORGANIC《オーガニック》 FRESH《フレッシュ》 JUICE《ジュース》〉の看板を出している模擬店へ連れて行かれ、「味みしてくれへん?」と言われてイチゴジュース、リンゴジュース、オレンジジュース、バナナジュース、メロンジュース、グァバジュース、と（途中トイレへ三回立ちながら）さんざん試飲させられた末、帰る間際になって莫大な額の請求書を手渡された。華やかなドレスと人いきれと、クスクスからキャーキャーまで各種の笑い声に当てられて目まいを覚えた私は、夕方、亀甲学院の寮に戻って、ようやくまともに息がつけるようになった。

　森閑《しんかん》とした石造りの玄関ホール。階段ですれ違う上級生は、旧帝国海軍の士官候補生の制服に似た濃紺の詰襟を着て、生真面目《きまじめ》な嫩《わか》い顔と本を抱えた銀のような手と、それだけが、薄暮の青闇に静かに浮かび、漂い、消える。私は突然、言いようのない安堵を覚えた。それまでどちらかと言えば散文的で、無味乾燥に思えていた寮生活の中に、静穏と清楚の素朴な美しさを認めた記念すべき瞬間だった。

青木くんの診断に拠れば、私の「先天性健ボー症」が後天的に悪化した原因は、今ひとりの〈本を持つ上級生〉野瀬さんであった。忘れ物を返しに行った日から、様子がおかしいとは思っていたそうだ。以来、まるまる一週間というもの、私はバラ色の雲にでも乗って暮らしているようで、何と話しかけても満足に返事をしたためしがない。その挙句、おそらく出来心とはいえ、（容姿端麗な）先輩が（純真無垢な）後輩に戯れの接吻などすれば、「心うばわれてしもうても当たり前じゃいや」と言うのである。

「だってあれ、好色本《ポルノグラフィー》だったんだよ」

「『ナルチスとゴルトムント』のどこがポルノじゃ？　悪いことは言わんけぇ、いっぺんヘッセやマンを読んでみい。『デミアン』とか『トニオ・クレーガー』とか。涙なしにはわしゃよう読まんで」

この時の青木くんの推薦図書を実際に読んだのは、何年も後になってからである。（一ページから最終ページまで、一滴も涙を流さずに読破してのけた。）当時の私には、「心うばわれ」たなどという自覚はまるでなかった。プラトニック・ラブという言葉すら念頭に浮かばなかった。確かに、青木くんに指摘された一週間の間、とりとめのないことをあれこれ空想しているうちに、いつの間にか考えが――『月影の騎士』や《Fanfan la tulipe《ファンファン・ラ・チューリップ》》を経由して――野瀬さんの方へ傾いてゆくことがよくあった。唐突な光の雨に打たれて佇む人の、白く輝く剣のようなシルエットを、何度となく思い返した。しかしそれは、雑誌のグラヴィアや映画のシーンの中から、印象的な部分だけが繰返し思い出されるようなもので、傷つけられる心配もない、ただ美しく平板な画像《イメージ》でしかないと思っていた。

鳶ノ橋産婦人科のナース・ステーション前で、微風に撫でられたような感触の残る頬を、掌《てのひら》でそっと押さえてみながら、私は朧《おぼろ》げに悟り始めた。それは私に痛みを与え得ること。ひょっとすると、致命傷さえ与えかねないということを。

一三　木花之開耶彦《このはなのさくやひこ》

寮の部屋替えがあった。私はルカ寮十二号室へ引越した。二階の一番端、廊下の突き当たりだ。ルームメイトも変わった。室長は太刀掛さんだった。

今までの部屋と違って窓が二つあるのが嬉しかった。夏でもきっと風通しがいいだろう。東の窓は、学院の裏手へ続く銀杏《いちょう》並木に面していた。南の窓の外、手を伸ばせばさわれるほどの所に、見事な梅の大木があり、葉盛りの枝々に堅い青い実をびっしりつけていた。太刀掛さんが言うには、神父さんたちがこの実を採って、薬用酒という名目でプラムワインをしこたま作るのだそうだ。ただしシュヴァイツァー先生は、ある年の収穫期に脚立から転落して腰を痛めて以来、神の戒めに違いないと信じて禁酒を誓っておられるとか。梅の木のあちらには、松脂《テレビン》の香り清《すが》しい落葉松《からまつ》林が、なだらかな斜面《スロープ》に沿ってチャペルの方へ続いていた。

向こう隣の十号室に花小路由理也くんが入ってきたので、荷物が片づいてから一緒に夕食をとろうということになった。由理也くんは手と脚が異様に伸びる時期らしかった。中学時代の紅顔の美少年の面影をどこかに残したまま、頬から顎の線がすっきりと締まって大人びてきた。学院卒業時には兄の真理也さんを凌ぐほど上背があり、ブロンズ色に逞しく日焼けしていたが、この頃はまだ、こめかみのあたりが仄かに青みがかって見えるほど、皮膚の薄い、眉の涼しい、目鼻立ちの繊細な十六才だった。

新しい部屋の感想を尋ねると、由理也くんは浮かない顔をした。

「変な人がいるよ。藤井さんといって、室長なんだけど……」

（悪いとは思いつつ、私は、藤井さんが由理也くんに心変わりしてくれることを一心に祈った。）

「遠野くんの部屋のルームキャプテンは誰？」

「太刀掛さん」

「バスケの？」

「うん」

「あの人、理Ⅲへストレートだろうって噂だね。すごいな」

「君はもう、どこを受けるとか、考えてるの？」

「うーん……具体的にはまだ決めてないけど。兄さんが早稲田に行くつもりだから、僕はどこか他の大学になるだろうな」

「何で？」

「幼稚園から同じとこに通ってるんだぜ！　たまには違う空気を吸いたいよ。それに、経済って、あんまりピンと来ないし」

「何やりたいの？」

「語学」

迷わず答える由理也くんに、私は感心してしまった。私には、自分の将来の展望など、遥か彼方の蜃気楼を眺めるようなものであった。これといって不得意な学科はないかわりに得意科目もない。だから、志望校はおろか学部さえどこになるのかまるで見当がつかない。入学金や授業料の面で祖父母にあまり負担をかけたくないから、成績さえ許せば国立へ行きたいと思う——せいぜいその程度のことしか考えられなかった。

「語学って、何語？」

「英語——は当然だけど、第二外国語はロシア語かドイツ語にしようかと思ってる」

またドイツ語。どうしてこうなのだろう。至る所で野瀬さんを思い出すきっかけにぶつかるではないか。一度思い出してしまうと、想像は理性の手綱を離れて奔放に駈けめぐるばかりだ。

「学院にも、ドイツ語やってる人、いるよね」

「ほんと？　何年生？　あ、わかった！　ＧＳＳのことだろう？」

ＧＳＳとは、〈German《ジャーマン》 Speaking《スピーキング》 Society《ソサエティ》〉——またの名を〈Georg《ゲオルク》 Schweizer《シュヴァイツァー》 Special《スペシャル》〉——というドイツ語同好会のことだった。週に一度、チャペルアワーの後にシュヴァイツァー先生のオフィスに集まって、コーヒーを頂戴しつつドイツ文学を鑑賞したり会話のレッスンをしたりするクラブだと由理也くんは言った。

「英数に、も少し余裕ができたら、僕も入りたいと思ってるんだ。でも一応、国立も受けるからなあ」

「東京？」

「うん。家がもともとあっちだし、それに——」

冷《ひん》やりと澄んだ陶磁のような顔に、さっと薄紅《うすくれない》の色がさした。

「――文通してる奴がいてね。カルヴァン神大の付中に行ってた頃の友達なんだけど。大学はそいつと一緒のところに行こうって約束してるから」

半月前の私ならば、ここで由理也くんの頬が紅潮したのを面白く思ったかもしれない。半年前であれば、それさえ見過ごして如才なく相槌を打つだけだったろう。その時の私は、ただ胸が一杯になった。目の前で、私の知らない別世界の幸福の中から、ふと咲き出したような微笑みが、眩しかった。

「受かるといいね、同じ大学」

「うん」

十二号室に帰ると、太刀掛さんは自分の机で勉強していた。中三の安寧寺《あんねいじ》くんも机に向かっていたが、イヤフォンで聴いているのはラジオのFMらしかった。中一のニューフェイスは早々と床に就いていた。

私も寝仕度をした。いつもはしばらく本を読まないと寝つけないのだが、今夜はそれもいらないと思った。昼間、体育の授業のテニスで大分走り回ったし、部屋替えの気疲れもあった。何より、それまで知らなかった不思議な意気消沈《デプレッション》が心と頭を重くしていた。世界中の夜と孤独が、いきなり私一人の肩にのしかかってきたような気分だった。

一四　絲遊《かげろふ》

翌日、私の体温は38℃に上昇していた。ベッドから床に降り立った途端に足がふらついて、もう一度腰を下ろさなければならなかった。太刀掛さんが熱を計ってくれて、その結果、きょうは休め、ときっぱり言い渡された。

「単なる風邪じゃろうけど、念のため保健の先生に言うとこう。君のクラスの級長にも報告しとくけぇ、心配せんでおとなしゅう寝とくこと。わかった?」

濡れた真綿がいっぱい詰まっているような気のする頭で、私はできるだけはっきりと頷いた。間もなく校医さんが寮の部屋まで診察に来て下さった。診断はやはり急性感冒。注射の後、うとうととまた眠りこんでしまった。

疲れる夢を見た。嵐の空。雷鳴と稲妻。疾風怒濤。岸壁に舞い下りた鳥人《バードマン》。毒々しい緑色と紫の羽根でおおわれた巨大な翼——ピーガブそこのけの衣装、照明、音響——まるで円谷プロだ。酷薄な微笑を湛《たた》えた口角やや暈《ぼか》しぎみの唇は、ペン先生のようでもあり、モナ・リザのようでもある。半ば閉じていた両眼を、いきなりカッと瞠《みひら》いて、"Wake up, my dear boy, and get me a plaster!"《キミ、オキルンダ、オキテバンソウコウヲトッテコイ》と凶々《まがまが》しい形相で迫ってくる。"Be quick, or I'll kiss you!"《サッサトシナイトキッスシチャウゾ》

驚いて目を覚ますと、野瀬さんの顔がすぐそこにあった。夢の続きだ、と思ってまた目を閉じた。気持ちのいい冷たい手が、すっと額に降り、もうほとんど平熱だ、よかったね、と言う声が聞こえた。今度こそはっきり目が覚めた。だがまだ目を開くのは恐ろしかった。願わくは夢であってほしい。こんな時に野瀬さんに会うのはまずい。心身共に抵抗力が落ちているから、いかなる事態が発生しても許容《ゆる》してしまいそうな気がする。

空気のようにデリケートな指先が、私の瞼、睫毛を軽くなぞって唇に触れ、そして離れた。

「目を覚ませよ、眠り姫！」

声は爽やかで磊落《らいらく》だった。

「それとも、本当にキスをしなければ起きない？」

私は慌てて目を開けた。夢でも幻でもない。本物の野瀬さんだった。

「今……何時ごろ、でしょう……？」

「四時間めが始まったところかな」

「授業は――？」

「倫社なんだ」

太刀掛さんと野瀬さんの席は隣同士なのだそうだ。今朝、太刀掛さんがHR《ホームルーム》に遅れて来た。保健室に用があったから、と言うので、どこか悪いのかと尋ねると、自分ではなくルームメイトの下級生が云々、という次第で、野瀬さんは私の風邪のことを知って、スクォッシュをしに体育館へ行く途中「気晴らしに」立ち寄ってみたのだと言った。気晴らしというより気紛《きまぐ》れだろう、と私は強いて醒めた解釈をした。私の気晴らし。野瀬さんの気紛れ。私たちの関係はそこまでだった。いや、そもそも〈関係〉などと呼べるかどうか。二つの物体の間に何らかの繋がりがあれば、それは関係だ。『二物体間に働く万有引力は、両方の物体の質量の積に比例し、物体間の距離の二乗に反比例する。』心に質量なんてあるのだろうか？　憧れや物思いが測れるものかしら？　また熱が上がってきた。物体間の距離をこれ以上縮めないでもらいたいものだ。

「欲しいものがあったら言えよ。薬を飲む前に、何か腹に入れといた方がいいんだろう？」

ベッドの側に小卓が寄せてあり、薬袋《やくたい》が載っていた。一日三回食後。二日分。オサダ内科神経科医院。院長、長田光《おさだひかる》。鶴島市鶴江三丁目五番五。電話番号……

「叔父さんの風邪薬はなかなかよく効くんだよ。苦いけど」

校医さんは野瀬さんの親戚だったのか。ザッハトルテを待つ甘党の妊婦さんの顔が浮かんだ。

「何か食べたいものは？」

上掛け布《アッパーシーツ》を鼻まで引き上げて、私は首を横に振った。

「飲物は？」

No《イエ》, thank you《ケッコウ》.

「では、音楽が聴きたいとか、手品が見たいとか、トイレに連れてってほしいとか？」

！！！！！

野瀬さんは、私が寝ているベッドに――理想的な捻り姿勢《コントラポスト》で――座って、目と額しか見えない私の顔をば、しげしげと眺めていた。猫が何か獲物を捕《つか》まえてさんざん玩具《オモチャ》にした後、よくあんな顔をする。食べようか、放っておこうか？　お婆さんの家に来た狼と赤頭巾ちゃんが、逆さまになったようなシチュエーションだ。日足が伸びてきたので、二階東南の角にある十二号室はこの時間大変明るく、部屋中に黄金《きん》の絲遊《かげろう》が立ちこめていた。蜜のようにとろりと澱んだ沈黙の中で、自分の心臓の鼓動だけが、やけに耳についた。野瀬さんにもこれが聞こえていたらどうしよう？

「あの――」

「え？」

「すみませんけど、窓を――」

「開けるの？」

私が頷くと、野瀬さんは立ち上がって南側の窓をいっぱいに開いた。その隙に、私はシーツから顔を離して思い切り深呼吸した。反動でくしゃみが出た。野瀬さんは笑いながら振り向いた。

「そうか。スギノコ花粉の季節だった」

「僕は花粉症じゃありません」

「どうかな――?」

野瀬さんは、風媒されたように、ふわりと私の傍らに戻ってきた。私はまたシーツの陰に避難しようと身構えた。

「遠野先生はそうだったよ」

事実である。私の父は生前、軽度の花粉アレルギーに悩まされていた。春の杉花粉に始まって、初夏のカモガヤ、初秋のブタクサ――ハウスダストによるアレルギー性鼻炎と合併して季節性増《ぞう》悪《あく》を伴い、抗ヒスタミン剤を服用したり、減感作療法を受けたりしていた。父を身近に知っていた人の間では、秘密でもなんでもないことだった。しかし野瀬さんがそれを知っているというのは、どう考えても謎だ。エラリー・クイーンなら何と言うだろう? 私は上半身を起こして、ベッドの頭板《ヘッドボード》に寄りかかった。狼の顔がよく見えるように。

「君はお父さんによく似てるね」

野瀬さんの口調は頗《すこぶ》る淡々としていた。天気の話でもしているみたいだ。うっかりシーツの上に投げ出していた私の手を取り、無造作に一つキスをしてから、次のような爆弾宣言をした。

「知ってる？　僕の叔父さんと遠野先生は、恋人同士だったんだよ」

一五　林檎落下《りんごおっ》

長田光《おさだひかる》先生は鶴島学院の第一期生である（と、野瀬さんは言った）。私の父と同期であった。一緒に卒業して大学は二人とも医学部を選んだ。揃って東京のK大学に合格し、長田先生は故あって地元鶴大の大学院に戻ったが、父は卒業後もK大に残って付属病院の産婦人科に入局した。私が両親から聞いている話が真実ならば、父は医局の秘書をしていた母と恋愛結婚をした筈だ。そして私が生まれた。

「恋人同士なんて……何を根拠にそんなことを言うんです？」

「それは――秘密だよ」

野瀬さんは私の手をなかなか自由にしてくれなかった。珍しい鳥の羽根か植物標本でも調べるように、指の一本一本、関節の一つ一つを仔細に点検していた。

「僕の父は、母と結婚していたんですよ」

「ああ」

「しかも、見合いじゃないんです」

「……」

「あなたの言うことを聞いてると、まるで父が――父が――」

「バイセクシュアルは犯罪じゃない」

「そんな問題じゃありません！」

私は怒ってさっと手を引っ込めた。左の手であった。野瀬さんは少しも狼狽《うろた》えずに私の右手をとった。

「叔父の書斎に鍵のかかる本棚があるんだ。シェイクスピアの初版本なんか入れてあるわけじゃないが、ま、習慣でかけるんだな。鍵はもちろん彼が持っている。でも、時々閉め忘れることがあってね――」

私は、体のあちこちの器官が独立して、めいめい好き勝手にものを感じ始めたような気がしてきた。目と耳はまだ熱っぽく、頭の芯は変に冷たく、心臓は今にも口から飛び出しそうだった。足は力が抜けて使いものにならない。（半分寝ているので支障はないが。）野瀬さんの支配下にある方の手は、生まれて十五年と七ヶ月の歳月の中で夢にも思わなかったことを、いろいろと体験していた。これほど優しく扱われたのは初めてだったに違いない。野瀬さんの手と唇の間に心地良くおさまり返って、断固たる理性の声も馬耳東風、持ち主が何となだめてもすかしても、一向にそこから抜け出そうとしなかった。それで私はますます苛々《イライラ》した。

「その本棚から、いかがわしい本を探してきて、学校で読むんですか」

野瀬さんは、先日のペン先生のように、片目をちょっと窄《すぼ》めてニヤリとした。

「あれは冗談だ。しかし、解釈次第では『ナルチスとゴルトムント』にだって、立派なポルノと呼んで差し支えない場面がある」

『ナルチスとゴルトムント』を読んだことのない私には何とも言えなかった。野瀬さんは続けた。

「とにかくその本棚の中にね、実に面白い読物を発見したんだ。何だと思う？」

「『トニオ・クレーガー』」

野瀬さんは今度は声を上げて笑った。シャンペンの泡のように軽やかな笑い声。その響きの佳《よ》さに、私の耳は心ならずも一瞬魅了されてしまった。

「はずれ！　そんなのよりもっと面白いんだ。鶴島学院第一期生の卒業文集さ」

長田光、遠野《とおの》銀《しろがね》の作品は、お互いに宛てて書かれた〈捧げ物《オマージュ》〉だというのが、野瀬さんの見解だった。卒業アルバムに載っている写真を見ると、二人はいつも一緒である。白いフランネルを着てラケットを抱えたテニスの試合、日光や尾瀬への修学旅行、特殊児童の施設がある〈サンシャイン村〉での奉仕活動、キャンプ、体育祭、etc.《エトセトラ》……長田家の書斎の暖炉棚《マントルピース》の上にも学院時代の写真が数点飾ってあるが、長田先生の存《あ》るところ必ず私の父も写っている、父だけの肖像写真《ポートレート》もある、ということだった。あらずもがなのタイトルは〈我が親友《マイ・ベスト・フレンド》〉。当時カメラに凝っていた長田先生が、命の次にだいじなライカM3で撮影したものだ。最良の友《ベスト・フレンド》とはつまり最愛の友《ディアレスト・ワン》ということだ、と野瀬さんは解釈した。

「君に初めて会った時、どこかで見た顔だと思ったよ」

と言う野瀬さんの目は、実際懐かしそうだった。

「書斎で毎日お目にかかっていたんだな」

毎日——というと、野瀬さんは親戚にあたる長田先生宅から通学しているのか。鶴江三丁目といえば、坂を下りて電停から徒歩二十分の界隈だ。なぜこんなに正確に知っているかというと、食料の買い出しに行くムラオカ商店の隣に、ツルマンハウジングミニミニ鶴江店という美容院のような構えの不動産屋があって、そこのウィンドウに「閑静な住宅地」と謳ってあるエリアだからだ。高い煉瓦塀《れんがべい》の向こうに亭々《ていてい》と聳える木立、瀝《したた》るような青蔦《あおづた》に覆われた門、白や淡紅《ピンク》色の石楠花《しゃくなげ》の生垣、等々を写したピンボケのスナップショットが、物件の周囲に貼付してあった。

「いつか遊びに来るといい。見せてやるよ。文集もアルバムも」

私は遊びに行くとも行かないとも言わず、黙っていた。学院時代の父と長田先生の「関係」に対して、好奇心が募る一方、警戒心もひとしおだった。世の中には得てして知らない方がいいこともあるのではないだろうか？

「昔の写真て、この頃のとは全く雰囲気が違うからね」

と、野瀬さんは言った。

「どれもこれも絵のように写ってるだろう？　君のお父さんの顔なんかも、ひょっとしたら、写真屋が頑張って修正しただけかもしれないと思っていたんだけど――」

野瀬さんはいきなり身を乗り出すと、私の顔を正面からじっと見つめた。

「ティティアンは、まるで学院時代の遠野先生を雇って、ラヌッツィオ・ファルネーゼの肖像画を仕上げたみたいだ。〈マルタの聖ヨハネ騎士団〉の十字架がついた法衣を着せて」

巨匠がモデルを値踏みするような視線で眺められて、私はラヌッツィオ（とは誰だ？）どころか卓上の梨か林檎にでもなったようで、落ち着かなかった。気がつけば私たちの体は知らぬ間に随分接近していて、目尻が碧《あお》く煙《けぶ》るようなレオナルド式〈sfumato《スフマート》〉の双眸《ひとみ》が、私のほとんど鼻先にある。ヘッドボードにへばりついている私には、これ以上後退する余地はない。ああ、いっそ、林檎にでも化けてしまえたら！

多分、そんな願いをかけたこと自体、間違いだったのだろう。枝から離れた林檎が大地へ引き寄せられるように、いとも自然に野瀬さんの抱擁に身を任せてしまったのだから。

一六　糸瓜棚《へちまだな》

母は埼玉県浦和市在住の禿地頭直記《とくじとうなおき》という実業家に嫁いでいた。この人も再婚で、先妻との間に松竹《まつたけ》という私より八才年上の息子があった。事業の方は、結婚式場から養鶏場まで多種多様な施設を経営して複合企業《コングロマリット》的に利潤を追及しており、私が高校生になったばかりの頃は、まだ比較的地価の安かった千葉県一総《かずさ》一宮《いちのみや》の海岸沿いに土地を買い占めて、贅沢なリゾート・ホテルを建てているところだった。

六月の中旬に母から手紙が届き、このホテルのオープニング・パーティがあるから、夏休みに入ったらすぐ遊びに来なさいと言ってきた。

禿地頭氏は気さくな良いおじさんだったが、どう考えても「お父さん」と呼べる人ではなかった。私の父とは、あらゆる点で対照的な人物だった。父は中背で優形《やさがた》の万年学生タイプで、細い鼻柱に度の強い眼鏡をかけ、素直な髪をして、教会で聖歌を歌う時以外は、少しくぐもった柔らかい声で話した。禿地頭さんの方は小肥《こぶと》りで手足が短かく、三才児のようにあどけない顔は天然のウェーブにくりくりと縁取られ、キューピーちゃんが年を取ったようだった。元来は亀甲学院のあるK市の出身で、土建屋の三男に生まれ、二ツ橋大学商学部を中退してヨーロッパに遊学したこともあるという。流暢なフランス語と片言のイタリア語を話す。部下やお手伝いさんに指示を与える口調は断固としており、その同じハスキー・ヴォイスが夜半のカラオケバーで嫋々《じょうじょう》と演歌を歌い上げる。鼻は完璧な獅子鼻だった。

再婚同士というと、式なども内輪の者だけで地味に執り行うのが普通のようだが、禿地頭氏の場合、そんなことは性格が許さなかった。親戚知人はもちろん、自分の会社の幹部から社員食堂の厨房スタッフまで、雇人を全員招待してホノルルで挙式した。私も出席するにはしたが、新郎新婦の目もくらむような衣装に度肝を抜かれ、他のことはほとんど記憶に残っていない。「どや、坊《ぼん》、ごっつうええべべやろ?」と新郎がご満悦で私に耳打ちしたそのコスチュームは、後にファッション・デザイナーになって青山にアトリエを開いた松竹さんの、学生時代の習作だった。式がすむと禿地頭夫妻はラスヴェガスへ新婚旅行に出発した。空港で母の投げたウェディング・ブーケが、どうしたはずみか私の手元に飛んできた。見送りの連中にさんざん笑われた。

一宮のホテルの屋号は〈ドラゴン・パレス〉と言った。母が送ってきた絵葉書によれば、車寄せは巨大な龍舌蘭の並木道で、突き当たりの広い階段を上がったテラスには、一対の狛犬のような置物がある。朱と金泥をふんだんに使って琉球の寺院のように仕上げた本館は、なるほど竜宮《ドラゴン》城《パレス》だ。葉書を裏返すと、『お二階のティー・ラウンジは、照明も調度もすべて私が選びました。緑ちゃんといっしょに、そこでお茶を戴くのを楽しみにしています。母より』と、筆ペンで紙面いっぱいに書いてあった。

私の肩ごしに絵葉書を覗《のぞ》きこんだ青木《おうぎ》くんが、ヒューと口笛を吹いた。昼食時であった。

「なんじゃ、それ？　沖縄か？　シーサーがおるで！」

確かに、沖縄と言われても仕方がない。私はこの際と思って禿地頭さんとの続柄を説明しておいた。

「K大の、父さんの恩師の奥さんが、仲人道楽だったんだ。そこからの紹介でね。母さんにとっても上司に当たる教授だったから、僕一人反対するわけにもいかなくて」

「えろう物分かりのええ子供じゃったんじゃのう。醒めとるというか」

「あれも多分、健ボー症だよ」

「ほんで、おまえ、どうするんじゃ。夏休みは竜宮城か？　ええのう！」

私はまだ考慮中だった。約二ヶ月の休暇。野瀬さんはどう過ごすのだろう？　三年生だし、予備校にでも通うのだろうか？　マントルピースのある家に住んでいる人だ。夏は家庭教師付きで軽井沢か蓼科あたりへ避暑に行くのかも知れない。成績はよさそうだから、きっと受験勉強はそこそこにやっておいて、余暇にホテルの図書室やテニスコートでボーイハントなんかするんだ…

…
ルカ寮十二号室での抱擁があってから、私は努めて野瀬さんに会うのを避けていた。罪悪感というよりは用心のためだった。自分の中に、それまで知らなかった感覚が次々に芽吹き、盛んに枝葉を出して伸び繁り、あっという間に五月の森のような新緑に装う、そのペースが恐かった。野瀬さんは、至って恬淡《てんたん》な恋人であった。避けきれずに、学院のどこかで顔を合わせても、藤井御代輝《みよてる》さんのように露骨な愛情表現をするでもなく、時によると私の存在などまるっきり視界に入っていないかのように、太刀掛さんや正岡さんとふざけ合いながら、飄々《ひょうひょう》と通り過ぎてゆく。そんなことのあった日は、内心穏やかでなかった。身勝手なものだ。

ある時、花小路くんとペン先生と一緒に、大風で滅茶苦茶に壊された糸瓜《へちま》の棚を修繕することになった。期末テストも近いのに、こんなことしてていいのかね?と、由理也くんとこっそりボヤきながら。きょうはここまでにしてお茶にしましょう、と先生がおっしゃった時は、心から喜んだ。由理也くんは、ラジオ講座がありますからと、お茶を辞退して寮へ帰った。私は喉が乾いていたので残った。

ペン先生と並んでメイプルロッジのポーチに座り、冷やした薄荷茶《ミントティー》を飲んだ。先生はハーブ・ティーの権威だった。時々、とんでもないオリジナル・ブレンドを考案しては、生徒に飲ませて反応を調べていた。この日も、薄荷茶とは別に、細口のクリスタルの水差しを出してきて、中身を私に奨めた。濃いルビー色の透明な液体だった。何が入っているのかと訊くと、オレンジの花、ライムの葉、葵《あおい》の根、野ばらの実、そしてジギタリスをちょっぴり、という答であった。ジギタリスと聞いて私は躊躇した。薬用植物ですよと言われても、まだ心配だった。薬草は使い方次第では全て毒草になる。なかなか飲もうとしない私を見て、ペン先生は、それなら私が先に毒味をしましょう、と言った。

P: I shall take a sip first. If I don't drop dead or turn into a toad, you'll drink yours.（「私がまず一口飲むから、もしバッタリ倒れて死ぬとか、あるいはヒキガエルに変わるとかしなければ、君も飲んでみなさい」）

ペン先生は、水差しから自分のカップに半分ほど注いだ。一口飲んでちょっと顔をしかめた。

P: You could use sugar or honey, if you like.（「よかったら、砂糖か蜂蜜を入れてもいいよ」）

そう言って私にカップを渡し、自分は砂糖壺から角砂糖を二個つまみ出して噛り始めた。私は恐ごわ口をつけてみたが、もう酸っぱいの何の！　レモンと梅干の濃縮カクテルを飲んだようだった。身の毛のよだつ酸味だ！　目を白黒させていると、ペン先生が急いで蜂蜜をスプーン一杯すくって、口の中に入れて下さった。その時、〈お祈りの部屋〉の方から咳払いが聞こえた。低いけれども、ここまでちゃんと聞こえるように、計算づくの音量である。スプーンをなめなめ見上げると、開け放したフランス窓に、軽く腕組みした優雅な姿勢で寄りかかっている、白い人影が目に入った。
私はペン先生とは健全な大工仕事を一緒にしたのだ。その報酬にお茶をご馳走になろうと、蜂蜜をなめようと、良心に恥じるところはない。にもかかわらず、私は一瞬、腹の立つほど理不尽な決まり悪さを覚えた。野瀬さんは、一体こんな時間に〈お祈りの部屋〉なんかで、何をしているんだ！

一七　狐手袋《ヂギタリス》

フランス窓から庭園へ、浅い石段を三段下りて、神父さんたちが丹精したハーブの縁取りのある甃《いしだたみ》をつたい、野瀬さんは楓林荘《メイプルロッジ》のポーチの方へ歩いて来た。途中で咲き初《そ》めたテッポウユリの香りをかいだり、シュヴァイツァー先生の黄色い早生《わせ》トマトに見とれたりして道草をくうものだから、ひどく時間がかかった。ペン先生と親し気に挨拶を交わしたが、私はきれいに無視されていた。

Father P: Can I offer you some refreshments?　（「飲物でもいかが？」）

Bad Boy N: Sounds lovely. Thank you. （「いいですね。戴きます」）

先生は、もう一つ「オワン」を取ってくると言って、ロッジの中へ入った。私は去就に迷った。

野瀬さんは、籐細工の盆に載った水差しと、鮮紅色の液体の残るカップをじっと見ていた。

「これは？」

「ペン先生のニュー・ミックスです。色はきれいだけど——」

止める暇もなく、野瀬さんはカップを取り上げ、飲み干した。

「凄まじい味だな！　何が入ってるって？」

「オレンジの花とライムの葉とジギタリスと——あとは忘れました」

ジギタリス！と野瀬さんの眉が上がった。

「大変だ！　君、アナフィラキシーって知ってる？」

「いいえ」

イソギンチャクの触手に含まれる毒素、アクチニアトキシンをイヌに初回注射しておき、二～三週間後に同じ毒素を再注射すると、イヌは嘔吐、出血性下痢などのショック症状を呈し、しばしば死亡する。このように、ある原因物質（抗原）によって感作される準備期間があり、それが極めて微量生体に再び接触した時に起こるアレルギー反応をアナフィラキシー状態という——と野瀬さんはすらすら説明した。

「薬剤ショックの他、蜂に刺されても死ぬことがあるんだ。エジプトのメネス王のように。僕は実は、心臓があまり丈夫じゃなくてね。叔父から強心剤を投与されている。ジギトキシンが原因で、アナフィラキシー・ショックが起こったらどうしよう?」

心なしか野瀬さんの顔色が蒼ざめてきた。呼吸が苦しそうだ。片手で左の胸を押さえ、もう一つの手を喉元に当てて目を閉じた。

「医者を――」

最後まで言い終えず、野瀬さんはポーチの床にくずおれてしまった。私は動転した。そうだ、一一九番!と、メイプルロッジの中へ駆け込んだ。紅茶茶碗とチョコレート・ビスケットの箱を持って出てきたペン先生と正面衝突した。

P: What's the matter!?（「どうしたんです!?」）

Good Boy T: He's dying!（「死にかけてるんです!」）

P: Who in the world …?（「一体、誰が……?」）

私はポーチの方を振り向いた。野瀬さんは起き上がって、蜂蜜の瓶の中に茶匙を突っ込んでいるところだった。私が地団駄踏みたいのをやっとの思いでこらえていると、近くの部屋のドアが開き、宗務部長のミルフォード神父が出て来られた。ペン先生を見て、ちょうどよかった、話がある、とおっしゃるので、ペン先生は私にビスケットとカップを委ね、"Enjoy yourselves!"（「楽しくおやりなさい」とにっこりして、年長の神父さんと聖務日課に関するディスカッションを始めた。

　私が外へ引き返すと、野瀬さんは、身づくろいを終わった猫のように、すました顔で唇をなめていた。もう絶対に、一言も口をきくまい、と決心していたから、私は椅子に掛けておいた上着を引ったくり、挨拶もしないで寮の方へ歩きだした。野瀬さんは追いかけて来なかった。人を馬鹿にして。あんな奴、二ヶ月ずっと会えなくてもかまうもんか。いや、この先一生顔を見なくたって平気だ。蜂に刺されて百年寝るといい。軽井沢でもコパカバーナでも勝手に行け！

「僕、断然、竜宮城へ行くことに決めたよ」

　翌日の昼休み、私は青木くんに報告した。青木くんが、解いていた数学の演習問題から顔を上げて、ええのう、と羨んだ時、隣のD組から煌《きらら》くんがやって来た。

「おい、兄ちゃん、きょう数学あるんか？」

　勢いよく尋ねられ、麗《うらら》くんは身構えた。

「おお。次じゃいや」

「わしらも次、数学なんじゃ。対数表忘れてのう。貸してくれえや」

「わしも使うんで」

「何言うとるんなら。隣に見せてもろうたらええじゃろう！」

青木くんの苦境を見兼ねて、私は自分の対数表を煌くんに差し出した。

「これ、使うといいよ。僕、なくした時のためにと思って、コピーしといたのがあるから」

煌くんは、きれいに日焼けした顔を満足そうにほころばせた。

「さすが、もと旭日学園じゃ。兄ちゃん、ええ友達ができてよかったのう！」

バンと背中を叩かれて咳き込む兄さんを尻目に、恐るべき弟は大股で自分の教室へ帰って行った。その後ろ姿を眺めて、青木くんは重い吐息をついた。

「わし時々、まだ生きとるのが奇跡じゃと思うで」

「立派な弟さんだね」

「あいつも、夏休み、二週間ぐらい千葉へ行く言ようったのう。ウィンド・サーフィンの講習受けるんじゃと。くれぐれも出会わんように、気ぃつけえや」

「君も来ればいいのに」

青木くんは肩をすくめた。鬼のいぬ間の洗濯というのはあるが、せっかく出ていく鬼をわざわざ追いかけて行くなんて聞いたことがない、と言った。

「でも、竜宮城はいいと言ってたじゃないか。あそこはきっとプライベート・ビーチだから、煌くんには会わなくてすむよ」

私は熱心に勧誘した。その甲斐あって、まあ親に訊いてみょう、と青木くんは言った。青木くんが一緒なら、退屈な夏休みになることはあるまい。どうせならもう何人か級友を誘って行けば、もっと面白くなるだろう。私はその夜、母に電話した。招待を受けると言うと大喜びして、ぜひお友達を連れていらっしゃい、何人でも大歓迎よ、と言った。

久々に気持ちが浮き立ってきた。他に誰を誘おうか？〈Summer Love Sensation《サマー・ラブ・センセーション》〉を口笛で吹きながら電話室を出た。消灯までにはまだ大分時間があった。こんな時はちょっとした冒険がしてみたくなる。ムラオカ商店までシューアイスを買いに行くことにした。

一八　月光小径《つきかげのこみち》

ムラオカ商店はいつになく混雑していた。どこかで祝い事でもあるのだろうか。親父さんもおかみさんも若奥さんも、総出で品物を包装したり、店の奥へ在庫を調べに行ったりと、忙しい。レジには買物客が列をなしていた。酒屋によくあるように、ちょっとした日用雑貨、食料品も置いている店だ。小柄な女の人が、山のような買物の支払いをすませてこっちを向いたのを見ると、長田富美子さんだった。先方も私の顔を見覚えていて、あらまあ、洌《きよい》さんのお友達の！と賑やかな声を上げた。両腕に、はち切れそうな買物袋を三つか四つずつも下げて、その上にまだもう一つ、真四角な白い箱を抱えようとしている。形から見てきっとケーキの箱だろうと思った。私は、ちょっと迷ったけれど、他にどうしようもないので、持ちましょうか、と申し出た。長田夫人は、まあまあすみませんねえ、と相好をくずした。

「うちはここから少し歩くんだけど、いいかしら？」

店の時計を見ると七時二十五分だった。

「はい、まだ大丈夫です」

私はケーキの箱を左手に持ち、右手で買物袋をいくつか下げた。

「いつも行く近所のスーパーがきょうは定休日なの。それでこんな遠くまで買物に来なきゃいけないんですよ。不便ねえ。そうだわ。どうせここまで来たんだから、お花屋さんにも寄りましょ。ちょっと待ってね」

花屋で買ったグラジオラスの束とハイビスカスの鉢は、自明のことのように私に手渡された。

「ついでに薬局にも行かないと」

紙おむつと粉ミルクが更に加わった。

「途中にペットショップがあってよかったわ」

箱入りと缶詰のドッグフード、三キロ入りのキャットリター。私はそろそろ限界を感じてきた。

腕が肩から抜ける寸前、〈オサダ医院〉の看板が見えた。自宅は幸いすぐ隣だった。門が開くのももどかしく、玄関までラストスパートで荷物を運び込んだ。観音開きのドアの磨硝子《すりガラス》には瀟洒《しょうしゃ》な葡萄唐草《ぶどうからくさ》の意匠がある。ポーチは屋根が蔓棚になって、房咲きの真紅のばらが、柱にも手摺りにも絡みつき、よじ上り、夏の夕方の空気をしっとりと甘く香らせている。煉瓦《れんが》とは違う、肌目《きめ》の荒い薄色の切り石をざっくりと組んだ外壁に、ダイヤモンド形の格子窓《こうしまど》。ツルマンハウジングはもう撮影に来たろうか？

「どうもどうも、ほんとにありがとうございました！　お茶を入れますから、上がって一休みしていらっしゃい。戴き物だけど、とってもおいしいバウムクーヘンがあるのよ」

「いえ――もう帰らないと。門限がありますから」

私がまだ肩で息をしながら断っていると、表で犬の吠える声がした。門が開いて、また閉まった。もうすっかり覚えてしまった、独特の軽快な歩き方――野瀬さんだ。二頭のコリーを繋いだ革紐を手に、散歩から帰ってきたところだった。犬はどちらも体格がよく、毛吹きもみごとな、輸入犬らしかった。玄関から洩れる明かりで見ると、白と青灰色の珍しい毛色をしていた。私の父もコリーが好きだった。家でも何頭か飼っていたことがあるので、このタイプのコリーのことを〈青大理石《ブルーマール》〉というのは知っていた。

「お帰り、冽さん！　ほら、見て。このお友達に買物の荷物を持っていただいたのよ。お茶を上がってらっしゃいというのに、門限があるんですって。そうだ冽さん、ダンディたちの運動から帰ったばかりで悪いけど、学院まで送って行ってあげてちょうだい。また今度ゆっくり遊びに来て下さいね！」

長田夫人は野瀬さんの手から革紐を取り、笑くぼだらけで私に頷いた。はいはいダンディ、レイディ、ハウスよ、ハウスよ、と言いながら、嬉しそうに尻尾を振ってとび跳ねる犬たちを従えて家の裏手へ廻って行った。門限が気になっていたせいもあり、野瀬さんに向かってぎこちなく一揖《いちゆう》して、私は足早に門の外へ出た。野瀬さんはこの日は追って来た。

「大丈夫です。電車通りに出れば一本道だし、一人で帰れますから」

「道順の問題じゃない。この辺は痴漢の名所なんだよ。襲われたらどうするの？」

その点を言うならば、送ってもらう方がよっぽど危ない。私は歩調を早めた。ほとんど競歩の速度で電車通りを過ぎ、シャッターの下りたムラオカ商店に恨めしい一瞥を投げて（結局シューアイスは買えなかったのだ！）飛ぶように坂を上がった。学院を取り巻く竹藪の手前まで来た時は、心臓が破れそうだった。野瀬さんの方は、呼吸も乱さず、並んで悠々とついて来た。

「ここはまるで冥界への入り口のようだねえ……」

何を思ったのか、野瀬さんは出し抜けにそんなことを呟いた。

「ギリシャ神話にね、楽人オルフェウスが亡き妻エウリディケを連れ戻しに黄泉《よみ》の国へ行くという話があるんだよ。冥府の王《ハデス》は、途中オルフェウスが決して後ろを振り返らないという条件で、エウリディケが夫の後について生者の世界へ帰ることを許してくれるんだ」

しんとした不気味な語り口に、私は背筋が寒くなってきた。何でまたこんな時に神話の講義なんか！

「足弱の女が、しかも最愛の妻が、険しい道をついて来るんだから、つい振り返って声をかけたくなるのは人情だろ？『大丈夫か』とかなんとかさ。それに、背後に全く人の気配がしなかったもんだから、オルフェウスはだんだん不安になってきた。ひょっとするとハデスにかつがれたんじゃないか、とね。それで、約束を破って振り向いてみることにした。疑心暗鬼の夫がやりそうなことだ」

私たちの周囲では笹の葉がざわざわと気味悪く鳴っていた。月は雲間に隠れたり、思いがけない時にぬっと現われたりしていた。

「振り返って、そこに何を見たと思う——？」

うっかり口をきくと歯の根が合わなくなりそうなので、私は答えなかった。

「エウリディケは、死んで埋められてから、何ケ月も経っていたんだよ……」

前方の繁みがガサリと揺れた。私は悲鳴を上げて一目散に逃げようとしたところを、野瀬さんにつかまえられた。太った虎縞の猫が月明かりの中へ踏み出し、馬鹿にしたようにニャーと鳴いて足元をくねり抜け、また笹藪に消えた。野瀬さんはさんざん笑って、笑い疲れて、駈け出そうともがく私を引き止める手にも、なかなか思うように力が入らなかった。

私は急に抵抗をやめた。情けないやら腹立たしいやらで遂に泣けてきたのだ。暗かったにもかかわらず、野瀬さんは私の動揺を察したようだった。私の腕を押さえていた手がふと緩み、肩に、そして背中に回った。

二度目の抱擁は長く、いっそう優しかった。葉摺れの音も今は幽かになって、風の奏でる竪琴のように、どこか遠い遥かな国から、さらさらとアルペジオで降りそそいできた。ところどころ月の光に濡れた竹林の小径が、いつまでも続けばいい——と私は思った。

一九　学園《まなびのその》

一夜明けると俗界であった。期末テストの範囲が発表された。特に数学の範囲の広さは、一大スキャンダルだった。

「ひ、ひどい！　ベクトルは出さんと、あんだけ堅《かと》う約束しちゃったくせに……」

青木くん始め、クラス中が頭を抱えた。数学の先生は、えー、約束なんかせんですよー、と無邪気な顔をされた。

「一学期はベクトルの終わりまでよう行かんじゃろう、と言うたんです。ほんでも皆さん優秀じゃけぇねえ。きょうとあしたの授業でどうにか行く思うですよ。最後の二ページの演習問題は、あさっての休みにでもしんさいやー」

不運の矢に当たった津々浦くんが、前に出て『ラミの定理』を証明し始めた。チョークで二行ほど書いて立ち往生していると、先生の形相ががらりと変わり、

「おい、どないなっとるんや、正弦定理思い出さんかい、正弦定理を！」

と、ドスのきいた声音でヒントを下さった。

次の時間は保健体育だった。青木くんが自分のノートを広げて難しい顔をしていた。

「のうのう、先週の授業でのう、わし、自分で書いとってわからんようなったとこがあるんじゃ。『男子千人当たりの年間ＣＨＤ発生率』じゃと。ＣＨＤいうて何じゃった？」

「Coronary《コロナリー》 Heart《ハート》 Disease《ディズィーズ》——いわゆる狭心症のことだよ」

「『運—一・五、車—〇・八、運—一・八高』いうて何じゃろ？」

「バスの運転手と車掌を対象にＣＨＤの発生率を比較すると、運転手の方が一・八倍高率に発生する」

「『郵事《ユージ》』、『郵配《ユーハイ》』は？」

「郵便局事務職員と配達員」

「なるほどのう。この『三後死』ちゅうのは——おう、ほうよ。三ケ月後の死亡率じゃった。事務員が二倍高いんか。やっぱ、おじんになっても適当に体動かしとった方がええんじゃのお」

「受験生も座業だから、気をつけないと」

綱曳《つなびき》先生が入って来られ、

「先週の続きじゃ。まず復習。大佐古《おおさこ》、緊張筋《きんちょうきん》と相性筋《そうせいきん》の違いを言うてみい」

と、おっしゃりながら、黒板に力強い字で〈**キン収縮の分類**〉と大書された。

第三時限の古文は、主に新古今集からの作品を解釈しながら事もなく過ぎた。上月《こうづき》くんが「木《き》の丸殿《まろどの》」を「ログハウス」と現代語訳し、青木くんが、西行法師のある歌の下の句を「かもたつさわのあきのゆふぐれ」とハキハキ読んだので、柿本《かきのもと》先生が気分を害された。生徒は鴫《しぎ》が鴨《かも》でも一向に構わないのだが。

四時間目の地学は〈プレートテクトニクスの概要〉だった。

「環太平洋地震帯で地震発生の説明として注目されておる理論でありまして……」

とスライドに環太平洋地震帯の略図が映った瞬間、パッと画面の明かりが消え、私たちは暗幕を張り巡らせた人工闇の中で呆然とした。山俣山《やまたやま》先生は、ありゃー、映らんのう！と、しばらくの

間、映写機を空しく操作しておられたが、

「先生、停電です」

と級長の茶村くんが言うので、溜息をついて、ほいじゃあ、プレートテクトニクスは来週にしましょう、と、あっさり諦められた。期末テストに出るのは今週いっぱいの授業内容までだった。闇に紛れて電源からプロジェクターのプラグを抜いた弓削くんは、一躍クラスのヒーローになった。


食堂で昼食をとっていると校内放送があった。

「高ＩＣの青木さん、高ＩＣの青木さん、お電話がかかっております。至急事務室までおいで下さい。繰返しお呼び出し致します。高ＩＣの――」

青木くんは、カレーうどんをたぐっていた箸を置いて、わしのことかのう?と怪訝な顔をした。

「だと思うよ。『高ＩＣ』と言ってたから」

誰からじゃろ、と青木くんは首をひねった。偶然近くに座っていた煌《きらら》くんが、わざわざ私たちのテーブルまでやってきて、何しょうるんじゃ、早よう行かんかい!と追い立てたので、お兄さんはそそくさと事務室の方へ去って行った。五分ほどして戻って来た時、青木くんの丼は既に空《から》になっていた。

「あいつ……」

　クラスメイトと一緒にデザートの小倉アイスを楽しんでいる弟を睨んで、麗《うらら》くんは唇を噛んだ。

「どこからだった？」

「おう。三千橋《みちはし》先生の奥さんからじゃった」

「先生じゃなくて君にかかってきたの？」

「ミッチんとこ、うちの近所でのう。奥さん、町内会の婦人部でバレーやりょうってんじゃ。お袋もしょうるけぇ、よう知っとるんじゃけど」

「ふうん、優雅じゃないか」

「踊る方やないんで。レシーブする方じゃいや」

「ああ、そう――」

「きょうどっかで試合があってのう、サーブしょうった拍子にこけたんじゃと」

「奥さんが？」

「いや、お袋が。近くの病院に連れて行ってもろうたら、ギックリ腰じゃ言われたんと。親父が札幌へ単身赴任中じゃけぇ、わしんとこに連絡してくれちゃったんじゃ。まぁ、授業終わったら、病院まで行ってみょうわい。おい、キラ！」

徐《おもむ》ろに席を立って弟に事の次第を報告しに行く背中には、初めて見せる兄の威厳が漂っていた。

三千橋先生は地理を教えておられた。五時間目は地理だった。終業の鐘が鳴るが早いか、青木くんのところへ来て、お母さん、災難じゃったのう、と見舞を述べられた。

「今、うちの女房がついとるけぇ、大丈夫とは思うがのう。きょう六時間目、クラブ活動の日じゃろう？ わし、ちょっと病院まで行ってこう思うんじゃが。一緒に来いや」

と誘われて、青木くんは同行することにした。私はホールまで見送りに出て、三千橋先生が車を廻して来られるのを待った。遅いのでどうしたのかと思っていると、ダーク・グリーンのローヴァーが一台、駐車場の方から現われて私と青木くんの目の前に停まった。助手席の窓から三千橋先生が顔を出された。

「すまんすまん、わしの車、またエンジンがかからんようになってのう。校医さんが送って下さるそうじゃけえ、お言葉に甘えようわい」

運転席には長田《おさだ》光《ひかる》先生が、ハンドルに軽く手をかけて、シガレットの煙を燻《くゆ》らせておられた。

二〇　青矢風《あをやかぜ》

煌《きらら》くんと麗《うらら》くんではないが、血はつながっているといっても、野瀬さんと叔父さんにはお互いそれほど似たところはなかった。強いて言えば体格だろうか。二人とも背丈は同じくらいだった。手も脚も、すらっと伸びて引き締まり、肩と背がまっすぐで、線はやや細いけれども極めて敏捷な運動選手《アスリート》タイプだ。自然に鍛えられた緊張筋と相性筋の絶妙なコーディネーションによって、あらゆる動作が非常に円滑に行われるため、見ていて快い。無論、長田先生の方がずっと年上だが、先生はテニス部のOBで、金曜の六時間目と日曜の午前中、時々コーチに見えてついでに何セットか試合をして帰られる姿からは、中年の重たさは感じられなかった。三千橋先生と青木くんをローヴァーに乗せて行かれた日もテニスの服装で、その上に爽やかな麻《リネン》のジャケットをはおっておられた。

私も運動着に着替えようと思って更衣室へ急いだ。テニスコートの側を、弓と矢筒を下げて、アーチェリー・フィールドの方へ歩いて行く野瀬さんの姿が見えた。野瀬さんは、後でわかったのだが、文化系体育系を問わず全クラブに出没する「幽霊部員」だった。金曜日のクラブ活動は必修だったので、原則としてどこかに一つ籍を置いておかなければならない。一度、本当は何部なんですかと尋ねてみたら、例のジョコンダ夫人のようなアルカイック・スマイルを浮かべて、「鉄研」（鉄道研究会）と答えた。

はぐれ球がフェンスを越えて野瀬さんの足元へ転がってきた。それを片足で止めて、汗だくで追いかけて来る中学生の球拾い《ボーラー》に投げ返してやった時、野瀬さんは私に気がついた。思わず会釈をすると、弓に矢を番《つが》えて狙い、射る真似をしてから、手を振ってまた歩きだした。

その日のクラブは絶好調であった。ダブルスでは高二の若槻《わかつき》さんと組み、木原キャプテンと弓削くんの無敗のビューティ・ペアを相手に初めて一勝を上げた。シングルスの方は、第一、第二セットを連取しての第三セット、二ゲーム先取されるも第三ゲームからはリターン・エースが面白いように決まり、ファースト・サービスの角度も申し分なく、たちまちやって来たマッチポイントでは40―40《デュース》から苦しいラリーがしばらく続いたものの、最後の二ポイントとも絵に描いたようなサーブ&ボレー（しかも苦手なバックハンド）を連発して勝利を我が手に納めた。

気持ちよく疲れて更衣室へ引き返す途中で、藤井御代輝さんに呼び止められた。いつものことだが、ひとりよがりな満面の笑みを、危険な放射線のように照射してくる。大事な話があるから櫟林《くぬぎばやし》へ行こうと言われ、何となく悪い予感がしたものの、私は従った。人の往来の激しい更衣室近辺で、藤井さんと親密に話しているところを友達に見られては、体裁が悪かったせいもある。

　櫟林はすっかり夏景色だった。厚く重なった濃緑《こみどり》の葉群《はむら》が天蓋のように頭上をおおっている。刈り取ったばかりの下生えが木の根方に寄せてあり、萱《かや》のような雑草に、羊歯《しだ》や露草もちらほら混じっていた。一山に積んであったのを、藤井さんの二十八センチの靴先で容赦なく蹴散らされ、空色の愛らしい花が、草いきれと共にヒラヒラと宙に舞った。

「おやまるでルリシジミのようだね。実にキュートだ」

と藤井さんが言ったので、私はぎょっとした。きょうは標準語の日なのだろうか？　先ほどの笑いは、ワイパーで拭ったようにどこかへ消えていた。珍しく伏し目がちにしんみりと語り始めた藤井さんに、私はいよいよただならぬものを感じた。

「遠野くん。わし、いや、僕の気持ちはすでにご承知のことと思う」

「は？」

「好きだ」

「す——？　え、ええ……僕も……別に、あの、嫌いというわけでは……」

「好きだから、そばにいてほしい」

「と——言いますと？」

「うーん、そうじゃのう。好きな女にそばにおってほしい、というあの気持ち」

「一体、何が言いたいんです？」

「つまりじゃ、手を握るとか、体を寄せあうとか、アレをするとか――ねえ、ホラ、わかるだろう？」

「イヤです！」

藤井さんは、しまった！という顔をした。

「そんなことをする藤井さんは嫌いです！」

私のつれない言葉を聞いて、藤井さんはもじもじした。だが他にどんな答え方があっただろう？　青木くんに倣って「わしゃ面食いなんじゃ！」とストレートに打ち明けたりしたら、藤井さんの男心をよけい傷つけてしまいそうだ。私はあたりを見回して後悔の臍《ほぞ》を噛んだ。助けを呼ぼうにも全く人気《ひとけ》がなかった。私と藤井さんだけだ。万一、力づくで迫って来られたりしたら？　ラケットはまだ持っているけれど、こんなチャチな武器で藤井さんのような巨漢をいつまで防げるというのか？　蝿叩きで象に向かって行くのと同じじゃないか。

それでも、勝利へのサーブ&ボレーを思い出して、私は密かにグリップを固めた。今度は、ただラケットの面を作って当てるだけじゃだめだ。フォアハンドで、最後までしっかり振りぬかないと！

「遠野くん。わしは真剣なんじゃ」

　藤井さんは蒸気機関車のような溜息をついた。

「……」

「初めて君を見た時から、こんなキュートな人が世におるんかと憎からず思うておった。あ、『キュート』は、もうさっき使うてしもうたか。まあええわい。わしは、自分で言うのもなんじゃが、成績は入学以来十番以下に落ちたことはないし、クラリネットを吹かしちゃったら、わしの右に出る者はまずおらん。少なくとも鶴島には、おらん。昨年の吹奏楽コンテストで、学院のブラバンが、『モーツァルトをあれほどおしゃれに演奏した学校はない』言うて絶賛されたのも、わしの非凡なアレンジの才の賜物じゃ。スポーツも、球技と陸上と水泳と器械体操を除いてはみな得意じゃ。これほどの才能の塊が、君に身も心も捧げようと言うとるんで」

　藤井さんが滔々と弁じている間に、私は最寄りの櫟の木の幹に沿って後ずさりしていた。恋に燃える藤井さんも、木の周囲をつたってじりじりと追ってきた。一巡して振出しに戻った時、私たちの間隔は更に狭《せば》まっていた。

「のう、いっぺんでええけぇ、君の眠る窓辺でセレナーデを奏でさせてくれえや……」

　藤井さんが、ぐっと前屈みになる。私はラケットを握り直した。さあ、渾身のフォアハンド——

——！

ビュンと弦《つる》の鳴る音に空気が震えた。はっと身を縮めた私と藤井さんの間に、一本の矢があった。矢尻は櫟の幹に深々と刺さって見えず、真紅の矢羽はまだ烈しく戦慄《わなな》いている。学院の櫟林が、突然シャーウッドの森に変わった。私は高鳴る胸を抑えて、ロビン・フッドの登場を待った。

二一 野猪《くさゐなぎ》

「こっ、こっ——このドアホ！　何ちゅう危ないことしょうるんじゃ！　怪我するとこやったやないか！」

天鵞絨《ビロード》の足裏をつけた猫族の歩様で現われた野瀬さんに、藤井さんは薬罐《やかん》の如く熱《いき》り立った。

「人に向けて射ったらいけんいうルールを知らんのかっ？」

「知ってるよ」

「知っとるんじゃったらよけい悪いわい！　校長に言うたるで！」

「人間を狙ったわけじゃない。野獣を見かけたんでね」

「野獣」と言われて藤井さんはますます猛り狂い、私は私で、ハラハラしながらもつい吹き出しそうになった。当たっているんだもの。

「学校の敷地内で生徒が獣《ケダモノ》に襲われているというのに、見て見ぬ振りはできないだろう？　校長先生に報告しなければならないのは僕の方だ」

森林警備隊みたいなことぬかしょうって、と藤井さんは、それこそ射殺《いころ》しかねない殺気をこめた目つきで野瀬さんをハッタと見据えた。

「おまえ、見そこのうたで！　今までは、インタレスティングな奴じゃと思いょうったのに。エキセントリックではあるが、根はグッドチャップじゃとの。それも、ハァ、イッツ・オーバーじゃいや！」

「結構。気の毒だが、君の眼鏡違いは君自身の責任だと思う。勝手に見そこなってくれ。他人に押しつけられたイメージに従って自分を修正することは僕にはできない」

上の方から盛大な拍手が雨霰《あめあられ》と降ってきた。見れば、櫟林に面したパウロ寮二階の窓に、見物人が鈴なりになっていた。私は穴があったら入りたい思いだったが、野瀬さんと藤井さんは少しも動じなかった。少なくとも、野瀬さんはそうだった。舞台経験豊かな役者のように、涼しい顔で泰然と弓を掲げている。藤井さんの方は、一旦ガッチリと拳を固めたものの、学年十番以内の頭脳が作動しだしたらしく、ここは引き際が肝腎と悟ったようだ。いずれ正当な手段で決着をつけちゃる！と見栄を切り、蒸気のような視線をこちらへ投げて、観客の野次をものともせず、堂々たる類人猿歩調で退場して行った。

着替えをすませてから、野瀬さんと私は食堂でコーラを飲んだ。体育館内のシャワー室が満員だったため、私は一度寮に帰ってシャワーを浴びてきた。それで、気分はひとまずさっぱりと落ち着いていた。野瀬さんはストローの袋を天井へ吹き上げながら、のんびりと尋ねた。

「さっきのは一体何だったんだ？　君は藤井と——」

「いえっ、違います！」

皆まで聞かずに私は否定した。野瀬さんは苦笑した。

「鬼ごっこでもしていたのか、と言おうとしたんだよ」

「とにかく、違います」

「藤井は一途な男だ。変に煽ると後が怖いぞ」

「煽ってなんかいませんたら！」

「そうか。まあ信じよう。あいつは火のない所に煙を立てる名人だからな。人一倍思い込みが激しくて」

「野瀬さんは藤井さんをよく知ってるんですか？」

「モーツァルトのディヴェルティメントを、ブレッカー・ブラザーズ風にアレンジしてやったよ」

また野瀬さんの新しい一面を発見した。

「部屋替えで花小路由理也くんと同室になったと聞いて、つい油断してしまったんです」

「花小路って真理也の弟？　去年まで聖歌隊の最前列で歌ってた、あの超ソプラノの子？」

「ええ。藤井さん、きっと首ったけになってくれると思って、安心していたんですが……」

「融通のきかない奴だからね。ある意味では羨むべき情熱だ。しかし、恋のライバルとしては、今一つ絵にならんというか——D組なら、せめて上月ぐらいの奴だとファイトが湧くんだがなあ」

上月燁《こうづきよう》さんはⅢDの級長並びに生徒会副会長であった。一口で言えば、学院の看板息子的存在である。二口以上で言えば、明朗活発、成績優秀、スポーツ万能、人格円満。礼儀正しく、面倒見がよく、目上を立てて目下を庇う。親しみやすい天真爛漫《てんしんらんまん》な顔立ちは、老若男女を問わず誰からも好感を持たれ、他校の生徒から学院の写真部へ上月さんの写真の注文が来る。もちろん学院内にも多数のファンがいる。典型的なエトワールだ。上月のような若者を大量生産することが学院校長の本懐なのだ、と野瀬さんは言った。見ていたまえ、あいつはきっと一浪もせずにT大かK大の医学部へ行くから、とも。

「上月と一緒の電車なんかに乗ると恐ろしいことになるんだ。鶴江から網屋町まで行く間に、聖母マリア学園と宇治山《うじやま》女学院があるだろう。生徒たちが、わざわざ上月の乗った電車を待って乗り込んで来るもんだから、もの凄い混雑でね。しかもあいつは根が親切なんで、年寄りを見ると迷わず席を譲ってやる。年配の女性を見て『さ、どうぞ！』なんて立ち上がりでもしたら、もう大変さ。女学生は騒ぐし、おばあちゃんはポーッとなるし……」

食堂が立て込んできた。そろそろ夕食の時間だ。太刀掛さんと安寧寺くんと、あと五、六名のバスケット部員が、ユニフォームのままでなだれ込んできた。求道学院との試合があるという話だったから、今それが終わったところなのだろう。太刀掛さんは野瀬さんの隣に来て座った。

「勝ったで。腹ペコじゃ」

「よかったな。三年生の面目が立って。もう出てこない奴らもいるんだろう？」

「うん。俺は少なくとも、二学期の終わりまでは出よう思うとるけど。おまえ、どしたん、きょうは？　飯食うて帰るんか？」

「いや。ちょっと人命救助をしたから、その行きがかり。もう帰る」

「救助されたんは君か？」

と、太刀掛さんは愉快そうに私を眺めた。先刻の経緯《いきさつ》が思い出されて、バツの悪さに赤面絶句していると、野瀬さんが答を引き受けてくれた。

「きわどいとこだったんだぜ。もうちょっとで怪獣を相手にグレイト・ハンティングだ。僕の勇敢な行為は表彰状ものだね。じゃ、また明日」

野瀬さんが食堂を出て行った後で、表彰状ものの行為に対して何もお礼を言わなかったことに気がついた。一瞬どうしようかと迷ったが、思い切って追いかけた。何しろ足の早い人なので、こちらはフルスピードで走りに走って、坂の下り口の所でやっと追い着いた。息を切らしながら、人命救助ありがとうございました、と言うと、野瀬さんは黙って私の顔を見ていたが、急に目をつむってクンクン鼻を鳴らしながら空気の匂いを嗅いだ。ほんとに芝居気のある人だ。今度は兎《うさぎ》のふりか。でも、何のために？ 私は警戒した。慎重に、一歩退《ひ》いた。

するると兎は、しなやかに腕を伸ばして私をつかまえ、洗ったばかりの髪の中にふんわりと鼻先を埋めて、ラベンダー！と嬉しそうに囁いた。

二二　炎天下《えんてんか》

期末テストの最終科目は数学だった。終了ベルと同時に、隣のD組から、半分断末魔の叫びのような歓声が上がった。私たちのクラスは不気味に沈黙していた。非常に凝ったベクトルの問題が三題も出ていたのだ。答案用紙提出後、いつも柔和な青木くんまで表情が殺気立っていた。

「あんのぉ、ハッシー（長谷川先生）の奴……教師の風上にも置けんやっちゃ。卒業する時、どがいしちゃるか見とれ！」

私は「竜宮参りツアー」——青木くんの命名——に参加してくれる友人の名前をリストアップした。参詣客は、青木麗《おうぎうらら》、茶村一樹《ちゃむらかずき》、洲々浜澄夫《すずはますみお》、津々浦洋《つづうらひろし》、上月明《こうづきめい》、弓削八束《ゆげやつか》の六名だった。私を入れて七人ということになる。文通相手の親友に会いに東京へ行く花小路くんも、途中二、三日立ち寄ることになっていた。上月明くんは燁さんの弟だった。兄さんに似て頭脳明晰、特に理数系が強かった。ただし兄弟の政見は一致しないようで、燁さんがリベラルな穏健派なら明くんは完全な急進派《ラディカル》、業間体操撲滅委員会を組織して、自ら積極的にボイコットしていた。生徒会主催の公開討論会でも業間体操廃止案を提唱したが、藤井さんら一部の上級生の猛反対にあって却下されてしまった。

〈ドラゴン・パレス〉のオープニング・パーティは、七月十五日に予定されていた。私たちは十四日朝九時に鶴島駅の新幹線乗場で待ち合わせることにした。東京駅から常磐線に乗りかえて一総一宮《かずさいちのみや》まで行く。一宮の駅からは、禿地頭さんが手配してくれる迎えの車で海岸沿いのホテルまで、という計画だった。十四日というと終業式の三日後だったから、テストの結果をくよくよ思い悩んでいる暇はない。唯一気になったのは、青木くんのお母さんのぎっくり腰だった。母親思いの青木くんは、当然のことながら、楽しみにしていた竜宮参りを断念して自宅で介護に専念するつもりだったのだが、意外なことに、お母さんの方から断わられた。骨休めに二週間ほど入院するからいい、といって。

青木くんのお母さんは職業婦人《キャリアウーマン》であった。しかもただの職業ではなく、鶴島ホームテレビのニューズ・ディレクターだ。ご主人の札幌勤務中、息子二人の世話がおろそかになってはと、麗くんと煌くんを寮に入れて、バリバリ仕事をしておられた。その傍ら、週に一度のママさんバレーで息抜きをするのが楽しみだったというのに、ぎっくり腰とは運の悪いことだ。

「お父さんもそのうち夏休み取って帰るし、ララちゃんもキラちゃんも、気にせんで遊んどいで」

と明るく勧めてくれる気丈なお母さんだった。

終業式がすむと、私はまずO村の祖母に電話した。

「おじいさま、まだ怒ってますか?」

「いいや。もう、はぁ、だいぶご機嫌直っとってじゃけぇ。若い時分から頑固もんでのう。あのおとなしい銀《しろがね》とでさえ、よう喧嘩しとってじゃった。緑さんはもう、はぁ、心配せんと、体に気いつけて行て来んさいや。お母さんに会いたいんはようわかりますけぇ。生水飲みんちゃんなよ」

私が千葉の禿地頭氏のホテルに一月《ひとつき》も遊びに行くというので、祖父はご機嫌斜めだったのだ。

しかし、怒りながらも、私の旅費や小遣いは紅子《こうこ》（私の母）には出させん、全部自分が出す、と言って譲らなかった。自分が出すといっても、財布の紐を握っていたのは実は祖母だった。素封家の家つき娘で、自分の自由になる動産不動産を相当所有していたらしい。浪費家ではなかったが、たまには芝居に行ったり、好きな着物や帯を新調したり、石燈篭のコレクションをしたりと、余裕のある暮らしぶりだった。だが表向きは常に夫を立て、「負けるが勝ち」の戦略《ストラテジー》をもよく心得ていた。銀髪を低い束髪《そくはつ》に結った彫りの深い横顔は、鼻や顎の辺が父を思い出させた。「お母さんに会いたいんはようわかりますけぇ」と祖母が言った時、私は少し当惑した。母が懐かしくてたまらない、というわけではなかったのだ。老人の感傷性につけこんだようで、後ろめたかった。

一ヶ月も旅行するとなれば、必要な品がいろいろと出てくる。終業式の翌日、弓削くんと〈町〉まで買物に出た。炎天下の下山はなかなか厳しい。坂道の途中の民家の庭先には、向日葵《ひまわり》、立葵《たちあおい》、芙蓉《ふよう》などの夏の花が盛りで、中には花より西瓜《すいか》、茄子《なす》、玉蜀黍《とうもろこし》、胡瓜《きゅうり》にトマトなど、野菜の方が愛育されているらしい家々もあった。鶴江の駅は電車を待つ人でごった返していた。そこへまた、聖母マリア学園の女生徒と思しい、白とマリンブルーの制服を着た一団が華やかに繰り込んできた。弓削くんが急にそっぽを向いた。見ると、顔が赤かった。

「どうしたんだ？」

「シーッ、静かに！　黙って知らん顔するんだ」

「だって、電車が来たよ」

「乗るな！」

「乗るなと言ったって――」

「次がすぐ来るよ。頼む、乗らないでくれ！」

頼まれて一台見送った結果、電停に残ったのは私たちだけだった。弓削くんは制帽を取って天を仰ぎ、大きく息をついた。間もなく後続の電車が入って来た。今度はすいていたので、二人とも座ることができた。弓削くんは帽子をかぶり直して私に謝った。

「すまん。ちょっと顔を合わせたくない人間がいたもんで」

「どこに？」

「……マリアの中学生なんだけど……実は、交換日記をしようって言われて困ってるんだ」

「交換日記！　面白そうじゃないか」

「そう思うんなら、遠野、やってみろよ。俺、文章書くの苦手なんだ。それに、なんかすごくオトメチックな子でさ――最初手紙で申し込んできたんだけど、何て書いてあったと思う？　『お兄さんの綽名《あだな》は〈白《しら》ゆり〉です』。参っちゃうよ。由理也にでも言えよなあ！」

と、弓削くんは、金色の雀斑《そばかす》が点々と飛んだ格好のいい鼻に皺《しわ》を寄せた。私もつい笑いだした。

「なんで知りあったの？」

「中三で、街頭募金をやらされるだろ？　あの時に見かけたって。だから俺は三越の前はいやだと言ったんだ。青木の采配を一生恨んでやる。そうだ、青木にやらせるという手もあるな！　あいつは日誌なんか、いつもまじめに書いてるし。結構ロマンチストのとこあるから、白ゆりなんて呼ばれると嬉しがるかもしれん」

こんな話をしながら網屋町に着いた。信号が赤だったので交差点でしばらく待った。弓削くんがラジオ講座のテキストを買いたいと言い、まず鶺鴒館《せきれいかん》書店の方へ渡ることにした。店内は冷房がきいているだろうな、と思いながら、ぼんやり入口の自動ドアの方へ目を向けた。本屋は角地にあり、ドアのすぐ前から横断歩道が始まっていた。向う側で信号待ちしている群衆の中に、私は突然知っている顔を見つけた。野瀬さんだ。鶺鴒館の包みを抱え、横にいる人に何か言ったようだった。それに応えて笑いながら野瀬さんを見上げる人は、聖母マリア学園の制服を着ていた。

二三　若菜彦《わかなひこ》

「弓削くん」

考える余裕もなく言葉が飛び出した。

「ラジオ講座のテキスト、丸善で買わないか？　英語のリーディング・アサインメントの本があるかどうか、見てみたいんだけど」

「あれ、ペン先生がまとめて注文するって話だったぜ。八月に入荷したら購買部へ取りに来いって言ってなかった？」

「うん。でも——もしかしたら、今あるかもしれないし。僕、八月も、中旬まで千葉にいようと思うから、できたら早く手に入れときたいんだ」

丸善へ行くなら鶺鴒館とは逆の方向へ横断しなければならない。私たちは、スクランブル交差点の真中に浮かぶ島式《アイランド》電停に立っていた。信号が青に変わり、四方から人波が押し寄せてきた。私は回れ右して弓削くんを待たずに丸善の方へ歩き始めた。弓削くんは長い脚ですぐに追い着いてきた。肩を並べて私を覗きこむ顔は、正直にびっくりしていた。今度はこちらが、どうした？と訊かれる番だった。

　私にはしかし、白ゆり交換日記のように、笑いながら打ち明けられるエピソードがなかった。むしろ、笑うなどもってのほかであった。英語の期末テストに、〈He《ヒー》 had《ハド》 always《オールウェイズ》 smiled《スマイルド》 in《イン》 recalling《リコーリング》 that《ザット》 blunder《ブランダー》 of《オブ》 his《ヒズ》 green《グリーン》 and《アンド》 salad《サラド》 days.《デイズ》〉という和訳問題が出て、『威勢はいいが考えの浅かった若い頃のへまを思い出して、彼はいつもにこにこしていた』と、英語研究室の掲示板に早くも訳例が貼り出してあった。「若い頃」というところを私は初め「サラダ菜時代」と書いて見直しの時に消し、「青春の日々」と変えた。野瀬さんと女生徒を見て逃げ出したことも、十年後に思い出す時は笑い話かもしれなかった。だが私はこの時、まさに私の〈green《グリーン》 and《アンド》 salad《サラド》 days《デイズ》〉の真っ只中にいたのだ。口当たりの悪い生《なま》の現実を、ユーモア精神というドレッシングで緩和する器用さはない。支離滅裂な感情のサラダの青い苦みを、まともに味わっていた。些細な喜びや悲しみが恐ろしく新鮮だった。

　弓削くんは執拗《しつこ》い人ではなかった。何も答えない私を親切に放っておいてくれた。丸善に着くと、私は単身ペーパーバック売場へ直行し、書架の陰に隠れて落ち着こうと努めた。書名を徒らに読み流しているうちに、ばらばらなアルファベットの羅列が、ようやくまた少しずつ意味を成してきた。アーサー・C・クラークの〈Childhood's《チャイルドフッズ》 End《エンド》〉を見つけて抜き出した時、弓削くんが探しに来た。

「本、あったか?」

「ああ。まだ二冊そこにあるけど、買う?」

「いや、俺は八月まで待つよ。どうせ翻訳の方を先に読むんだ。『地球幼年期の終わり』だろ?」

弓削くんはニヤッと笑って、日本語の文庫本のある一角を指差した。

「二階で〈復刻世界の絵本館ベルリン・コレクション展〉というのをやってるよ。遠野、ああいうの、興味あるんじゃないか? 行ってみようぜ」

階上のギャラリーに、ヨーロッパの昔の絵本の復刻版が展示してあった。原本は東ベルリンにあるドイツ国立図書館所蔵の古い児童図書だということだった。『復活祭のうさぎ』という本にあるポッツィの石版画《リトグラフ》や、『乳母の時計』という童唄《わらべうた》につけたリヒター他ドレスデンの九人の画家とやらの挿絵が、綺麗だった。弓削くんは、『長靴をはいた猫』、『ラプンツェル』、『鶫《つぐみ》の髭の王様』など、グリム童話に取材した『ミュンヒェン一枚絵』シリーズが気に入って、絵葉書を買うことにした。

「おい、この猫見ろよ。シュヴァイツァー神父さんにそっくりだ。手足が短かいとことか、眉間《みけん》の縦皺《たてじわ》の寄せぐあいとか。やっぱ、ドイツ系なんだなあ。描いた奴、誰だ? M・フォン・シュヴィントだって。自分の飼い猫がモデルかね? きっと金魚が好きだっただろうなあ!」

弓削くんの軽口は、たぶん私の気を紛らすためだった。私に見せてくれた葉書には、物語の順序に従って、『長靴をはいた猫』の登場人物がすべて描いてあった。粉屋の末息子と結婚する王女の顔は、さっき野瀬さんと一緒にいた聖母マリアの女生徒に似ているような気がした。弓削くんにすまないと思いつつ、私はまた例の不思議な気鬱《きうつ》の前兆を感じた。

「俺、喉が乾いた。先へ進む前に何か飲もうよ」

と、弓削くんが提案してくれた時は、救われた思いがした。

私たちは、筋向かいの〈アンダルシヤ〉のフルーツ・パーラーへ行くことにした。店内に入ると、焼きたてのパンの香りに、食べ物とは異質の、香水めいた甘い匂いが立ち混じっていた。覚えのある匂いだ。見ると、ベーカリーに隣合った花売場に、生クリームを絞り出してこしらえたような八重咲きの花が、たくさん入荷していた。そうだ、母のウェディング・ブーケ――空港で私の上に降ってきた花だ。同じ匂いの一重咲きの花がO村の瓢箪《ひょうたん》池のほとりにもあって、名前を尋ねると、山梔子《くちなし》じゃ、と祖父が教えてくれた。

パーラーではトロピカルフルーツ・フェアをやっていた。弓削くんと私は、ココナツ・ジュースを注文した。

「さっき、本屋の前に先輩がいたな」

「え――?」

「鶺鴒館のとこにさ。あれ、こないだ櫟林で藤井さんとやり合ってた人だろ？」

弓削くんはパウロ寮に住んでいた。

「君が変なのはそのせいか。どうなってんだか、俺よくわからんけど——どうして逃げるんだ？恐喝でもされてんの？　何かドジ踏んでシッポをつかまれたとか？」

シッポじゃない。心臓《ハート》を——と言ってしまえばいいものを、どうしても言えなかった。弓削くんがトーマス・マンやヘルマン・ヘッセの愛読者だとは思えない。私と野瀬さんとの間に起こったことを逐一報告したら、いらぬショックを与えることになりかねなかった。青木くんにすら全部は打ち明けていないのだ。しかしそう思う反面、誰かに真実を告白して、私たちの〈関係〉の性質を、客観的に分析してもらいたいという欲求もあった。就中、野瀬さんに対する私の気持ちが、あくまでも、(一)先輩に対する自然発生的な尊敬を基盤とした、(二)肉体的欲求に触発されない、(三)嫉妬や羨望や所有欲を伴わない、(四)利他的かつ高次の〈友情〉であることを、ぜひとも誰かに証明してほしかった。弓削くんは心身共に健全な実際家だ。青木くんの浪漫的解釈とはまた違う診断を下してくれるかもしれない。

私は一か八か話してみることにした。まずココナッツ・ジュースで乾きを癒して、弓削くん、と、せいぜい厳粛に切り出した。弓削くんは組んでいた脚をほどいて居住まいを正した。帽子まで取った。私は恐縮した。そこまで真剣に聞いてくれるつもりだとは。だが、弓削くんの目は私を見ていなかった。私を素通りして、パーラーの出入口の方を見ていた。何事かと私も首をめぐらせてみた。お姫様の顔をしたあの女生徒が、こっちよ!とはしゃいだ声で言いながら、野瀬さんを従えて入って来たところだった。

二四　花梔子《ガーデニア》

野瀬さんの荷物はさっきより増えていた。鶺鴒館の書籍包みの他に、高級食料品店尼崎屋《あまがさきや》の特大買物袋。あれこれ重ねた中身の一番上に、先頃オープンした鶴島そごうの特選品サロン、パレ・ロワイヤルの銀色の包装紙もちらりと見えた。開店記念セール実施期間中に祖母のお供で買物に行って、そこで大理石の麺棒を購入するところを見たので、知っていたのだ。

女の子の顔は、真正面から見ると案外ふっくらしていた。丸い大きな目。丸い朱《あか》い小さな口。丸い貝のような耳。丸い頬。小さい鼻だけが辛うじて真丸を免れている。学院の制服姿の私と弓削くんを見て、あら、という顔をした。野瀬さんを振り返って小声で何か言った。私はさっともとの姿勢に戻ってストローをくわえた。グラスが空っぽなのを忘れて、思い切り吸い込んだ。パーラー中の視線が私たちの席に集まった。背後で女の子のくすくす笑いが聞こえた。野瀬さんは、やあ!と気軽に声をかけてきた。

「暑いね。ここ、空いてる?」

時刻は午後三時を回ったところだった。暑熱を避けて冷たいものを飲みに来る人が一番多い時間帯だ。四人がけの丸テーブルは全部塞がっていた。弓削くんが席を一つ移動して、野瀬さんたちのために椅子を空けた。女生徒は野瀬さんと私の間に座るが早いか、アイスクリームのメニューをパッと取り上げ、熱心に検討し始めた。男生徒三人の間にはどことなく羞《はにか》んだ沈黙が流れた。弓削くんが何か言おうとしたが、同時に発せられた断固たる女性の声に気圧《けお》されて口ごもった。

「あたし、まず、このバニラファッジとバナナスプリットとハワイアンシェイク。洌《きよい》ちゃんは?」

まず? 私と弓削くんは驚いて顔を見合わせた。野瀬さんは溜息をついた。ウェイトレスが水とおしぼりを持ってやって来て、ご注文お伺いしてよろしいでしょうか?と尋ねた。

「バニラファッジ、バナナスプリット、ハワイアンシェイク、それとアイスコーヒー――遠野くんたちは何にする?」

弓削くんと私は、ココナツ・ジュースをもう一杯ずつ頼んだ。

ウェイトレスが行ってしまうと、野瀬さんが同伴者を紹介をした。従妹《いとこ》の長田《おさだ》幸《みゆき》、聖母マリア学園の高一。私たちはペコリと頭を下げた。女の子は無言でほんのちょっと顎の先を上げたなり、水を飲むグラスの縁ごしに、物おじしない目で私と弓削くんを代わるがわる見比べていた。

「これは後輩の遠野くん。そっちの君は？」

「弓削です」

「どこかで会ったたな。テニス部だっけ？」

「はい」

「洌《きよい》ちゃん、茶道部入ったた言うとったじゃない！」

幸さんが頓狂な声を上げげた。野瀬さんは片手で目を覆いながら、

「よけいなお世話だ。それからその、『キオイちゃん』というのはやめてくれ。公衆の面前なんだから」

「けど、いつもそう呼んどるんじゃけぇ、しょうがないじゃない。ほいじゃあ、どういうて呼んだらええんね？　公衆の面前で」

弓削くんが、「白ゆり」と小声で言ったので、私たち二人はこらえきれずに吹き出した。そこへ飲物とバニラファッジが来た。

「ご注文の品、これで全部揃いましたでしょうか？」

「いいえ！　まだバナナスプリットが来てません」

新米らしいヴェイトレスは、幸さんの厳しい顔に恐れをなして、しどろもどろに詫びながら小走りにオーダーを繰返しに行った。

マッターホルンのように累々と積み上げられたアイスクリームの山に、スプーン一本の軽装で挑戦する従妹を横目で見て、野瀬さんは絶望的に頭を振った。弓削くんと私はもうかなりくつろいでいた。

「君たち、きょうはどうしたの？　この辺で何かあるのかい？」

と野瀬さんに訊かれた時も、自然な声で答えることができた。

「ちょっと旅行の買物に。あさってから千葉へ行くんです」

「ふうん——どのくらい？」

「僕は一月ほど行きますけど。他のみんなは予定に合わせてまちまちです。二週間だったり、十日だったり」

「みんなって？」

「弓削くんと——あと、クラスメイトが何人か」

野瀬さんはグラスを置いて椅子の背に凭れかかった。弓削くんに向かって、気のない様子で、テニス部の合宿はどうするんだ、と尋ねた。

「合宿は前期後期とありますから、後期の方に参加しようと思ってます。君もそうだろ？」

と言われて、私は頷いた。

「野瀬さんは？　夏休み――」

軽井沢、と言いかけて、慌てて口を噤《つぐ》んだ。すると幸さんが、アイスクリームを満載したウェハーファーの向こうから、冽ちゃんは北海道、とはっきり言った。

「毎年、行くの。好きなひとがおるけぇね」

幸さん以外、一同ドッキリした。弓削くんは真向かいに座った幸さんの顔をぽかんと見つめ、私は下を向いてココナツ・ジュースに専念した。顔を上げた時、野瀬さんの目が、ほんの僅かだが険しくなっていた。幸さんはどこ吹く風でバニラファッジを食べ続けた。いつの間にかバナナスプリットも運ばれてきていた。私は急に鳩尾《みぞおち》のあたりがしんと冷えてくるのを覚えた。冷房のききすぎだ。

「おい、そろそろ行こうよ。俺、寮で五時から、転校する奴の歓送会があるんだ」

弓削くんに耳打ちされて私は腕時計を見た。四時前だった。私たちは揃って立ち上がった。失礼します先輩、と弓削くんが挨拶するのがぼんやり聞こえた。答える野瀬さんの声は無感動だった。

「ああ、さよなら。夏休み、楽しんで来いよ。遊べるのは今のうちだ」

レジで代金を払った後、弓削くんがトイレに行った。花売場の前で待っていると、野瀬さんたちも休息を終えて出てきた。幸さんは私に目もくれずにベーカリーの方へ去って行った。私は花を眺めるふりをした。こってりした濃密な芳香に、息がつまりそうだった。野瀬さんが、通りすがりに一瞬、私の背後で足を止めたような気がした。耳元で低く囁かれた言葉は、ひょっとすると空耳かもしれなかった。

「今夜十時。南の窓を開けておいて」

二五　雅歌《がか》

その日、ルカ寮十二号室に残っているのは私だけだった。太刀掛さんと安寧寺くんは、早朝、バスケット部の合宿に出発していた。中一の吉敷《よしき》くんなど、終業式がすんで通知表を渡された直後に、電光石火で荷物をまとめてY県の自宅へ帰って行った。弓削くんに誘われてパウロ寮の歓送会に顔を出した後、私はルカ寮に戻って手持ちぶさたに自室を歩き回った。いつもは手狭に感じられる四人部屋が、いやに閑散としていた。この時期に限って、机の上もきちんと片づいている。太刀掛さんの机には、本が数冊ブックエンドに立てかけられているだけで、あとは何もなかった。
　新約と旧約と両方の聖書が並んでいた。太刀掛さんも宗研に入っていたが、非《ノン》クリスチャンだった。宗教には史学的、社会学的見地から興味があると言っていた。キリスト教に関する私の知識は、幼稚園で意味もわからずに教え込まれた讃美歌と、自分で読めるようになる前に父が読んでくれていた『聖書物語』に集約されていた。旭日学園時代には欠かさず出席していたチャペルアワーも、亀甲学院へ移ってからはほとんど出なくなり、鶴島へ来てからも同じことだった。
　私の気分は浮いたり沈んだり、不安定だった。野瀬さんのメッセージが空耳でもそうでなくても、とにかく十時まで、何か鎮静剤になってくれるものが必要だった。旧約聖書を抜き出して、ベッドに腰かけ、いいかげんなところを開いてみた。いきなり『私はシャロンのばら、谷のゆりです』という下りに当たった。

『おとめたちのうちにわが愛する者のあるのは、
　いばらの中にゆりの花があるようだ。』

　弓削くんの〈白ゆり〉を思い出して、つい可笑《おか》しくなった。だが読み進むにつれて、どうも笑ってすませられるテーマではないような気がしてきた。

『わが愛する者の若人たちの中にあるのは、
　林の木の中にりんごの木があるようです。

私は大きな喜びをもって、彼の陰にすわった。
彼の与える実は私の口に甘かった。
彼は私を酒宴の家に連れて行った。
　私のうえにひるがえる彼の旗は愛であった。』
（恋愛歌《ラブソング》だ……）
『わが愛するものの声が聞こえる。
見よ、彼は山をとび、丘をおどり越えて来る。
わが愛する者はかもしかのごとく、
若い雄じかのようです。』
（こっちは女のパートらしい。まるで相聞歌《そうもんか》だな。）
『わが愛する者はわたしのもの、わたしは彼のもの。
彼はゆりの花の中で、その群れを養っている。』
（男の職業は牧畜か。）
『わが愛する者よ、
見よ、あなたは美しい、見よ、あなたは美しい。
あなたの目は、顔おおいのうしろにあって、はとのようだ。』
（メロメロだぜ――）
『あなたのくちびるは紅《くれない》の糸のようで、
その口は愛らしい。』
（なるほど。）
『あなたの両乳ぶさは、
かもしかの二子《ふたご》である二匹の子じかが、
ゆりの花の中に草を食べているようだ。』
（なるほどなるほど……）
『日の涼しくなるまで、影の消えるまで、
わたしは没薬《もつやく》の山および乳香《にゅうこう》の丘へ急ぎ行こう。』
（何かわからないけど、夜まで暇をつぶそうということかな？）
『どうか、彼の左の手がわたしの頭の下にあり、
右の手がわたしを抱いてくれるように。』
私は聖書をベッドの裾に放り出した。何と赤裸々な！　そして、何とまあ、他愛なくも幸福な感情だろう。作者の年齢は不詳だが、少なくとも精神はサラダ菜時代のド真中である。ところが

読んでいる私はといえば――誰に憚ることなく恋愛を謳歌できる季節に在《あ》りながら、自分の情熱には、シュヴァイツァー先生の菠薐草《ほうれんそう》ほども勢いがないように思われた。

異性に全く関心がないと言えば嘘になる。たとえば今日会った長田幸《おさだみゆき》さんなども、ちょっと気は強そうだけれど、かわいい女の子だと思う。どこかでもう一度会うことがあれば、きっと話ぐらいはするであろう。そして話題がなくなったら、さよならと言って別れる。それで悔いはない。女性と私の関係は、テレビとのそれに似ているような気がした。そこにあるとつい見てしまうし、見る物の内容次第では我を忘れて没頭することも充分ありうるのだが、なければないで、あまり不便を感じない。クラスには弓削くんの他にも、聖母マリア学園の生徒から交際を申し込まれて、実際につきあっている者が数人いた。洲々浜澄夫くんのところへは、宇治山女学院の高二高三のお姉さんたちから、きれいなカードを添えたお菓子や手編みのマフラーなどがしょっちゅう届けられる。彼らの経験談を、私は努めてにこにこと聞いてやるのだが、感情移入がどうもうまくできないので、話し手はしばしば物足りない思いをするらしかった。

生まれてから一度もキリンを見たことのない者が、訪問先で、ホストがサファリ・ツァーに行った時の話を聞かされて戸惑う。キリンという稀有《けう》の動物の存在に対する驚きを、何か個性的で真摯な言葉を用いて相手に伝えたいと焦《あせ》るが、口をついて出るのは「すごいですねー！」ばかり――このような心境が私にはよくわかる。私の場合は特に、女性以上に私の興味を引いてやまぬ対象がごく近いところに存在して、櫟林で人助けをしたり町に出てアイスコーヒーを飲んだりしているから、それ以外の生物への好奇心は、冷蔵庫の中のパセリのように、隅っこで乾いているのだった。いずれにせよ、人はまだ会ったこともないキリンの生態より、顔見知りの犬や猫や雀の動静の方が気にかかるものではないだろうか？

しかし野瀬さんの方は、どうなのだろう？　ボクシングから茶道部まで、満遍《まんべん》なく顔を出すあの性格。藤井さんの一途さが羨ましいと言った言葉の裏には、興味の対象が際限なく広がる自己への反省がうかがわれる。今日だって、少々不機嫌な顔はしたものの、幸さんのスッパ抜きを否定しなかった。（沈黙は同意の印、と言うではないか？）「好きな人」というのは女なのか男なのか——幸さんがあれだけあっさりと言ってのけたのだから、当たり前に考えて、女の人である可能性が強い。「バイセクシュアルは犯罪じゃない」と、きっぱり言える人だし……

私はまた聖書を取り上げた。

『わが愛する者よ、急いでください。
かんばしい山々の上で、かもしかのように、
また若い雄じかのようになってください。』

野瀬さんが北海道へ会いに行く人も、こういう心情で待っているのだろうか？　鳩のような眼をして？　朱《あか》い実のような唇と、双子の仔鹿が寄り添って草を食《は》んでいるような愛らしい胸が、

目に浮かぶようだ。「毎年、行くの」と幸さんは言った。ご苦労なことだ。

私は突然、床を鳴らして乱暴に立ち上がると、窓際へ歩いて行った。下の部屋の住人もすでに帰省していたので、気を遣う必要はなかった。南側も東側も、窓を両方とも開け放った。学院は高台にあったので、いつも風が吹いていた。夏でも日が落ちればしのぎやすかった。森の匂いのする夜気が流れ込んできた。ルカ寮は裏門に一番近かった。門とは名ばかりの、枝折戸《しおりど》に毛の生えたような代物が、急斜面の裏山に向かって出し抜けに立っているだけだ。戸を開けると竹藪がわさわさと迫ってくる。そこから爪先上がりの山道が、笹群を分けて細々と続いていた。人間にはとても通れそうになかった。私は、野瀬さんが夜露を分けてこの獣道《けものみち》を辿って来るところを想像してみた。たぶん何か、夜目のきく敏捷《はしこ》い小動物にでも化けて。跫音《あしおと》をたてずに。

夜の森には不思議な作用がある。そこから流れてくる空気は、頭を冷やすどころか、心をいっそう揺さぶり、かき立てるようだった。十時まであと数分。私は灯りを消した。ベッドに仰向けになって目を閉じ、羊が一匹、羊が二匹、と数えながら、できるだけ深く、ゆっくりと呼吸した。羊はやがて百合の花に変わり、その群れは一面の百合の園になり、そこへ元気よく飛び込んできた羚羊《かもしか》が、さんざん跳ね回って花床を荒らした。これじゃだめだ。狸が一匹、に変えてみようか？

目をつむると聴覚は異様に冴えてくる。南側の窓のあたりで、ふと微かな物音がした。何か、ごく軽いものが外から投げ込まれて、床に落ちたような——私はそっと起き上がり、闇の中に目をこらした。夜風に乗って一抹の芳香が馥郁《ふくいく》とこちらへ漂って来た。没薬と乳香？　いや違う。山梔子《くちなし》の香りだった。

二六　葉隠《はがくれ》

灯りをつける気にはなれなかった。目が暗闇に慣れてくると、窓の近くの床の上に、白い蝶のような花の輪郭がぼおっと浮かび上がって見えた。私は息を殺して忍び足で近づき、恐る恐る拾い上げた。なぜか手が震える——時限爆弾を拾うみたいだ。一輪だけ花の咲いた小枝に、細い紐が括《くく》りつけてあった。

"Rapunzel《ラプンツェル》!"

窓の下の暗がりから囁く声がした。発音が日本語ではないけれど、野瀬さんに間違いない。

「何をしてる？　早く引っぱり上げてくれよ。出発する前に渡そうと思って、わざわざ持って来たのに」

紐の先には何か軽い荷物が結びつけてあった。たぐってみると、薄手の小冊子が上がってきた。

「一期生の卒業文集だ。夏休み、暇があったら読んでみるといい」

「今夜は、これを――届けに？」

「そうだよ」

「それだけですか？」

――などと尋ねるつもりは毛頭なかったのに、舌が勝手に動いてしまった。折しも一陣の風が起こった。あたりの木々が皆、体を揺すって私のことをくすくす笑っているような錯覚に囚われた。野瀬さんも笑っていたのかもしれない。答が返ってくるまでに少し間があった。

「――うん、それだけだ」

私は――正直に言おう――大いにがっかりした。密会《ランデヴー》に至るまでの心理的紆余曲折が長かったので、勝手ながら終点にはもう少し、その、ドラマが待ち構えているかと、期待してしまったのだ。失望と自己嫌悪の相乗効果で、気分は突然厭世的になった。私が窓を開けて迎え入れたかったのは、楽しい読物ではない。夜と森と未知であった。私の反応が冷淡なので、野瀬さんは気になったのか、梅の木の下で雨曝《ざら》しになっていた脚立に上がって、そこから身軽く窓に近い枝へ飛び移ったようだった。近いといっても、まだ二、三メートルほど離れている。群葉《むらば》と夜に青く蔽《おお》われて、野瀬さんの姿は見えなかった。

「昼間会った、背の高い奴――」

野瀬さんは前置きもなく、ぽつんと呟いた。

「彼は、クラスメイト？」

「弓削くんのことですか？　ええ」

「知り合ってどのくらい？」

「去年転校して来た時から同じクラスだったんです。中ⅢBで、同じ美化委員をやって――」

「テニス部ならクラブも同じだね」

「ええ」

「一緒に旅行に行くって？」

私はようやくこの妙な質問の性質を察して、内心大いに笑ってしまった。なんて自己中心的な人だ！　自分の恋人の話は一言も出さないで。

「弓削くんはどっちかというと、ヘテロセクシュアルだと思います」

「どうしてわかる？」

「女の子から交換日記を申し込まれて、赤くなっていましたから」

「そうか。はは、幸《みゆき》のやつ、一足遅かったな。あいつ、君たちの夏休みの連絡先を訊いてくれと言ってきかないんだ。暑中見舞を出したいんだってさ」

「僕たち二人に、ですか？」

「そう。どっちが気に入ったとも言わないんだけどね。放《ほ》っとけよ。僕はキューピッドの役なんかごめんだ。森林警備隊の方がいい。で——君はどうなの？」

「僕も森林警備隊の方が——」

「違うよ。君も女の子が好きかと訊いてるんだ」

「え？　ああ。さあ……？」

何という対話になったものだろう！　私の生返事は野瀬さんに鼻であしらわれた。

「ふん、頼りないな。まあ、いいさ。男ばかりで旅行するんなら、このさい海岸でナンパの一つもして、自分の恋愛傾向をしっかり確認してくるんだね」

勝手なことを——私たちは明らかに、話のためにのみ話しているのだった。会話の内容よりも、こんな物の怪《け》じみた時刻に、こんな状況に二人きりという、その方がはるかに由々しいことだ。言葉は祝祭の花のように惜しみなく撒き散らされ、顧みられぬまま、風に吹きさらわれていった。私は野瀬さんが止まり木にしている枝と窓との開きを密かに目測してみた。距離は大したことないけれど、枝の位置がむずかしい。あそこから部屋の中へ入ってくるのは、いくら何でも無理だろう。

「今夜、そこへ行けないのは残念だよ。君にとっては幸運なのかもしれないけど」

私の心を読んだかのように野瀬さんがそう言ったので、私はどぎまぎした。暗くて幸いだ。

「僕は夜行性でね。今一番元気な時間なんだ。うっかり中へ入れてもらったりすると……」

野瀬さんはそこで思わせぶりに言葉を切った。私も沈黙した。近くの落葉松《からまつ》林から、松籟《しょうらい》が潮騒のように寄せては返した。口を開くと、またとんでもないことを言ってしまいそうだった。夏になると会いに行く人がいるって本当ですか、とか。北の国で待っているのはどんな人ですか――?

ふと、野瀬さんが私の名を呼んだ。しかも、正確に。亡くなった父の他、同性で私の名前を呼び捨てにする人はいなかったから、はっとしてつい答えるタイミングを逸した。するともう一度。

「緑《りょく》」

「はい――」

「ここから手を伸ばしたら、君に届くだろうか? もう少しこっちへ来てごらん」

私は窓辺に寄り、芳しい七月の夜の中へ身を乗り出した。まるで何かの厳かな儀式に臨むようだった。心の奥に、今まで夢みたこともない優しい慄《おのの》きが生まれ、波のように高まり、ソロモンの雅歌に呼び覚まされた荒々しい感情をどこかへ押し流した。北海道も軽井沢も地図から消えた。

花の匂いよりも濃く、深く、薫り立つ青葉のいきれのさなかに、ただ私を呼ぶ静かな声があり、それに応《こた》えたいという私の思いがあるだけだった。

差し伸べられた手が、白い鳥のように闇の面《おもて》を滑って私の髪に降《お》り、頬に触れた。私は思わず、その手に自分の掌《てのひら》を重ねた。今離してしまえば、九月になるまでもう会えないのだ。人の一生のうちには、ほんの一週間が永遠のように長く思える時期がある。私の手は、いつか熱のあった日の、こまやかな愛撫をよく覚えていた。私の指の一つ一つに、宝石を置くようにして鏤《ちりば》められた接吻も。

今夜は私が忠実にそれを繰返す番だった。天国のどんな使徒よりも敬虔な気持ちで。

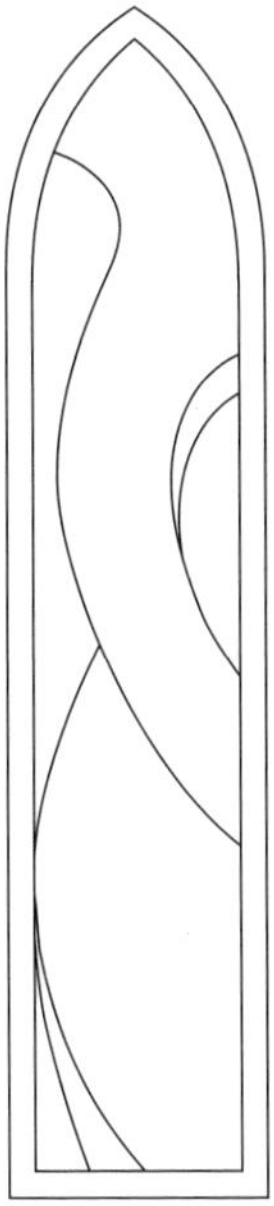

Ⅱ

濤聲《たうせい》の章

夏休み

Intermezzo〈飛行機雲〉

二七　竜宮《りゅうぐう》

電車を降りると、汐の香に湿った風が吹きつけてきた。上月《こうづき》くんが、開口一番、

「今時、鶴江よりローカルな駅があるとは思わなんだで！」

と感嘆した。

確かに当時の常磐線上総一宮駅《じょうばんせんかずさいちのみや》の周辺は、さながら雑然たる地方色で塗り上げられた書割の佇まいであった。線路沿いに民家と水田と畑が混在している。植木と野菜が隣同士に栽培されている。枕木の間に生えた弘法麦が、埃っぽい熱気の中で途方に暮れてひよひよと靡《なび》いているあたり、海辺の町の風情を出そうとして失敗した写生作品に通じる趣がある。駅前には酒屋が一件、その隣はラーメン屋だ。〈元祖サッポロラーメン〉の暖簾《のれん》の脇に剥製の熊が一頭、仁王立ちになっていた。《お手を触れないで下さい》という札を首から下げているが、文字は日にさらされて薄れ、ほとんど読めない。それをいいことに客があちこちさわっていくのか、前足や鼻面が擦り切れていた。ガラスの目玉に得も言われぬ憂愁と倦怠を湛え、今にも大欠伸《おおあくび》をしてゴロンと横になりそ

うに見える。津々浦くんが、熊に寄り添いながら、心細そうに呟いた。

「はっきり言うてド田舎じゃのう」

「何ぬかしょうるんじゃ、S郡の土民が」

「おまえこそ、H郡で穴居人しょうるんじゃないんか。こないだNHKニュースで、おまえんちの洞窟から怪獣が出たいうて、報道しょうったで」

津々浦くんと上月くんが、退屈しのぎの憎まれ口を叩きあっていると、竜宮城の送迎車と思われるマイクロ・バスが、警笛も華々しく角を曲がってきた。満艦飾《まんかんしょく》とはこのことだ。ディープ・パープルの地に虹色の鯉幟《こいのぼり》のような模様があると思ったら、竜の図案化らしく、左右のヘッドライトを両眼に見立てて牙をむいた恐ろしい顔が、バスの前面に鼻の穴を広げていた。運転しているのは、禿地頭《とくじとう》氏の一人息子の松竹《まったけ》さんだった。しばらく会わないうちに、過激なファッションに一段と磨きがかかったようだ。髪型は所謂モヒカン・スタイルで、真夏だというのにブラック・レザーの上下でバシッと決めて、サングラスをかけ、ゴールドのイアリングを揺らし——くわえ煙草は、たぶんアムステルダムあたりで仕入れたモロッコ産の高級ハシッシュであろう。ブーツの踵を鳴らしてバスを降りた松竹さんは、ニヒルな微笑に唇をゆがめ、翳《かげ》りのある深い低音《バス》で挨拶した。

「お久しぶりね、緑《りょく》ちゃん、ダーリン。お元気？」

「はい、どうも。松竹さん、仕事は？」

「ええ、相変わらずよ。秋のショウの準備でてんてこ舞い。あんまりハードだから、この二、三日アトリエの方はパートナーに任せて抜け出して来ちゃった。あたしだって夏休みぐらい取らなきゃ、もたないわよ。さ、乗って乗って、あなたたち！　荷物はそっちへ——あらっ、君、そのカラー・コーディネート、すっごくゴージャス！」

と激賞されたのは、アブストラクトな黒バラ模様を散らしたイエロー・オーカーのタンクトップに、ローズ・ピンクのパンツを合わせていた上月くんだった。

国道を十五分ほど走って海岸方面へ左折し、対向車が来たらどちらかが溝に入って待たなければならないような窮屈な畑道を、曲がりつくねりつ浜へ下りていく。途中〈シーホース乗馬センター〉という看板が目に入った。馬場で数人、輪乗りをやっている。

「あそこはうちと提携してるのよ。センターのオーナーがパパの知り合いとかで、ホテルのお客さんは半額で乗せてくれるの。ヘルシンキ五輪の最終予選まで行ったというおっちゃんもいるから、泳ぎに飽きたら遊びに行くといいわ」

と、松竹さんが教えてくれた。

やがて車は松林の中に入った。油蝉の声が、大気をフライのようにジュウジュウ揚げている。

絵葉書ですでにおなじみの竜舌蘭の車寄せ《ドライブ》には、『あと六〇〇m』、『あと五〇〇m』と、百メートルごとに、帆立貝を象った標識が立っている。程なく、背景にパゴダを控えた竜宮城の威容が目に入った。絵葉書でも充分鮮やかだった色彩が、実物では数倍もどぎつく、上月くんのヴィヴィッドなパンツまで一気に影が薄れた。

狛犬のしかめ面に迎えられて入館すると、まずロビーの天井に吊った仙台の七夕飾りのようなシャンデリアが目を奪う。中央の泉水盤には大海亀の剥製が鎮座して、柱という柱に金色の竜が巻きついて赤い舌を出している。廻り縁の随所に凝った彫刻《ほりもの》や象眼細工が施され、壁灯《ブラケット》からは珊瑚《さんご》や翡翠《ひすい》の瑶珞《ようらく》が、たわわにぶら下がっている。節度を知らぬ豪華さだ。（ただしそれらが皆、非常に金のかかったイミテーションなのである、と後で松竹さんから聞いた。）ロビーの一角は温室と水族館になっていて、巨大な水槽の中で鯛《たい》や鮃《ひらめ》が舞い踊る。女性従業員は、乙姫様のように華麗な制服を否応なく着せられて、絵にもならない美しさ。こうなるともう、男性従業員が草《わら》鞋《じ》を履いて腰蓑に魚籠《びく》を下げ、釣竿をかついでいないのが不思議なくらいだ。

松竹さんの合図に応えて飛んできたベルボーイは、普通のホテルのお仕着せを着ていた。オーナー令息は、最上階のスイートへご案内して、と威厳たっぷりに指示した。

「資金が足りなくて五階までしか作れなかったのよ。いずれコストダウンのシワ寄せが目についてくると思うけど、気にしないでちょうだいね。じゃ、あたし、お義母《かあ》さんに、あなたたちが着いたことお知らせしてくるから。明日のパーティの準備でとってもお忙しいの。皆さん、ダーリンズ、また後でね」

派手なキスを投げながら、松竹さんは〈MAIN《メイン》 DINING《ダイニング》 ROOM《ルーム》〉と表示された扉の向こうに消えた。

私たちの部屋は五〇一号から五〇四号まで、二室づつ浴室でつながった続き部屋だった。内装も家具調度も至ってシンプルで、まず一安心。これがコストダウンの結果ならばありがたいことだ。ホテル案内を読むと、一階にフロント・デスク、主食堂、喫煙室、遊戯室、図書室、舞踏室などがあり、二階にはティー・ラウンジ〈Turtle's《タートルズ》〉、和食堂〈うらしま〉、エステティック&ブライダルサロン、美容室、理容室、写真室、結婚式場〈乙姫殿〉、三階にフィットネス・ジムとサウナ、四階に大、中、小の宴会場〈親亀〉、〈子亀〉、〈孫亀〉があった。ジムやサウナをのぞけば、私たちにはほとんど関係のないものばかりだったので、ちょっとがっかりした。

部屋割りをすませて荷解《にほど》きをしていると、インターフォンが鳴り、出てみると母だった。

「いらっしゃい、緑ちゃん！　お迎えに出られなくてごめんなさいね。厨房が今、大騒ぎだものだから。シェフが中国の人で、なかなか言葉が通じなくて困ってるのよ。お友達の中に、中国語のできる人はいないかしら？」

私は一瞬考えたけれど、誰も思い当たらなかった。しかし、厨房と聞いて青木《おうぎ》くんを連想したため、

「料理に詳しい子はいるけど、中国語はできないと思うよ」

と言ってしまった。母は藁にもすがるような口調で、

「じゃ、その方、悪いけど、ちょっとキッチンまで来て下さるかしら？　私と近所の学生さんだけでは、どうにもならないのよ」

青木くんは、近いうちに花小路くんが遊びに来るまで、五〇四号室を一人で占拠することになっていた。私がインターフォンで呼び出すと、早速テレビかラジオのボリュームを最大に上げて、ロックのライヴ中継か何かを聴いているらしかった。今ええとこじゃけぇ、あと五分したら行く、と言って切ってしまった。

一足先に厨房へ下りてみると、なるほどみんな憔悴しきった顔をしていた。そそり立つコック帽をかぶった太鼓腹のシェフは、片手にレードル、片手に漉器《シノワ》を持って振り回しながら、小鳥が囀《さえず》るような早口で、母を相手に何か訴えていた。残りのスタッフは、エプロンは着けているものの、素人くさい様子から、一目でアルバイトか見習いとわかる。母は私の姿を見ると、疲れた中にも嬉しそうな笑顔を見せた。陳さん、ちょっと、と水車のようなお喋りの聞き役を中断して、こっちへ来た。ちょうど青木くんも到着した。お互いの紹介がすむと、母は青木くんに一枚のファクシミリ用紙を渡して、

「これ、明日の晩餐のメニューなんですが、どうしてもわからない部分があるらしいんです。ち

ょっと訊いてみていただけますかしら？」

と、言いにくそうに頼んだ。メニューは全部フランス語で書いてあるようだったが、青木くんはスラスラと目で読み下し、ふくれ面のシェフのところへ行って二、三分ボソボソと話した。私と母が驚いて見ていると、

「あー……大体、わかりました」

と、頭をかきながら戻ってきて説明するには、

「ここの〈ブレス産肥鶏のエクルヴィス入り煮込み〉は、オードブルの〈エクルヴィスのゼリー・コンソメ〉と材料が重なるので、どっちかを変えた方がよくないか、と言ってます」

母はようやく愁眉を開いた。明日はパーティが始まる前に、禿地頭氏と十一人の地元の名士が《孫亀》にて会食をすることになっている。献立は禿地頭氏が自らの好みにそって気ままに立て、仕事先から電送してきたのだが、母には何がなんだかさっぱりわからなかったのだそうだ。早速電話して、変更するかエクルヴィス尽くしにするか訊いてみましょう、と母は急ぎ足で電話室へ去った。

私は感心して青木くんをまじまじと見た。さすがは鍋島さんの弟子だ。

「すごいじゃないか、フランス語できるなんて」

と言うと、青木くんは意外なことに、

「そんなもんできんわい」

と肩をすくめた。

「え？　だって、現に今シェフと——」

「あのオッサン、日本語ペラペラなんじゃ。台北《タイペイ》でスカウトされて、きのうから来てみたら、厨房は狭いし設備は中古じゃし助手はド素人ばかりじゃしで頭にきて、もう絶対、話しちゃるまい思うとったんじゃと」

なるほど。それなら、禿地頭さんか母に報告して、労働条件の改善を図るべきかもしれない。オープン早々シェフにストライキでもされたら、困ったことになるだろう。

シェフの不機嫌は、その日の夕食にも反映されていた。どんよりと濁って野菜屑やアクの浮き沈みするコンソメに始まり、デザートの、正体もなく煮崩れた果物の残骸——洲々浜くんは、一口味わって、隣の津々浦くんの耳に「用無しのコンポート」と囁き、フォークを置いた——に至るまで、出る皿、出る皿、すべからく甘すぎるか、辛すぎるか、無味乾燥かの三種類の味つけしかなく、愚行のフルコースとでも名づけたいような食卓であった。母は揉み手をしてキッチンと主食堂の間を右往左往しているし、私は私で、自分のせいではないとはいえ、友達を誘ってきた責任上、やはり申し訳ない思いでいっぱいだった。文字通り匙を投げた松竹さんが、ドラゴン・バスで私たちを国道沿いのバーベキュー・ハウスへ連れて行き、舌もとろけんばかりのスペア・

リブをたらふくご馳走してくれなかったら、飢え死にするところだった。

二八　誘《さそ》ひ波《なみ》

旅の疲れはあったものの、そのためかえって熟睡できたとみえ、翌朝は六時きっかりに目が覚めた。隣のベッドでは弓削くんがまだ眠っていた。起こすといけないので、音をたてないように気をつけながら、フランス窓を開けてバルコニーへ出てみた。早くも鳴き出した蝉の声に、昨日は気づかなかった波の音が重なる。海は思ったよりずっと近くにあった。一階のテラスのすぐ下から、松の防風林が始まっていて、その向こうに低い砂丘が見え、下ればもう波打ち際だ。歩いて十分とかからないだろう。

海岸線は弓なりに岬の方へ伸びていた。馬が何頭か浜辺に出ていた。乗馬センターの人たちの外乗だろうか、遠目にも馬体の一際大きい青毛《あおげ》が一頭、それと対照的に、小柄で輝くような葦毛《あしげ》が一頭、あとは少しずつ濃淡の差がある栗毛だった。

私は亀甲学院時代に、ほんの短期間ではあったが、馬術部に在籍していたことがある。ウォリック先生と仲良しだったJ先生に勧誘されたのだ。ただし、百鞍を達成するはるか前にやめてしまった。馬装・馬具の名称や、厩舎の掃除の要領がやっとわかってきた頃には、もう鶴島へ転校が決まっていた。あまり熱心な部員ではなかった。馬という動物に恨みはないが、何事にも序列が明確で、規律規律とやかましい軍事教練のような部活動が、正直言って鬱陶《うっとう》しかったのだ。

きれいだな、という声に振り返ると、弓削くんが起き出していた。馬が走っているのを、実際に目で見るのは初めてだそうだ。速歩《はやあし》から中間駈歩《ちゅうかんかけあし》、伸長駈歩《しんちょうかけあし》。駈歩《かけあし》から停止。停止からすぐに収縮駈歩《しゅうしゅくかけあし》で発進——これはかなり高度な技術だ。にわかに好奇心が湧いてきた。

「あとで馬場へ行ってみようか?」

「うん。あいつら、もう起きたかな?」

左隣のバルコニーの扉が開き、寝ぼけ眼《マナコ》の洲々浜くんが出てきて欠伸《あくび》をした。

「津々浦は?」

弓削くんが尋ねると、洲々浜くんはうんざりした顔で、

「まだ寝とる。ゆうべは鼾《いびき》のオールナイトコンサートじゃ。僕、どっかで耳栓買《こ》うてこんと」

私たちの部屋のドアをノックする音がした。行ってみると、もうちゃんと着替えをすませた茶村くんと上月くんが立っていた。

「早いね」

「習慣じゃ。正確な腹時計を内蔵しとるけぇ」

上月くんが、腹を撫で撫で頷《うなず》いた。

「ところで、青木がおらんで」

「シャワーじゃない？」

「いや。浴室も覗いたけど、いないんだ。上月が朝飯朝飯とうるさいから、青木に何か作らせようかと思って、起こしに行ってみたんだけど」

茶村くんも首をかしげた。

私と弓削くんがいる五〇三号室と青木くんの五〇四号室は、浴室が共同である。風呂場のドアから入って、寝室、居間、衣装室《クロゼット》、と探したが、誰もいない。ベッドの上には、パジャマが軽くたたんであった。早朝のジョギングにでも出たのだろうか？

弓削くんと私は急いで服を着た。捜索隊を出すにしても、まず腹ごしらえをしてからだ。主食堂へ降りると、テーブルの配置が昨日と違っていた。食堂と舞踏室との境のパネルも取り払われている。今夜のパーティのためだろう。ホテルが正式に業務を開始するのは来週からだそうで、それまでは泊まり客といっても私たちだけだった。パーティの招待客は、大半が地元の商店主、不動産業者、娯楽施設関係者などであるらしかった。ご近所へのお披露目よ、と母が昨夜言っていた。

給仕が一人も見当らないので、私は皆を食堂に待たせて厨房へ行ってみた。調理場の様子はがらりと変わっていた。何より、昨日は雨雲のように垂れこめていた惰気《だき》の塊が、跡形もなく消え去っている。それに伴って、ガスレンジや流しのあたりにわだかまっていた煤《すす》けた感じも一掃され、清潔なエプロンをかけた女の子たちが、神妙に貝の殻をむいたり、魚を洗って内臓《わた》を取ったりしていた。調理台の前で陳さんがせっせと粉をふるっている。驚いたのは、その傍らに腕組みをした青木くんがいて、シェフの篩《ふるい》さばきを監督していたことだ。

「こんなとこで何してるんだ、青木くん。みんな探してたんだよ」

私が青木くんの肩に手をかけると、陳さんが大笑いした。

「このひと五時からここいる。料理だいじょぷかてね。オーギさん、もうわかたでしょ？　わたしプロよ。あなた手伝う。わたし張り切る。パーティＯＫ。坊ちゃん、今すぐ朝ごはん作てやるよ。待てて」

陳さんは篩を脇に置いてボールに卵を割り入れ、目にも止まらぬ速さで泡立て始めた。五分後、この卵は、太った三日月形の香草入りオムレツとなって食卓に現われた。表面は香ばしい金色に焼き上がり、中身は半熟で、口に入れるとトロリと溶ける。先夜の食事とは雲泥の差だ。ベーコンと薄切りポテトの重ね焼きに、パセリのみじん切りを青々とトッピングして運んできたシェフは、

「わたし、おみおつけもじょず。あした朝、ごはん、みそしる、たくわん」

と、陽気に請け合った。

紅茶のお代わりを注ぎに母が食堂へ入って来た。朝の光の中でよく見ると、服装や髪型など、すっかり禿地頭家の好みに順応しているようだ。くるくると縮らせた前髪を何本も額に垂らして、残りの髪はビーズつきのターバンでまとめ、化粧は念入りなロココ調である。松竹さんの作品らしい大胆な原色のドレスは、セネガルの民族衣装ブーブーを彷彿とさせる。今年の正月にはまだあったはずのウェストが、どこを探しても見当たらない。知らぬ間に過ぎてゆく時の移ろいを改めて意識した。

茶村くんを始め、皆、口々に、お早ようございますと挨拶した。

「みなさん、よくお寝《やす》みになれました？　きょうは、なんですか、青木さんにキッチンの方をお手伝いいただきますそうで。陳さんはすっかりその気になっているようですけど、よろしいんですか？」

「はあ。僕の方は構わんです。人手が足りんようじゃし」

「そうなんです。本当はまだパーティなんて開ける状態ではないんですけれども、主人が、言い出したらきかない人だもので。遊びにいらしたのにお使いだてして、申し訳ございませんね。でも、どこでそんなにお料理のこと研究なさったの？　陳さんが舌を巻いていましたよ」

「別に研究いうほどのもんじゃあ……先輩の影響かのう?」

「学院に料理のクラブがあるんだよ。鍋島さんていう天才シェフがいて――」

「青木の愛妻弁当を毎日楽しみにしとってんです」

上月くんがまぜ返すと、演技派の津々浦くんがすかさず「フミアキさん、行ってらっしゃい」と色っぽく品を作ってみせ、ぱっと頬を染めた愛妻に、丸めたナプキンを投げつけられた。

「パーティは何時から?」

私が尋ねると、六時、という答えだった。

「直記さんたちは宴会場でディナーをとるけど、舞踏室《ボールルーム》にビュッフェを用意するから、あなた方は自由にしてていいのよ。ビジネスマンばかりだと退屈だろうと思って、青年団や乗馬センターの方もお呼びしたの。ちょうど亀甲学院の生徒さんが合宿中だし」

「え、ほんと?」

「ほんとよ。経営者は関西の方でね。調教師さんが亀甲の卒業生なんですって。甥御さんが、今の馬術部の部長さんだとか。緑ちゃん、懐かしいでしょう?」

と言われても、部員の、特に先輩の顔や名前はほとんど思い出せなかった。私が入部した時の部長は確か高三だったので、同じ人のはずはない。亀甲学院の馬術部は、全日本のジュニア競技やインターハイで団体優勝をするくらいだから、練習も本格的で、うまい人が揃っていた。同学年で覚えているのは、西海平《にしうみたいら》くん、湧嶋薫《わくしまかおる》くん、由良万爾《ゆらまんじ》くん——この人たちは、お父さんやお兄さんがやはり馬術部のOBだったと聞いたように思う。

陳さんが厨房からしきりに待ち遠しそうな顔をのぞかせるので、青木くんは御輿《みこし》を上げた。よろしくお願い致します、と母が頭を下げた。茶村くんは、頑張れよ！と青木くんの肩を叩いた。

「何なら交替で助手を派遣しようか？」

また要《い》らんことを、とボヤいた上月くんが一番先に指名されて、昼まで手伝いの手伝いをすることになった。あとの者は、準備体操忘れないでね、という母の声に送られて、にぎやかに浜へ繰り出した。

まだ午前中だというのに、砂丘の砂は早や素足では歩けないほど熱くなっていた。一度脱いだサンダルを慌ててまたつっかけて、斜面を駆け下りる。慎重派の洲々浜くんと律義な茶村くんのみ準備体操を始め、津々浦くん、弓削くん、私の三人は、騒々しく水をはねかけ合いながら、いきなり海に入って行った。水温は案外低かった。波には勢いがあり、太平洋のうねりがまともにぶつかってくる感じだ。耳元で鞭を鳴らすように風が吹く。穏やかな瀬戸内の碧海《あおうみ》を見て育った洲々浜くんなどの目には、何とも愛想のない侘しい磯と映ったかも知れない。

「ゆうべ、天気予報で、強風波浪注意報出しとったで。台風が北上中なんじゃと」

大波をかぶった津々浦くんが、海水を吐き出しながら報告した。

腰よりやや深いところで、私はちょっと立ち止まってみた。水が生き物のように体に纏《まつ》わりついてくるこの感触を、長いこと忘れていた。小さい頃、千葉や鎌倉へ海水浴に行くたびに、引いてゆく波を見つめてはいけないと父に注意された覚えがある。（理由は、「幼児の平衡感覚は未発達、∴《ゆえに》目が回って足を取られる＝《イコール》溺死」であった。）私は回転木馬《メリーゴウラウンド》やジェットコースターが好きな子供だった。それで、言いつけにそむいて波が引くところを凝視して、何度も浅瀬につっぷした。大人の禁止より更に強い何か――抗《あらが》いがたい自然の誘惑が存在して、その中にふうっと吸い込まれてゆく時の感覚が、幼心にも実にスリリングで、やめられなかったのだ。潮流《しお》にさらわれ、水泡《みなわ》に乗って流れ着く先は、南方の無人島が断然いいと昔は思っていた。長い旅をして幾つもの海を越え、暖かい波の寄せる安らかな岸辺に、貝殻か椰子《やし》の実のように、そっと打ち上げられる……

野瀬さんの胸で目を閉じていた時の記憶が、波間にふと燦《きら》めいた。

二九　夏駒《なつごま》

「あれ？　遠野くん！」

「ほんまに遠野くん？」

「わ、偶然やな。元気？」

　厩舎前の洗い場にたむろしていたライダーたちの中から、数人の少年がばらばらと駆け出してきた。こうして顔と名前をすぐ思い出してもらえたのは、意外でもあり、嬉しくもあった。一年足らずの短かい交際《つきあい》だったことを思えば尚更だ。私はちょっと照れながら、亀甲と鶴島の友人を互いに引き合わせた。茶村、津々浦、洲々浜の三人は、午後から陳さんと青木くんの手伝いをしていたので、馬場へ一緒に来たのは弓削くんと、泳ぎの不得手な上月くんだけだった。西海《にしうみ》くんと湧嶋《わくしま》くんは、まだヘルメットとブーツを着けていたが、由良くんはTシャツにジーパンの普段着姿で、竹箒《たけぼうき》とバケツを下げていた。もう一人は名前がすぐには出てこない。前髪を額の真中でさらりと振り分けた人形のような面差しに、覚えはあったのだけれど。

紹介がすむが早いか、厩舎を見学してもいいかと上月くんが尋ねた。西海くんが事務所に行って許可を取ってくれた。由良くんは、パドックの柵にのんびりと寄りかかっていた部員の一人を呼んで、お客さんやさかい、厩舎へお連れして、気ィ入れて掃除するとこ見せたってな、と、箒とバケツを手渡した。ふくれ面の案内人に先導されて弓削くんも馬を見に行った。私は西海くんたちと話しながら、少し遅れてついて行った。

「合宿なんだってね」

「うん。来週ここで競技会があるねん。乗馬センターの開設記念やて。トレーナーが部長の親戚やさかい、みんなで遊びがてら来い言われてな。暑い時期やし、ほんまの練習にはならんけど、ま、減量せなあかん馬もおることやし。それにしても嘘みたいやな、こないなとこで遭《あ》うのん。まだ信じられへんわ」

西海くんは湧嶋くんに意味ありげな目配せをした。

「摩耶《まや》先輩に報告せなあかんな」

(湧嶋くんは由良くんと一緒に、これもまた気になる顔で笑いを噛み殺す。)

「競技会すむまで待ったれや。調子狂うさかい」

「そやそや。せっかく禁欲生活送っとんのに」

「カリッシモ、また名前返上することになるのかなあ……」

内輪のジョークらしく、一斉に笑い声が上がった。ラ行の発音に癖のある、少し舌足らずな喋り方を聞いて、やっと苗字だけ思い出したのは、京都出身の天宮《あまみや》くんという生徒だった。名の方は訊いてみたことがないので、知らない。由良くんなど、比較的親しい人からは時々「シオン」と呼ばれていたが、ニックネームなのか本名なのかわからなかった。障害飛越が得意で、競技会にはいつも自馬で出場していた選手だ。

「君の馬も連れて来てるの？」

と尋ねると、天宮くんは、薄《うっす》らと描いたような眉をひそめて首を振った。

「エアリエル、去年の冬からずうっと、京都《うち》の方の厩舎で休養さしてるの。トレーニング中に、前の蹄《ひづめ》、いためて。もともと蹄質の脆い方やったから――治っても、また再発すると思う。飛越《ジャンプ》はもう無理や」

「ええやんか。これからはRaraavis《ラヴィス》で頑張り！」

と、湧嶋くんが慰め顔で言った。

「けど、僕の馬やないからなあ……」

「ラヴィスて、白帝号《はくてい》の子供や」

西海くんが教えてくれた。

「白帝号て、覚えてない？　ＯＢの日笠《ひがさ》さんが国体で乗ったあと、うちへ譲ってくれはった馬」

「ああ、あの真っ白の。でもたしか、『ハゲ』って呼んでなかった?」

「そや、ハゲや。亀甲へ来る前、どっかの馬に白癬《はくせん》移されよってな、尻の毛がちょびっと脱けとったさかい。ララヴィスは日笠さんが直々に調教してはんのやけど、小さいくせにごっつい神経しとって、ポンポンよう飛ぶねん。天宮とはええコンビやで」

厩舎は真新しかった。乾いた藁と健康な馬体から発散する匂いが、暖かく鼻腔をくすぐる。通路の両側に馬房がずらりと並んでいる。馬栓棒《ませんぼう》をはずして馬にブラシをかけたり、束ねた藁で脚をこすったりしている部員も見える。年嵩《としかさ》の生徒が数人、亀甲学院のエンブレムのついた上らん《ジャケット》を肩に引っかけて、乗馬センターの厩務員と思われる頑固そうなおじさんに、色々と注文をつけていた。

「おっちゃん、この十四番の馬糞《クソ》見てみ。フンづまりぎみやで。次の飼付《かいつ》けのとき、亜麻《あま》仁《に》粕《かす》かなんかやってんか」

「いっぺんに仰山やったら今度は下すよって、気ぃつけなあかんで」

「三番、右前の蹄鉄ゆるんどるさかい、締めとってな」

「こっちは釘節《くぎぶし》起きとるがな。どないなっとるんや」

臼のような顔で、汚れた寝藁を黙々とかき寄せていた厩務員さんは、遂に癇癪を起こした。

「こうるさいガキどもじゃ! いちいち言われんでもわかっとるわい!」

「わかっとんなら、言われる前にちゃんとし！」

「ええ年してカッカしたら血圧上がるで、おっちゃん」

最後まで生意気な口をききながら出てきた一団は、入口の所で私たちにぶつかった。皆、上級生らしかった。西海くんや由良くんに倣って、私も道をあけた。かすかに見覚えのある顔もちらほらあった。背丈のわりに肩幅が随分広い、赤鬼のように日焼けした人が、通りすがりに猪首《いくび》の上の頭を巡らせて、ジロジロと私を見て行った。「摩耶先輩」かな？と思った時、

「あれ、部長や。伊集院《いじゅういん》いうねん」

と、西海くんが私に耳打ちした。知らない名前だった。

「遠野くんは会《お》うたことないやろな。伊集院さん帰国したの、今年の六月やさかい」

と言う湧嶋くんに、由良くんが陰気なトーンで補足する。

「交換留学生いうたら聞こえはええけど、ほんまはなんぞ悪いことして、ほとぼりが冷めるまで高飛びしとったいうもっぱらの噂や」

「悪いことてなんや、由良？」

「知らんわ」

「知らんくせに、知ったようなこと言うもんやないで」

「察するに、ヤクかバクチか女や」

「おまえなあ――」

「親が土丹波《ドタンバ》組の幹部やろ。ヤクザの子はやっぱしヤクザちゃう?」

テレビの見すぎやで、と、湧嶋くんが肩をすくめた。

「ヤクザでも、馬には好かれてるよ。部長のいうことなら、ちゃんときくもの」

それまで黙って聞いていた天宮くんが、とりなすように言った。

「あれだけいじめよったら、きかん方がおかしいわ」

と、由良くんは呆《あき》れ顔をする。

「いじめてるんやない、鍛えてんのや」

「なんぼ鍛えたかて、馬を怖じけさしたらおしまいやん」

「馬が恐がってるのは、ほかの人や」

西海くんが渋面を作って、シ!と人差指を唇に当てた。湧嶋くんは、馬に気をとられて聞こえなかったふりをする。ちょうど通りかかった馬房から、ひょいと頭を出した一頭は、流星鼻梁《りゅうせいびりょう》鼻白《びはく》と言われるタイプの、額の真中にミルクを一筋垂らしたような白斑のついた、愛敬ある顔をしていた。寝張《むく》ちりの頬革のあたりが痒そうなので、指を差し入れて掻いてやると、人なつこく頭をすり寄せてくる。その首を軽く叩いてやりながら、私は話題を変えた方がよさそうだと思った。

天宮くんは目の縁を少し赤くして唇を噛んでいる。私にはわからない事情があるらしい。

「ララヴィスはどれ？」

私は左右の馬房を見渡した。おそらく朝見かけた葦毛がそうだろうと見当をつけていたのだが、白っぽい馬は一頭もいないようだった。

「第二厩舎の方や」

と、西海くんが言った。

「この近所に仰山《ぎょうさん》なホテルがあるやろ。あの向こうに、も一つ調教用の馬場があってな」

「遠野くん、どこに泊まっとん？」

湧嶋くんが何気なく言葉を挟んだ。民宿に、とでも言えたらどんなに気が楽か知れないのだが、どうせばれることだ。「竜宮城《ドラゴン・パレス》」と正直に答えた。皆、案の定、目を丸くした。私と禿地頭家の関係を長々と説明するのも億劫《おっくう》だったから、オーナーが親戚で、とだけ言って、後は端折《はしょ》った。

私たちは馬房を一つ一つ覗きこみながら、厩舎の突き当たりまで来た。一番端の仕切りの中からぬっと鼻面を突き出しているのは、今朝方、海岸で先頭を切って走っていた漆黒の馬だった。中で誰か、静かな声で話している。弓削くんと上月くんが、馬栓棒に凭れて相槌を打っていた。近づいて声をかけようとした時、話し手は棒をくぐって通路に現われた。並んで歩いていた天宮くんが、金縛りにでもあったように、いきなり立ち止まった。

「馬が誰を恐がってる、天宮？」

夏だというのに、私は背筋がぞくりとした。それほど冷ややかで虚ろな声だった。握手をするためにこちらへ差し出された手は、輪郭が妙に頼りなく、エクトプラズマのように、融けながら形作られる浮遊体でできているかと思われた。前に見たことがある。それどころか、一度は私に触れたことさえある手であった。気が滅入るほどなめらかな皮膚の感触が、徐《おもむ》ろに甦ってきた。霊廟《れいびょう》の深い静寂《しじま》と暗黒の果てから、不吉なものが、ゆるりとこちらへ這い出してくるように……

「懐かしいね、遠野くん」

と、幽霊がひっそり笑った。

三〇　紫煙《パープル・ヘイズ》

今にして思えば、摩耶さんの名はともかく、姿ははっきりと記憶していたようだ。視覚的印象がひどく強かったので、容姿以外のことは一切覚えておく余地がなかったとも言える。出会ったのは文化祭シーズンだった。私が中三の秋である。

亀甲学院の文化祭は、男子校にしては華麗な祭典だった。期間も前夜祭を入れて三日と、他校より長い。野外ステージとオーディトリアムは、ロック・コンサートからウィリアム・シェイクスピアまで、連日立て続けのショー・タイムで賑わう。開校当時より、演劇部と英語部の共催で、一つの作品を和英二ヶ国語で上演するという企画が定着しており、英語版は、最終日の最後の演《だし》目《もの》としてステージに乗せられる、文化祭のハイライトだった。私が在学した年の上演作品は『白《はく》雁《がん》の湖』といって——プログラムには『白鯨の湖』という大胆な誤植《ミスプリント》がそのまま印刷されていた——国籍不明の民話に取材した創作劇だった。筋は『白鳥の湖』と『鶴の恩返し』と『醜いアヒルの子』をごた混ぜにして、そこへ実存主義的苦悩と不安の色づけを施し、ブレヒトのパロディで一服したのも束の間、突如〈機械仕掛けの神《デウスエクスマキナ》〉と名のる不審な人物が登場して、事態は一向に進展していないにもかかわらず、一挙にゲーテ風の至福と浄化《カタルシス》になだれ込む、という紛糾したものだった。とはいえ内容の煩雑さと拙劣な劇作術《ドラマトゥルギー》は、キャスティングの妙によって見事に救われていた。中でも、〈黒雁《ダークグース》〉を演じた生徒は素晴らしい化けっぷりで、美貌も演技も水際立っていた。女性役でこのステージに立った者は、カーテンコールの後、舞台の扮装のままでファイヤーストームに参加する慣わしだったので、それを楽しみにしていた者も多かったようだ。

因みにK市は、〈青撫子《あおなでしこ》少年歌劇団〉という男ばかりのカンパニーがあることで有名だ。上演作品は全てミュージカル仕立てで、歌舞伎のように、女役専門の団員がいる。その影響なのか、亀甲学院には、後夜祭に全校生徒の半数が、チロルやバヴァリア地方の村娘に身をやつしてフォークダンスを踊るという、残酷な伝統があった。女役は抽選で決められた。私は運よくはずれて、アルプスの少女にならずにすんだ。ぶうぶうボヤきながら鬘《かつら》とスカートをつけている同級生を尻目に、一足先にグラウンドへ出て行くと、篝火《かがりび》の周りで、幾組かのカップルが既にデモンストレーションを開始していた。劇中で百姓女になった馬面の高校生が、自分よりずっと背の低い王子様と手を取り合って踊っている。ひっきりなしに笑い声が起こった。グラウンドを取り巻く芝生のスロープから高見の見物を決めこんでいた私も、笑っていたと思う。

　すると出し抜けに、背後から私の両肩に一対の手が舞い下りた。鳩でも来てとまったのかと思った。透き徹らんばかりに瘠せた手首を、霊気のように覆っている銀紗のカフスの端から、臘細《ろうざい》工《く》めいた長い指が生気なく垂れている――と思うと、それはふわりと浮き上がって私の喉から首筋、耳の外郭などをまさぐった。盲人の指のように性急だ。さわられた部分が蒼白い光でも放ち始めるような、冷ややかで貪欲な触れ方だった。私は振り向きたい衝動を懸命に抑えた。後ろに立っているのは、見たこともないほどに美しいものか、ぞっとするような凄まじいものか、どちらにしろ、人間の目には禁断の存在である何かに違いない、という気がした。私の病的な警戒心を麻痺させるように、ほんのり甘い白粉《おしろい》の匂いが漂った。幽《かす》かな衣摺《きぬず》れの音がして、くるりと私の面前に現われたのは、〈黒雁《ダークグース》〉を演じたあの上級生だった。

　無数の螢を集めて拵《こしら》えたような羅《うすもの》が、袖口と襟元にちらちらとまたたいているほかは、黒一色の衣裳に身を包んでいた。舞台化粧と薄明かりのせいか、近くで見ても、私には女の人としか思えなかった。〈白雁《スノウグース》〉の恋人（王子様）を誘惑するシーンで、相手役の掌にすっぽり納まってしまいそうだった卵形の小さな顔——あだっぽく、情《じょう》のない微笑といい、気怠《けだる》い菫色《すみれいろ》の陰影《シャドウ》を刷《は》いた悩ましい目遣《めづか》いといい、このまま山手の高級ナイト・クラブの面接を受けても、二つ返事で就職が決まりそうな風情だった。

　意図的な場合はともかく、女装が失敗に終わる一つの原因は、胸や腰をむやみに張り出させて、グラマラスな女体を造形しようと骨折るためではないかと思う。〈黒雁《ダークグース》〉は一応シリアスな役どころだったからか、体形に余計な小細工は見られなかった。腰の細い、胸板の薄い、女性クラシック・ダンサーなどとあまり変わらない、たおやかな立ち姿だ。紅《あか》い唇に、立てた人差指をゆっくりと持ってゆく〈沈黙〉のマイムは、エリザベス朝の仮面劇《マスク》の登場人物のように、優雅で謎めいて、しかもはっきりと誘惑的であった。（「実にセクシーじゃ」と、藤井さんならいっぺんに参ったことだろう。）

　たった一つの仕草で私をその場に釘づけにして、淑《しと》やかな足取りで芝生を下りて行く後ろ姿から、どうしても目が離せなかったのを覚えている。厳密に言えば、その時の感情は、綺麗なものに見とれるという単純な陶酔とは少し違った。たとえば部屋のどこかに蝙蝠《こうもり》がいるとしたら、恐さのあまり体が動かなくなったとしても、出て行くまでは決して目をそらすことができない。そういう催眠術的な硬直に似た没我状態だった。

あの時の男装ならぬ女装の麗人が、摩耶さんだったわけだが、おかしなことに部活で顔を合わせた覚えはない。馬術部は大変人気のあるクラブだった。練習用の馬場も一つだけではなかった。途中から入部したのと、テニス部とのかけ持ちで、出たり出なかったりのいいかげんな部員だったために、転校するまで結局一面識もなくすれ違った人たちもいたはずである。

私がもう一度摩耶さんに会ったのは、鶴島へ移ることが決まった日の数日後だった。ちょうど冬休みで、私はクラブの退部届を封筒に入れて、部室のメイルボックスに放り込んでおくことにした。学院敷地の外れにある馬術部のクラブハウスへ行ってみると、思いがけずドアの鍵があいており、天井の低い室内には、奇妙な香りのする紫の煙がもうもうと立ちこめていた。摩耶さんは——その時は名前を知らなかったが——長椅子に寝ころがって〈Horse《ホース》 and《アンド》 Hound《ハウンド》〉誌を広げ、かつ、ウォークマンで何か聴きながら喫煙中だった。煙幕ごしに懶《ものう》げに私の用向きを尋ねた時も、イヤフォンを耳からはずさなかった。私は煙にむせながら、持ってきた封筒を見せた。部長さんに渡しておいていただけますかと言うと、摩耶さんは煙草を口の端にくわえたまま、ぼんやり頷《うなず》いたようだった。テニス部の部室へも行かなければならないとあって気がせいていた私は、封筒を摩耶さんに手渡そうと一歩近寄った時、床の上にじかに置いてあった灰皿代わりの空き缶を、危うく蹴飛ばしそうになった。吸殻の中には、完全に火を消していないものも混じっていた。

私は研究者であり臨床医でもあった父の仕事柄、ほとんど母子家庭のような環境で育った。母は一体に放任主義であったが、戸締まりと火の用心だけは例外で、この二点をおろそかにすると厳しく叱られた。（鼠《ネズミ》花火一つするにも、必ず満々と水を湛《たた》えたバケツの円陣の真中で行わねばならないのである。）そんな幼児体験を経てきた者の目に、摩耶さんの煙草の吸い方は焼身自殺同然に映った。それで、亀甲学院への最後のご奉公のつもりで、缶の中の、くすぶっている吸殻に水をかけてから、外の塵芥バケツに空けてきた。その間、ドアを開け放しておいたので、部屋に戻ると空気がだいぶましになっていた。だが、せいせいしたのも束の間、煙が晴れたおかげで、不法喫煙者の正体が露呈してしまった。衣裳こそ着けていないが、〈黒雁《ダークグース》〉に間違いない。目鼻や口の一つ一つが、寸分の狂いもなく、あるべき位置に端然と納められた——といった感じの白《はく》臘色《ろうしょく》の顔は、化粧していた時よりも瘠せて透き徹り、はるかに作りものめいて見えた。

摩耶さんは、片腕を頭の下に交《か》って仰向けに長くなっていたが、さっきまで読んでいた雑誌を放り出し、代わりに私の退部届をつまんで目の前にひらひらとかざしながら読んでいた。書式通りの文句を並べただけの簡単な文面だ。ラブレターではないから読まれても差し支えはないけれど、顧問でも部長でもない人に勝手に開封されるのは、何となく気に障った。まして、いくら部の先輩とはいえ、こんな時にこんな所で、こんなだらしない格好で寝煙草をふかしている不良生徒だ。空き缶をもとの場所に返しながら、私は心の中で思い切りしかめ面を作った。その途端に摩耶さんがくるりとこちらへ寝返りを打ったので、目の高さが私と同じになった。私は床に片膝ついたまま、凍りついた。眼窩に紫の闇を宿して、沼のように溟《くら》く、冷たく見返す瞳——眦《まなじり》の長い、睫毛の濃い、一見女性的な造作にもかかわらず、柔和な表情は微塵《みじん》もない。私の怯えた顔を見据えていたのは、人間というよりは捕食動物《プレデター》の眼だった。

「煙草《グラース》を取って」

いかにも眠たげな声だが、あきらかに命令である。逆らう勇気もなく、指差された場所（賞杯《トロフィー》の中）から、これまた奇異な形のパッケージを一つ探してきた。

「あけて。ライター、そこにあるから」

火をつけろということだろうか？　中学生に頼むにしては荒唐無稽なリクエストだった。覚束ない手つきで箱を開き、手巻きでぞんざいにこしらえたようなのを一本取り出した。が、点火作業となると全く自信がない。線香花火と同じ要領でいいのかしらと逡巡していると、摩耶さんはじれったくなったのか、いきなり腕を伸ばして私の手首をつかみ、口元に引き寄せ、「グラース」の一端を、冷《ひ》やりと薄い葩《はなびら》のような唇にくわえた。乱暴な動作ではなかったのだが、あまりにも出し抜けで、強引で、殴られるよりも酷《ひど》いことをされたかのような衝撃《ショック》を受けた。細い銀色の蛇が幾重にも手首を巻いて、ゆっくりと締め上げていくような感触に、気が遠くなりそうだった。

クラブハウスから寮まで、どうやって帰り着いたのか覚えてないが、自室に戻った私はびっしより汗をかいていた。何とも言えず胸苦しく、震えが止まらなかった。夕方、ミス・ウォリックが別れの挨拶をしに来られた時、私の顔色がすぐれないと、しきりに心配して下さった。実際、そのまま亀甲学院に在学し続けていたら、いずれエクソシストが必要になっていたかもしれない。

乗馬センターからの帰り道は〈Carissimo《カリッシモ》〉の話で持ちきりだった。摩耶さんが手入れをしていた黒い馬である。喋っていたのは主に上月くんと弓削くんで、私は聞き役に回った。本物の馬をあんなに近々と眺めたことも、さわってみたこともなかった弓削くんなど、北欧神話の戦馬のようなカリッシモの外観に、すっかり惚れこんでいた。オリンピックにも出た馬なんだってさ、と語る口調は弾み、交換日記のことを打ち明けてくれた時より、よほど生き生きと眼が輝いている。

「名前はイタリア語じゃ。〝Caro《カロ》〟の最高級。つまり、〝Dearest《ディアレスト》〟いう意味なんで」

上月くんが思わぬ博識ぶりを発揮した。（牝馬《ひんば》なら語尾が女性形、即ち〝Cara《カラ》〟の最高級〝Carissima《カリッシマ》〟となるのだそうだ。）

「〈最愛のもの《ディアレスト》〉か——」

弓削くんは、憧れいっぱいの溜息をついて、厩舎の方を振り返った。それを見た上月くんが、笑って言った。

「パーティに馬も招待するいうて、持ち主に言うときゃよかったのう」

しかし、私を見返った顔は真剣そのもので、

「あの持ち主の人、普通《フツー》やないで。わしゃー初め、こいつ絶対、芸能人か爆弾犯人じゃ、思うた」

と、気味悪そうに頭を振った。

三一　合歓木《ねむのき》

舞踏室《ボールルーム》の真中で、仰向いて首の筋を違えそうになった茶村くんが、

「ずいぶん高くしてあるんですね」

と松竹さんに言った。確かに天井は遥か遠くにあった。四階まで吹き抜けになっていたのだ。私たちは、〈孫亀〉から失敬してきたシャンペンを既に三本あけていた。茶村くんにつられて上を向いた私は、周囲の空間が頭上高く螺旋《らせん》状に収束していくように見えて困った。松竹さんは四本目を抜こうとしながら、

「ええ、そうよ。雨の日でも屋内に盆踊りの櫓《やぐら》が組めるように」と、眉一つ動かさずに答えた。友人たちは、まさかそんな理由で、という顔をしたが、禿地頭さんの性格を多少なりとも承知していた私は、それもありうると思った。天候ごときに左右されて、自分のやりたい行事を中止するような人ではないのだ。

勢いよくはじけたシャンペンの栓《コルク》が上月くんの頭に当たってはね返り、モザイクの床に落ちて、開け放したフランス窓から外《おもて》へ転がり出ていった。私は少し風に当たりたかった。昼間、合歓《ねむ》の木が涼しげな蔭を投げていたテラスには、薄紫の黄昏が下りて、花が微かに息づいているかと思うくらいの夜風があった。あいにく先客がいた。浜木綿《はまゆう》を植えこんだ大きな花瓶《はながめ》に、瘠せた人影がよりかかっていた。そのまま物を言わずにじっとしていれば、花瓶と同じ白大理石の彫像と思い違えたかもしれなかった。

「おもちゃのあとから仔猫のお出まし……」

歌うように呟いて、摩耶さんはコルクをこっちへ放った。素面《しらふ》だったら迷わず室内へ駆け込んだと思うのだが、シャンペンを立て続けに何杯か飲んだ後だから、私はかなり無頓着になっていた。それに、もう六時をだいぶ回っていたのに乗馬センターからは一向に人が来ないので、不思議に思っていたところだった。

「ほかのみんなは――？」

呂律《ろれつ》がよく回らなかった。外国語を発音しているように舌が重る。小学生の棒読みよろしく、疑問文だというのに語尾も満足に上がりきらない。

「待ってたの？」

摩耶さんは低く笑った。

「誰も来ないよ。一晩中待っても」

半酔の甘美な魯鈍《ろどん》状態では事態がよく把握できない。

「どうして……」

「部長が大反対。競技会前にこんなとこで浮かれてたらコンディションを崩すって」

獣が咽喉《のど》を鳴らすような含み笑いは、酔った耳にすら何とも言えず不気味であった。だが神経が、恐怖より先にアルコールでうっとりと痺れていたから、本能の発する警戒警報は、なかなか足まで伝わらなかった。摩耶さんがふらりと動いて、私の足元に転がっていたコルクを拾い上げた。頭のどこかの片隅で、赤信号が一、二度弱々しく点滅した。私の目は、コルクを宙に投げ上げ、受け止める摩耶さんの手元に吸い寄せられた。

「もちろん、それは口実。伊集院ちの会社は、リゾート用地の買収で何度か禿地頭さんに先を越されてる。それで、こんなとこでも張り合ってるのやろ。どっちにしても、あいつは女の大勢来るパーティにしか顔出さないから、誘うだけ無駄――それを伝えに来た」

白い夜蛾《よが》のように目まぐるしく動き回る手のおかげで、私は何も考えることができなくなった。テラスの石畳が段々せり上がってくる。合歓の枝が孔雀《くじゃく》の羽根扇のようにざわざわと閉じたり開いたりし始めた。鋭い耳鳴りと共に目の前が暗い赤色や黄色に変わる――見まいとして目をつむったが、駄目だ。意識がすっと遠のいたと思ったら、次の瞬間、私は冷たい敷石の上にじかに寝ていて、級友たちの気遣わしげな顔を見上げているのだった。

「気分は？」

茶村くんが医者のような声で尋ねた。

「いいよ」

事実、耳鳴りも目眩《めまい》もすっかり治まっていた。保健委員の洲々浜くんが脈を見てくれる。

「正常じゃね。さっきは低いけぇ心配しとったんじゃけど。どしたん、一体？」

あれしきのシャンペンで酔っ払ったというのも面目ないが、それ以外に原因は考えられない。シュヴァイツァー先生に倣って、私も禁酒を誓った方がよさそうだ。摩耶さんの姿はどこにもなかった。

「部屋に帰ってちょっと休めよ。こんなとこに寝てるよりいい。立てるか？」

弓削くんと青木くんが両側から私を支えて立ち上がらせてくれた。一人で歩けると言ったのだが信用してもらえず、五〇三号室までほとんど抱えんばかりにして運ばれた。友情は身にしみたが、それにしてもいよいよ面目ない。途中、驚いた松竹さんが医者を呼ぼうとしたのを引き止めて、宴会場の方にいる母にも知らせないようにと頼んだ。

「少し横になってれば大丈夫です」

「じゃ、気分がよくなったら降《お》りてらっしゃいね。もうじきバンドの連中も来るから」

松竹さんのファッション・ショーで毎回音楽を担当するロック・グループが、アトラクションに招かれていたのだ。ブリティッシュ・ハードロックのコピーバンドだというので、特に弓削くんや洲々浜くんなど、大いに楽しみにしていた。私のせいでコンサートを聞きそびれては気の毒だ。寝室のソファにそっと降ろしてもらいながら、私は友人たちにも心配無用を繰返した。ロックが始まったら知らせるよ、と去り際に弓削くんが言った。

一人になると、まず、水差しから貪るように水を飲んだ。それから顔を洗いに浴室へ行った。鏡に映った姿はひどいものだった。右の頰を擦りむいているし、同じ側の腕の上膊に色が変わりかけている部分があった。倒れる時にどこかにぶつけたらしい。この分だと明日の朝には完全な青痣だ。他にもう怪我したところはないかと調べていると、喉元に妙な傷跡が一つあるのが目を引いた。鎖骨のちょうど上あたりの皮膚が一部赤らんでいる。ちょっと見には虫刺されのようだった。(確かに、テラスに寝ている間にあちこち蚊に食われていた。)しかし、花弁が一ひら貼りついたようなその傷には痛みも痒みもなく、血も出ていない。鏡に近づいてよくよく観察してみた。厳密に言えば傷ではなさそうだ。薬指の爪ほどの大きさで、天体写真で見るバラ星雲を思わせる形状だった。何かにかぶれたのかも知れない。オロナインでもつけておこうか、と思案していると、ノックの音がした。救急箱を携えて入ってきたのは上月くんだった。

「一応手当てしとこうで」

私は指示通りにぬるま湯で頬の傷を洗った。酔いが醒めてきたので痛覚も戻ってきた。上月くんは、オキシフルに浸したカット綿を持って待ち構えている。そういえば彼の家もお医者さんだった。お父さんは荒療治で有名な上月整形外科の院長先生だ。鶴島を発つ前日、青木くん兄弟と一緒に、お母さんを見舞いに行った。サーフィンで背中を痛めたという初診の学生が来ていたが、診察室へ入って五分もしないうちに、真っ青になって外へ駆け出して行くのが見えた。治療は荒っぽくても治りは早いとみえる。オキシフルが頬に触れた途端、あまりの痛さに私が怯《ひる》んだところを、ガッチリ抑えつけて有無を言わせず擦りむけを消毒する上月くんの手つきに、私は親御さん譲りであろうスピードと仮借のなさを感じた。

右腕の打ち身を見て、

「内出血しとるんか？　ヒビが入っとったら厄介じゃのう。ちょっと動かしてみいや」

と言われ、恐る恐る上げ下げしてみたが、骨には全然異常なさそうだった。上月くんは心なしか残念そうな顔をした。（あわよくば、お父さんの病院へ送り込もうとしていたのだ。）

「あ、待って！　オロナイン軟膏はある？」

と、私は上月くんが救急箱の蓋を閉めようとした手を押さえた。

「何するんじゃ？」

私は自分の喉を指差した。

「かぶれるか刺されるかしたみたいなんだ。今のとこ何ともないんだけど」

すると上月くんは世にも奇妙な反応を示した。急に何かに怯《おび》えたように青くなり、私の喉の痣《あざ》を凝視したかと思うと、真っ赤になって目をそらしたのだ。

「そいつは……ほっといても平気じゃ思うがのう」

そそくさと店じまいをした上月くんは、入れ忘れた絆創膏を慌ただしくポケットに突っ込んで、ほいじゃあ、先、降りとくで、と部屋を出て行った。が、行きがけに戸口でちょっと振り返り、

「どっちにしてもオロナインじゃ治らんで」

と、早口に言ってドアを閉めた。私は狐につままれたようだった。

茫然《ぼうぜん》としているところへ松竹さんからインターフォンがかかってきた。具合はどうかと尋ねる声の後ろで、突如大勢の歓声が上がった。

「コンサート、始まったんですか？」

「まだよ。バンドはもう到着して楽屋入りしてるんだけど。地元の漁協の青年団の人たちが来て、投網《とあみ》や一本釣りの演技を始めたんで、出る幕がなくなっちゃって。〈Smoke On The Water《スモーク・オン・ザ・ウォーター》〉で鰹の一本釣りってのもオツなもんかしら……」

「松竹さん、この近くに薬局あります？　虫刺されとか湿疹につける薬が欲しいんです」

「あら、おむつかぶれ？っていうのは冗談だけどサ。薬局は駅まで行かないと。でも、日曜だから、どうせ休みよ。ウナでよければ持ってってあげるわ」

　私は家庭常備薬の選択に関する限り、古典派に属していた。で、どちらかと言えばオロナイン軟膏の方が好ましかったのだが、致し方ない。薬を届けてくれた松竹さんは上機嫌だった。ハミングしながら入室、部屋の中央でターン、跪《ひざまず》いて私の手を取り、ウナコーワの容器をしっかり握らせる。あれからまた、だいぶシャンペンを聞こし召したのだろう。立ち上がり、再度くるくると危ういピルエットを披露してから、改めて私の真正面に立って言うには、

「まっ、生意気！　キスマークなんかつけて」

　私は反射的に両手で首を庇《かば》った。松竹さんの指摘は、何かが喉笛を狙って飛びかかってきたかの如く衝撃的であった。それが本当なら、確かにウナもオロナインも出番はなさそうである。

三二　薔薇痕《ばらのあと》

私は踊る松竹さんの横をすり抜けて部屋を出た。全速力で廊下を駆けぬけ、エレベーターに飛び乗った。鈍《のろ》い。一階に着くまでに一時間もかかったような気がした。

舞踏室《ボールルーム》は大盛況だった。冗談抜きで櫓が立っている。その周囲にカラフルな褌《ふんどし》姿の若者たちが輪になって、身振り手振りも面白く祭太鼓でフィーバーしている最中だ。私が駆けつけた時、半分自暴自棄《ヤケクソ》のロッカーたちも演奏を開始したので、爆発的なジャムセッションとなった。禿地頭さんの一行も、会食を終えてこの豪勢な余興を楽しんでいた。私は上月くんを探して気が気でなかったのだが、禿地頭さんに見つけられて止むなく挨拶をしに行った。友達ぐるみで竜宮城へ招いてもらったのだから、無論お礼も言わなければならなかった。

「なんちゅうカッコや、坊《ぼん》！」

右の頬を覆い隠しているガーゼと、腕の湿布の上から大げさに巻いてある包帯を見て、禿地頭さんは目を丸くした。

「来る早々、喧嘩でもしたんかいな？」

「いえ――転んだんです」

「疵《きず》でも残ったらどないすんねん？　気ィつけなあかんで。これからは男も顔で決まる時代やさかいな。うちの息子見てみ。週に一回はパックして寝よるわ」

会話が私にはついて行けない領域に入った。ご招待感謝します、と禿地頭さんにお辞儀をして、私は捜索を続行した。上月くんは運よくすぐ見つかった。料理がところ狭しと並んだビュッフェテーブルで、青木くんの労作である白身魚のテリーヌに、エメラルド・ソースをかけようとしていた。そこを容赦なくつかまえて物陰へ引っぱって行く。

「これ――摩耶さん？」

私が例の赤い痣《あざ》を指して尋ねると、上月くんは目のやり場に困って視線をうろうろさせた。いかにもバツが悪そうに、鼻の脇をしきりにこすっている。いつだったか、お父さんの病院の待合室から持ってきた週刊誌を更衣室で読んでいて、風紀委員に没収された時と同じ顔だ。

「わし、何の気なしに外へ出てみたら、その……遠慮せんといけん思うたんじゃけど」

「遠慮！　なぜ？」

「うーん……初めは『ジゼル』の稽古《けいこ》でもしょうるんか思うたんじゃ。第一幕の終わりで、貴族のドラ息子が心臓麻痺おこした村娘を――お、すまん。兄貴がバレエしょうるけぇ、つい」

「レシーブする方?」

「あ?」

「いや、こっちのこと。それで?」

摩耶さんは村娘、ではない、私が気絶している間に何をしたというのだ? 私は『ジゼル』を観たことがなかった。解説を入れてほしい。

「そういや、当たり前のラブシーンにしてはブチ迫力あったのお——」

上月くんはテリーヌを賞味しながら考え込んだ。

「アルブレヒトの抱擁いうよりは、ドラキュラの洗礼じゃいや」

抱擁、洗礼、ドラキュラ——私はまた卒倒しそうな気がした。恐ろしいことになったものだ。

以下、上月くんの証言に基づいて、摩耶さんと私による『ジゼル』の一景を再構成してみよう。

《上月は、夕涼みをしようとテラスへ出て行く。日が沈んでからもしばらくは明るかったのが、いつの間にか暗くなっている。といっても真っ暗ではなく、いわゆるトワイライト。テラスの端に、松林の方へ降りて行く石段がある。手摺りのところに大きな鉢があり、白い花が植わっている。その手前に人が二人向かい合って立っている。上月が出てきた戸口からは少し離れているので、初めは遠野(以下少年A)しか認知できない。もう一人は実は摩耶さん(以下少年B)である。少年Bは一見お手玉のような遊戯に耽っている。（ただし何を投げているのかは不明。）少年A、突然ふらふらとよろめき、バッタリ倒れる。上月、たまげる。Bはお手玉を中断して倒れたAを見下ろしている。やがてAの側に片膝をついて、しっかりせよと（かどうかはわからないが）抱き起こす。心臓の鼓動を確認するようにAの胸に耳を当てる。次いでAの体をそっと抱え直し、しばらく顔を覗き込んでいる模様。（距離と光線のハンデがあるため上月にはBの表情判読不可能。）いずれにせよ遠慮した方がよさそうだと思い、上月は室内へ引き返そうとする。そこへ折悪しく弓削が登場。上月、後退をはばまれる。弓削と一緒にちんちんもがもがしている傍ら、上月の視線はついつい少年A、Bの方へ流れる。Bは、がっくり仰のいたAの喉首を、頤《おとがい》から胸元へすうっと撫で下ろし、ゆっくりとその上に屈《かが》みこむ。上月、ますます遠慮せねばと思うものの目が離せない。弓削も同様。上月の胸中に疑惑が萌《きざ》す。これは極めて純粋な愛情行為であるのか、はたまた極めて危険な吸血行動であるのか？　上月の煩悶《はんもん》をよそに、堪能したらしいBはAを石の床に置き去りにしていずこともなく宵闇に消える。上月、弓削、憑物《つきもの》が落ちたように突然言葉と動きを取り戻す。少年Aの名を呼びながら、駆け寄る。それを聞きつけた友人たちも、何事かとテラスへ出てくる。》

「――以上じゃ。多少脚色しとるかもしらんが、わざとやないけぇ勘弁せえや」

と結んで、上月くんは空になった皿をじっと見つめた。私は言葉もなく、手近の椅子にへタりこんでしまった。吸血鬼《ヴァンパイヤ》なんて信じてはいないけれど、それにしても、人事不省の人間をつかまえて、知らない間に妙な印をつけていくとは言語道断だ。牛や羊ではあるまいし。私の体は私のもの。勝手にいじられては困る。憤りと共に、ラーメン屋の店先に立っていた熊の姿がありありと思い出された。今度、駅の近所へ行くついでがあったら、注意書きの文字を極太マジックではっきり書き直しておいてやろう。

私が無言で頭を抱えこんでいるので、上月くんは哀れをもよおしたのか、

「ま、そう深刻に悩まんでも。レイプされたわけでもなし。まだ充分結婚できる体じゃ」

と、変な慰め方をしてくれた。

「見ょうったんはわしと弓削だけじゃったけえ、よかった。もちろん黙っとくで」

上月くんは左手を胸に当て、右手の中指と人差指を立てて天を指した。クラシック・バレエにおけるマイムの一つで、「誓います」という意味の所作だそうだ。お兄さんの影響はすごい。

パーティは夜半過ぎまで続いた。就寝は勢い随分遅くなった。私は何を見ても聞いても気分が晴れなかった。床に入る前、バスルームの洗面台で、並んで歯を磨いている最中に、弓削くんが鏡の中の私をいたわるようにちらと見て、すぐ目を逸《そ》らした、そんなことまで憂鬱のタネとなった。

灯りを消そうとした時、誰かが扉を叩いた。弓削くんがドアを開けに行く。

「緑は大丈夫でしょうか——？」

心配そうな母の声がした。

「ちょっと擦りむいただけだよ。もう平気。お寝《やす》み！」

私はベッドにひっくり返ったままで横着な返事をした。まったく、キスマークが消えるまで、熱帯地方の動物のように夏眠でもしていたい！

母は、いかにも女親らしく、私の不機嫌を疲れのためと解釈した。

「今朝はずいぶん早起きだったものね。弓削さんも、眠いのに邪魔してごめんなさい——あ、忘れるところだったわ。緑ちゃん、泳ぎに行ってる間にお友達からお電話があったのよ」

「誰？」

「ええと、どなただったかしら？　クリーニング屋さんが来てリネンを出してたときだったから、ついメモしてなくて……ああそうだ。野瀬さんて方」

私はガバと跳《は》ね起きた。

「どこから？　鶴島？　北海道？　急用だったの？」

「別にどこからともおっしゃらなかったわよ。お名前だけ。伝言もなかったから、特に大事なご用というのではなかったんじゃない？」

「またかかってくる？」

「さあ……？」

急上昇した気分のバロメーターが一気に下降する。お寝《やす》みなさい、と弓削くんに頷いて、母は静かにドアを閉じた。弓削くんはベッドに戻り、ナイト・テーブル側のスイッチを切って部屋の電灯を消した。滲《にじ》むようなフットライトの明かりを除いて、室内は濃い闇に鎖《とざ》された。松風と海鳴りの微睡《まどろ》むような呟きは、学院の落葉松《からまつ》林を思い出させた。別れ際に野瀬さんが、やっぱり幸《みゆき》にも公平なチャンスをやろう、と言うので、竜宮城の絵葉書を渡した。住所も電話番号も印刷してあったからだ。しかし暑中見舞は、弓削くんにも私にもまだ届いていなかった。私も野瀬さんの滞在先を訊いておくべきだったろうか？　だが、恋人に会いに行くという人に手紙を書くのも気がひけた。野瀬さんには野瀬さんの休暇がある。私は学院生としての野瀬さんしか知らないが、一夏分の自由とプライバシーは、野瀬さんをいっそう奔放で、大胆で、快活な夏の生き物に変容させるのかもしれないのだ。たとえ九月には、新学期の講堂で、季節と同じ、冴えざえと澄んだ横顔《プロフィール》を見せながら、『友愛、清廉、勤勉』という校訓を、いとも厳粛に唱えるとしても——

「遠野」

眠っているとばかり思った弓削くんが、突然呼んだ。私は寝返りを打ちながら返事をした。

「君、お母さんによくあんな話し方するの？」

「あんなって、どんな？」

「さっきみたいな。せっかく心配して様子見に来てくれたのに」

「ちょっと虫の居所が悪かったんだよ。そんなにひどかった？」

「うん」

「あした謝っとくよ」

尤も、母自身は全然気にしていないだろうと思った。こんなことを気にかける弓削くんの方が、一体どうしたのかと、私は逆に心配になった。

三三　天使糖菓《エンジェルケーキ》

友人たちは、泳げない上月くんも含めて全員海岸へ出かけた。顔と腕の怪我を口実に、私はホテルに残った。野瀬さんが再度電話をくれるという保証はないが、万一の場合に備えて、すぐ受話器を取れる所で待機していた方がいい。昨夜のシャンペンの名残か、少し頭痛がした。

部屋の清掃係は、がっしりと男らしく肥えた年配の婦人だった。朝食の後、私が五〇三号室に戻ろうとすると、まだ掃除がすんでない、と突っけんどんに追い払われた。仕方なく図書室で釣りや園芸の雑誌をめくって時間を潰した。松竹さんが新聞を読みにぶらりとやって来た。

「あら、ダーリン！　居残りしてお勉強？　まだ寝てた方がいいんじゃない？　顔が青いわよ」

「メイドさんに追い出されたんです」

「あ、尾東《びとう》のおばちゃんね。気の毒な人なのよ。旦那さんと民宿を経営してたんだけど、ヤクザな客が来て、テレビもフトンも洗濯機も、ごっそり持っていっちまったんですって。そんな可哀想なことのあった人なんだから、少々不愛想でも気にしちゃだめよ」

松竹さんが肘掛椅子にどっかと腰を下ろした振動で、更に頭が疼いた。降りて来てからたっぷり一時間は経っていた。そろそろ掃除も終わっているはずだ。私が立ち上がると、松竹さんは、ばさりと開いた新聞の陰から顔を出し、お大事にね、と、ペンダントの下がった自分の喉を指差した。

私は救急箱とバンドエイドと清浄綿の大袋を抱えて急ぎ足で部屋に引き返した。寝室、浴室の掃除とベッド・メイキングは完了しており、気の毒な尾東さんの姿はどこにもなかった。私が背中でドアを閉めると同時にインターフォンが鳴った。

「はい！」

「フロントでございます。緑さんにお電話がかかっております。お繋ぎしてよろしいですか？」

「はい！」

返事にも受話器を持つ手にも、思わず力がこもる。生前の父から国際電話があるたびに、軽い興奮を覚えたものだ。北海道だって一応「海外」には違いない。まさか時差なんてないだろうな？

「遠野くん？」

野瀬さんの声ではない。私は握力を弛《ゆる》めた。汗ばんだ受話器を持ちかえて呼吸を整える。

「もしもし、聞こえてる？　遠野くんですか？」

「――うん、僕だよ。天宮《あまみや》くん？」

「そう」

どこかの赤電話だろうか？　通りの騒音らしい物音が微《かす》かに聞き取れた。

「きのう、ごめんね。お母さん、せっかく誘うてくれはったのに」

「いいよ、そんな。残念だったけどさ。来られなかったわけは――」

私は一時《いっとき》言いよどんだ。「摩耶さん」という一言を舌に載せるのに、ひどく抵抗がある。毒杯をつきつけられたかのように、私はその名前から尻込みした。

「わけは……聞いたから」

天宮くんはしばらく無言だった。バイクのエンジンらしい埃っぽいノイズが通り過ぎ、その谺《こだま》のように、踏切の警鐘が遠くから響いてきた。

「今さっき、浜で君の友達に会《お》うたのやけど……怪我したってほんと？」

「怪我ってほどのもんじゃないよ。オーバーに処置してあるだけ」

「――堪忍《かんにん》な」

妙なことを言う、と私は思った。酔っ払ったのは自分の責任だ。転倒して顔を擦りむいたのも、打撲傷も、口当たりのよさに騙《だま》されて、許容量以上のアルコールを一遍に摂《と》ってしまったせいなのだ。酌をしたわけでもない天宮くんが、なぜ詫びなければならないのか、解せなかった。

「遠野くん、僕……よかったら、ちょっと君に会いたい。今から行ったら、邪魔になる？」

「え？　ううん。僕は構わないけど」

「僕らだけで話せるかしら？」

「――と思うよ」

皆はどうせ昼過ぎまで戻って来ないだろう。青木くんが、パーティの余り物を再利用すると言って、陳さんと二人で豪華な弁当を詰めていた。天気さえ崩れなければ一日浜辺で過ごすつもりかも知れない。

「おいでよ。僕一人だから。場所わかるね？　ロビーをまっすぐ入って左側にエレベーターがある。それで五階まで来て。五〇三号室だよ」

天宮くんは、溜息でもつくように、おおきに、と呟いて受話器を置いた。

私はフロントへ電話して母の居所を尋ねた。二階のティー・ラウンジですと教えられたので、〈Turtle's《タートルズ》〉へかけ直した。ちょうどいい。何か飲物を用意してもらうことにしよう。

「亀甲のお友達が見えるの？　何人？」

と言う母の声は屈託がなかった。思ったとおり、昨夜の私の不機嫌のことなど忘れているようだ。

「一人だけ。僕のも入れて二人分お願い。できたら知らせて。取りに行くから」

「いいのよ。誰かに持って行ってもらうわ。お母さん、今ちょっと手が離せないの。直記さんがウィーンから送った陶器の箱が今日届いて。緑ちゃんにもお土産があるわよ」

「何？」

「黒い森《シュヴァルツヴァルト》で買ったカッコー時計」

「〈MADE IN JAPAN《メイドインジャパン》〉て書いてない？」

「これ！」

母は笑いを噛み殺した。

「ジョークじゃないんだよ。青木くんのお父さんがヨーロッパへビールの醸造所の視察旅行に行った時、ほんとにあった話なんだ」

母は笑い上戸《じょうご》だった。一旦可笑《おか》しいと思うと、なかなか笑いが止まらない方だ。父が亡くなったという報せが届いてから、私が亀甲学院、鶴島学院と相次いで転校を繰返す間、この笑いの発作がはたと途絶えていた時期もあったのだが、もうすっかり復調したらしい。

たぶんこの笑い上戸のせいで、私は小さい頃から、母は気丈な楽天家だとずっと信じてきた。実際、泣いているところを一度も見たことがない。父の告別式の時ですら、蒼い顔はしていたけれど、涙は一滴もこぼさなかった。それは私も同じことだった。訃報があまりにも唐突だったので、感情がすぐには追いついてこなかっただけの話だが、傍《はた》から見れば、ずいぶん薄情な母子《おやこ》と思われたことだろう。

夫に先立たれると、愛情というよりはむしろ不安と孤独と、自ら背負い込んだ軛《くびき》のような使命感に駆り立てられて、子供を必要以上に厳重に手元に縛りつけておく母親もある。私の母には、その種の気負いというか、寡婦のヒロイズムのようなものはなかった。片親として、息子の教育における自分の限界を見極めた瞬間、葛藤に終止符を打って私を手離した。世間の思惑はどうあれ、そのために私の人生が特に不幸になったとは思えない。「健ボー症」もさることながら、厳密に言えば、私は母親っ子ではなかった。

「お菓子はエンジェルケーキを出すから、お上がりなさい。今日は日曜日じゃないけどね」

ようやく笑いやむと、母が言った。

出すと言われたのは、ふわふわした白いカステラのような、一種のスポンジケーキだ。我が家では、なぜか日曜日のおやつはこれと決まっていた。日曜学校から帰って来ると、テーブルの上に牛乳をなみなみと注いだコップとエンジェルケーキの皿が載っている。私は小学校の二、三年頃まではかなりの偏食児童だった。牛乳も、母が見ていれば仕方なく飲んだが、見ていない時は犬にやったり洗面台に流したりしてこっそり始末していた。ある日曜日、インドゴムの木を植えた鉢の中にコップの中身をあけているところを父に目撃されるまで、この悪習は続いた。ゴムの木は、大学病院のプロフェッサーからの結婚祝だった。

「花言葉が〈家庭の幸福〉だというんで、医局で誰か結婚するやつが出るたびに、必ず一鉢貰うことになってるんだが――道理でうちのは伸びが早いと思ったよ」

地球上には、いまだに食料難で飢え死にする人が絶えないというのに、と私に説教した後で、母にこう言って笑っているのが聞こえた。

「ミルクは、緑ちゃん？」

と母が尋ねた。飲んだよ、と、つい答えそうになる。

「お紅茶よ。ミルクにする？　レモン？」

「どっちでも……」

「じゃ、両方つけておくわね」

受話器を置くと、私は洗面台の前に行って鏡をのぞいた。天宮くんが来る前に、頰のガーゼをもう少し小さいものに取り替えておこうと思ったのだ。（キスマークには無論、バンドエイドを貼る。）救急箱の蓋を開けると、包帯や絆創膏や鋏、ピンセット、スポイト、点眼薬、丸く平たい軟膏の容器、いちいちラベルを貼った錠剤の箱や消毒液の小壜などが、それぞれの仕切りの中に整然と収められていた。きちんと片づいた玩具箱《おもちゃばこ》の中を見るようだ。微かに鼻をつく薬の臭《にお》いも、私には親しいものだった。

父は時間のある時は、必ず車で日曜学校への送り迎えをしてくれた。医局から直接来ることもあり、衣服や鞄にしんとした消毒薬の気配が纏《まと》いついていた。その臭《にお》いと、今し方「おみどう」で聞かされたばかりの神様の話が結合したものか、私はかなり長いこと、天国とは一種の病院のような場所だと信じていた。風邪、火傷《やけど》、擦りむきなどで、時々近所の小児科へ連れて行かれると、エーテルやクレゾールを嗅いで厳かな気持ちになったものである。神様の「くすしきみわざ」は、子供心にも眉唾だという気がしていたのに、父の周囲に漂う薬品臭は、なぜか奇跡の可能性を信じやすいものにしてくれる。それは母からは全く期待できない種類の魔法であった。外から帰れば、見慣れた家具か空気のように、母はいつもそこにいた。〈家庭の幸福〉の番人として、安らかで退屈な務めを果たしていた。母との生活には何の秘密も発見もなかった。私の空想を絶えず刺激していたのは、滅多に家にいない父の方だった。

三四　固定観念《イデー・フィクス》

父と母の間には秘密などあったのだろうか？　新しいガーゼを鋏で切り取りながら、ふと考えた。私は両親が喧嘩をしているのを見たことがない。父親が声を荒らげて物を言うのも、母親が取り乱すのも、テレビを通じて知っているだけである。

和やかな家庭だったといえばそれまでだ。しかし、二人の共同生活には、母の楽観主義《オプティミズム》と父の穏和な性格だけでは説明しきれない、不文律に支配されているようなところがあった。何とははっきり言えないが、ある共通のイデオロギーに関する無言の協定と恭順のおかげで、労せずとも調和が保たれているような――信仰だろうか、と思ったこともあったが、母の方はキリスト教徒ではない。考えてみれば、これもおかしなことと言えなくもなかった。信徒は信徒同士で結婚することが多いからである。

父と母の関係は、夫婦というよりも、相互信頼と不干渉を合言葉に平和の掟を厳守する、同盟国を思わせた。二人のうちどちらかが、不審な場所にバンドエイドを貼って明け方に帰宅したとしても、決して追求の対象にはならなかったに違いない。恋愛というプロセスを経て結婚したカップルにしては、呆《あき》れるほど淡々とした接し方だった。不干渉は無関心の裏返しのようにも見える。すると、相互信頼とは結局、お互いに対する関心の薄さに過ぎなかったのか……

私は、野瀬さんが渡してくれた一期生の文集のことを考えた。スーツケースの底に忍ばせてはきたものの、いまだに目を通していない。友人たちが帰ってしまって、一人きりになってから読もうと思っていた。父と長田《おさだ》先生は――「恋人」は誇張にしても――仲が良かったのは確かなのだろう。私は学院時代の父によく似ている、と野瀬さんは言う。その野瀬さんは、長田先生の甥である。私は宿命論者ではないが、如何《いかん》せん、まことに暗示にかかりやすい。書いてあることの内容によっては、当時の父の心理を素直に追体験しないとも限らないのだ。

若き日の父は、藤井御代輝さんのようにひたむきであったかも知れない。その時はまだ親でも夫でもなかったのだから、愛の告白だって、しようと思えば誰に憚ることなくできたはずである。考慮すべきものがあるとしたら、相手の反応だけだ。いくら好きでも、同性の友人に面と向かって、その気持ちを正直に打ち明けていいものだろうか？　告白すること自体は構わないとしても、もし拒絶されたら？　いや、それよりも、万が一、「僕も好きだよ」なんて答が返ってきたりしたら――その先はどうなるのだ？

私はバンドエイドをつまんだ手を宙に止め、鏡に映る自分をつらつら眺めて自問した。花片形《はなびらがた》の痕《あと》は、忌々《いまいま》しいことに、一向に薄れる気色《けしき》もない。野瀬さんにされたことなら嫌《イヤ》とは思わないくせに、と心の奥で聞こえよがしに独りごちるのは、どこのどんな悪魔なのだろう？　好きだとも何とも言わず、いきなり接触《コンタクト》を求めた点では、野瀬さんも摩耶さんと同じだろう、と声は続けた。確かにそうだ。実に衝動的だ。衝動的行為――即ち気紛れ。

　恋愛とは原則として男女一組で行うものだという固定観念《イデー・フィクス》は、今なお健在であった。だから、野瀬さんが時々私に示してくれる関心の由来を説明するのに「気紛《きまぐ》れ」以外の言葉は思いつけなかった。目の前に熊のぬいぐるみが立っていたら、ついさわりたくなるようなものだ。吼えも噛みつきもしないのだから安全この上ない。一歩、いや、百歩譲って、野瀬さんが本当に私のことを「好き」だとしても――「好きだから、そばにいてほしい」という藤井さん式ロジックは、普《ノー》通《マル》の、つまり、男性一名と女性一名から成る当たり前の恋人同士だけが、堂々と実行に移せる理屈ではなかろうか？　男女が引かれ合うのには生物学的な根拠がある。謂《い》わば自然から公認された関係なのだ。手を握ったり、体を寄せ合ったり、そして……ドアを叩く音が聞こえたので以下省略して、私はバンドエイドを貼りつけた。

　〈Turtle's《タートルズ》〉のウェイトレスらしい、目覚ましい乙姫装束の二人連れの少女が、茶道具とお菓子の載った銀盆を目八分《めはちぶ》に捧げて入ってきた。そのうちの一人は、昨日厨房でシェフの手伝いをしていた女の子だった。今日は職場が変わったためか、薄化粧をして髪をミッキー・マウスの耳のような形の髷《まげ》に結い、その周りに夾竹桃《きょうちくとう》と合歓《ねむ》の花を差している。（私は即座に「ミニー・マウス」と綽名《あだな》をつけた。）二人とも私と同い年か、少し上くらいに見えたから、夏休みの間だけのアルバイトだろう。カップ、ソーサー、ケーキ皿などをセットして、ポットに茶帽子《ティーコージー》をかぶせると、ミニー・マウスは突然、

「お友達はまだなんですか？」

と言った。不意をつかれて私は少々うろたえた。話しかけられるとは思っていなかった。

「もうじき来ると思うんですけど——」

「ガールフレンド？　それとも、ボーイフレンド？」

　私は唖然としてミニー・マウスを見た。ウェイトレスにあるまじき質問だ。しかし、思い切りカールさせた睫毛とピンクの口紅で強調した微笑には、余裕があった。言いつけるなら言いつけてごらん、と言わんばかりだ。私が馬鹿みたいに突っ立っていると、ミニーとその同僚は、失礼致しました、と丁寧にお辞儀をして出て行った。ドアが閉まると同時に、廊下でくすくす笑いが爆発した。

　天宮くんはそれから五分ほどして、私が腹立ちまぎれに、自分の皿のエンジェルケーキを粉々につついているところへやって来た。薬局に用事があったから遅くなって、と謝る顔は、何だかひどく恐縮していた。私の険悪な形相に恐れをなしたからかもしれない。リラックスしてもらう

ために、椅子と茶菓を薦める。向かいに座った天宮くんの皿に、切り分けたケーキを置こうとして、私は危うくサーバーを取り落とすところだった。

「天宮くん、首……！」

あとは言葉にならない。天宮くんは、私のバンドエイドにちらりと目をやって、心得顔に頷いた。

「みんな、考えることは同《おんな》じか。サビオは便利やね」

「僕の、バンドエイドなんだけど──」

「どう違うのん？」

「バンドエイドはジョンソン・エンド・ジョンソンで、サビオは──おい、そんなことどうでもいいじゃないか！　それじゃ君も、摩耶さんに……」

天宮くんは肘掛に頬杖をつき、憂いを含んだ眼差しでエンジェルケーキを眺めた。

「一旦好きなもの見たら、誘惑に勝てん人やから」

「好きな──」

「たとえば、君のこと」

「そんな……僕は摩耶さんの名前も知らなかったんだよ！　初対面も同然なんだ！」

「一目惚れするのは、たいてい初対面の時やない？」

ぐうの音も出せない修辞疑問であった。

三五　青撫子症候群《あをなでしこシンドローム》

私は茫然自失の体《てい》で機械的に二杯目の紅茶を注いだ。天宮くんがテーブルごしに、砂糖壺とミルクを渡してくれる。上の空で受け取りながら、恐々《こわごわ》尋ねてみた。

「君は……どうしてサビオを貼ってるの？」

「バンドエイドがなかったから」

「あのね――」

「遠野くんて甘党なんやなあ」

はっと手元を見ると、エンジェルケーキの残骸が、スプーンからこぼれる砂糖の中に埋没寸前だ。

「ま――真面目に答えろよ。何で僕と同じところにサビオを貼らなきゃいけなくなったんだ？」

天宮くんは普段、ポーカーフェイスの方だった。私の覚えている限りでは、人前で喜怒哀楽を露骨に表わす習慣がない。よほど羞《はにか》んだ時など、ごく稀に、瞼や頬のあたりに微かな色の差し引きすることがある。それ以外は、春の夕暮れのお雛様のように、静かで少し退屈そうな顔をしている。

紅茶を一口飲んで、天宮くんは、ほっと息をついた。

「VTRや」

「?」

「ビデオテープでもう一度――」

「??」

「――君にしたことを再現してくれたの」

事の次第はこうであった。乗馬センターの裏の林から砂丘へ出たばかりの所に、廃棄された漁船が一艘あって、部員たちは「難破船」と呼んでいる。昨日の夕方、天宮くんは難破船の甲板にカメラを据えて、お父さんから頼まれた『海辺の夕暮れ』の写真を撮っていた。(天宮くんのお父さんは、雅号は忘れたが、馬ばかり描くことで有名な日本画の先生だ。)そこへ摩耶さんが通りかかった。第二厩舎の方から、磯づたいに歩いて来たようだった。天宮くんを見ると船に近づいて来て、舷側に凭れ、甲板の床に肘をついた。(難破船は舳先《へさき》を海に向けてやや斜めに傾《かし》いでおり、右舷《スターボード》は砂山に乗り上げた格好で、吃水線まで砂に埋もれている。)カリッシモに会ってきたところだと言われ、天宮くんは単純に馬のことだと思って、厩舎を移したのかと訊いてみた。摩耶さんは喉の奥で低く笑った。（私は身震いした。）

「まあな。鶴島学院の方へ——」

それで天宮くんは了解した。先輩の趣味は先刻承知だった。（あいた口がふさがらぬ私に、「青《あお》撫子《なでしこ》シンドロームや。まあ、ほとんどの人は半分冗談でしてるのやけど」と解説してくれた。）

「気になる？」

と尋ねられ、天宮くんはいいえと答えた。摩耶さんは、壊れた手摺りをひらと躍り越えて甲板に立った。

「厭《いや》な子」

と、例の白く長い指を天宮くんの方に伸ばしながら、この上なく頽廃的《たいはいてき》な声で囁く。

「気にしてるくせに……」

二人の間には三脚があった。その上には、海辺の夕暮れ三十六景を収めたカメラが載っていた。新品のペンタックスに、小遣いをはたいて買った東独ツァイスのレンズを取りつけたばかりだ。お父さんのつてで、東ベルリンから西側へ亡命した絵描きから闇値で買ったレンズだから、粗末にしてはいけない。迂闊《うかつ》に動くと三脚が倒れる。天宮くんは咄嗟《とっさ》にカメラをしっかとつかんだ。そのため両手が使えなくなった。摩耶さんはその隙に乗じて、更に、更に頽廃的に……

「――最後まで聞きたい？」

雪洞《ぼんぼり》に照らされたような顔は、しんと静まり返っていて、切れの長い黒眼がちの瞳も潤んで落ち着いている。私の方がよっぽど兢々《きょうきょう》としていた。

「うん――あ、いや、そう、そうだね。もう、このへんで――」

「そう？　じゃ、あと想像に任す」

天宮くんは目を伏せた。人形めいた手に顎を支えて、小指の爪を噛みながら物思いに沈んでいる様子は、いかにも可憐である。体つきは華奢《きゃしゃ》だし、京風のおとなしい物言いが、舌足らずの細い声のせいかどことなく儚《はかな》げで、馬術というよりはピッコロの演奏が得意で、自分の部屋の窓辺には金糸雀《カナリヤ》を入れた籠を吊るしている、と言った方が、他人はすんなり信じるだろう。とはいえ私は、彼がエアリエルに騎乗して、凛々《りり》しいピアッフェやパッサージュを披露する姿を見たことがある。馬を完璧な助走に誘導する的確な扶助、迷いのない爽快な飛越《ジャンプ》などを思うにつけ、デリケートな容姿にもかかわらず、性格に優柔不断な点はないと思う。嫌なことは嫌とはっきり断われる人だ。その天宮くんが、ドラキュラの洗礼を甘んじて受けていたというのは、実のところ意外であった。余程のツァイスマニアなのか、あるいは私のように、気を失っていたのなら話は別だけれど。

天宮くんはふっと目を上げた。私が絆創膏で十文字に押さえこんだガーゼと、腕の湿布を交互

に見遣《みや》りながら、

「痛そやね」

と、軽く眉を寄せた。

「ああいう時は、ヘタに抵抗せん方がええのや」

私は真っ赤になった。誤解だ。

「てい——抵抗なんか、しなかったよ!」

「へえ……?」

私は真っ青になった。誤解が誤解を生む。

「できなかったんだよ、したくっても……気絶してたんだから。これは、その時の——倒れた時の、怪我なんだ!」

天宮くんの表情が半信半疑なので、私はごく手短かに、上月《こうづき》版『ジゼル』を更に簡略化して、昨夕の状況を説明した。

「ふうん……なら、いじめられたわけやないの?」

桜の蕾がほろりとほころびるように、天宮くんの口元が和んだ。

「よかった。あっちこっち怪我したって聞いたから、てっきり……摩耶さんはああ見えても、結構過激なとこあるし」

そのとおりだ。人は見かけによらない。摩耶さんにしても天宮くんにしても。おかげで私は青《あお》撫子症候群《なでしこシンドローム》という画期的な観点から、この二人の関係を再検討しなければならなくなった。

山の上でも亀甲学院は、陸の孤島の鶴島学院と違って、近所にはS女子短大やその付属中・高等学校、K女学院などの女子校が林立する、格段に恵まれた環境にあるというのに、何たることだろう！

「摩耶さんは――それじゃあ、冗談でするわけじゃないんだね？」

「何を？」

「何って……つまり、その、本気で……」

いかにして「ホモ」、「変態《クイアー》」、「SM」、「ドラッグ・クイーン」等々の言葉を迂回し、かつ充分に私の意を尽くそう――「倒錯の森を逍遙《しょうよう》する」では、あまりにも詩的だろうか？――と、適切な表現を模索していると、晴れかけた天宮くんの表情に、また淡い雲がかかった。

「自惚《うぬぼ》れてんのや」

と、皮肉っぽく呟いて、爪噛みを再開する。

「馬でも人でも言いなりになると思てる。僕は時々逆らうから、きっと目障りで――」

「でも昨日は、無抵抗だったんだろう？」

侮辱するつもりはさらさらなかったのだが、天宮くんの顔は、私に殴られでもしたかのように、一瞬硬張《こわば》った。考えてみれば私だって、たとえば藤井さんのような重戦車がフルパワーで向かって来たら、戦意など吹っ飛んでしまうかも知れない。摩耶さんは重戦車タイプではないが、ある意味ではそれ以上の脅威を備えているとも言える。抵抗しないことが必ずしも勇気の欠如の証明ではない。それに、亀甲学院の馬術部において、先輩への不服従は確かに重罪だった。

天宮くんは、さらりと額にかかる髪を苛立たしげに後ろへ払った。

「摩耶さんはね、他人《ひと》の手足の一本や二本、何とも考えてない人や。競技会前に怪我しとうないもの。紅白試合とはいえ、ララヴィスがかかってるから」

ララヴィスの調整期間はもうすぐ終わる。オーナー兼トレーナーの日笠氏の意向では、十月の西日本馬術大会で行われる高校生障害飛越競技をデビュー戦にするということだが、乗り手はまだ未定なのだそうだ。自分の甥（伊集院さん）を指名しては依怙贔屓《えこひいき》に見えかねない。公正に実力で判断しよう、というわけで、シーホース乗馬センター開設記念と銘打って、内輪の競技会を開く運びになった。（優勝者には禿地頭氏からタツノオトシゴを象《かたど》ったトロフィーが寄贈されるとか。）

ララヴィスには当然自分が乗ると思っていた伊集院さんは大いに不服らしい。帰国後、強引な自己推薦で部長の座におさまったものの、部内には伊集院さんの復帰を快く思わぬ一派もある。（代表、摩耶さん。）ここで伊集院さんがララヴィスを獲得すれば、これ以上の箔づけはないが、摩耶さんとしても、日頃気の合わない伊集院さんに、優秀な新馬をおいそれと渡すつもりはない。カリッシモはエフォルジオ系の名馬だが、飛越能力に関しては既にピークを過ぎているのだ。天宮くんも、自分なりの理由で、ラヴィスが欲しい。たとえ先輩たちと張り合うことになっても、と言う。

公認競技会でもないのに、部員たちが興味津々でいるのはそのためだった。

三六　松《まつ》が根《ね》

私は天宮くんを送りがてら、階下《した》へ行った。出入りにはもっぱら舞踏室のテラスを使用していた。浜へ出るにはこちらの方が近いのだ。大理石の花瓶の側を通る時、昨日の今日なので、つい、不審な人影はないかと、あたりに目を配った。その様子が可笑《おか》しかったのか、天宮くんがくすりと小さく笑った。

「これからまた、練習？」

笑われたのが決まり悪くて、場当たり的な質問をした。

「ううん、きょうは休み。日笠さんが障害をセットしてはるから、それ手伝うだけ。後で一通りコースを確かめとくけど。あした、見に来る？」

「うん。でも、いいのかな。僕らが行くと、伊集院さんの気に入らないんじゃない？」

「部長は観客が多いほど張り切る方やから、見に来てもらう分には文句ないと思うよ」

天宮くんはふいに屈みこんで、何か拾い上げた。蝉の抜殻だった。防風林のそこかしこ、地表に出た松の根が大蛇のようにうねうねと這い回っており、その周囲の地面に無数の穴があいている。蝉の幼虫が抜け出した跡だ。天宮くんの見つけた抜殻は、普通よりずっと大きく、それ自体ちょっとした芸術品のようなかわいらしい掌に載っているせいか、やけにグロテスクに見えた。私も一つ見つけたので、ざらつく幹にしがみついているのを、壊さないようにつまみ上げ、最初の殻に並べて天宮くんの手の上に置いてみた。

「蝉って、成虫になるまでに七年くらいかかるんだって」

「ずうっと土の中で育つんやね。小学校の時、羽化するとこ見んかった？　理科の時間に」

「見たよ。青白くって——ちょっと気味悪かった」

「気味が悪いけど、僕、感動した。こんなみっともないものから、羽根つけて出てくるなんて」

天宮くんは、抜殻にふっと息を吹きかけて、掌からこぼれ落ちて行くのを目で追った。

「飛べないのは、つまらんね……」

足元の地面がさらさらと崩れ始め、松林の果てる所で私たちは立ち止まった。

「じゃ——あした」

「うん。始まるの、十時からや。みんなでおいでね。部長に遠慮なんかせずに」

手を振って行きかけた天宮くんは、何かを言い忘れたのか、半身を捻《ひね》って振り返った。

「摩耶さんのこと……誰かに何か言われた？」

「いや——知ってるの、上月くんと弓削くんだけだから。どっちも何にも言わないよ」

「堪忍《かんにん》してね」

これで二度目だ。先輩の悪さは後輩が償う、などという校則はなかったはずだけれど——？

「君が謝ることないよ」

天宮くんは、腕を軽く伸ばしたほどの距離の所に立っていた。濃緑《こみどり》の艶を帯びた絹のような髪が、海からの風に優しく吹き乱されて、澄んだきれいな額が露《あら》わになった。その下から愁わしくこちらを見つめる瞳に、私は何だか以前から見覚えがあるような気がした。花の蕊《しべ》のように繊《こま》やかな睫毛に縁取られた、黒より黒い葡萄紫《ぶどうむらさき》の溶暗——春ならば菫《すみれ》、沈丁花《じんちょうげ》、夏ならば庭白百合《マドンナ・リリー》の香りを、仄かに閉じこめた闇の色だ。陶然と眺めているうちに、既視感は益々強くなってきた。一体どこで——と考えていると、天宮くんは、ふと思いついたように喉元に手をやった。

「これ、まだ貼っとく？」

「君は？」

「二人でおんなじことしてたらよけい目立つから」

「そうだね。僕、もうどうでもよくなってきた」

私の手も自分のバンドエイドに伸びた。浴室でまた鏡に向かっているような気がした。粘着テープを剥がす時の痛みには、いつまでたっても慣れることができない。私のしかめっ面を、目の前の小さな顔がそっくり真似た。サビオとバンドエイドを浜豌豆《はまえんどう》の群落に葬って、私たちは共犯者めいた微苦笑を交わした。天宮くんは、つと手を伸べて、私の喉の凹みを指先でなぞった。

「四、五日もすれば消えるね。『ジゼル』は傑作や。鶴島学院、楽しい？」

「そうだなあ……うん、今のとこ、気に入ってる」

「野瀬さんて、誰？」

私はよけそこねた松の根に蹴躓《けつまず》いて向こう脛《ずね》をしたたか打った。藪から棒にもほどがある。一体どこからこんな情報が漏洩したのだ？　本日は既にミニー・マウスに先取点を上げられているから、不意打ちを喰《くら》って言葉に窮すること二度目である。なけなしのプライドが全滅だ。この先、私の人生航路には、こんな奇襲攻撃《クー・ド・マン》がどれほど待ち構えていることか、と思うと、やるせなさのあまり脛よりも胸が痛んだ。

「昨日、君と一緒に、厩舎見に来た友達がいたやろ？　浜で、あの中の一人——眼鏡かけてない方の子から、君の様子聞いてね。遠野くん怪我してるし、きっと電話待ちしてるから、泳ぎには来ない、て」

図星を指されるほど腹の立つことはない。それにしたって、何も電話の相手の名前を出すことはないじゃないか！　野瀬さんのことは一度相談してみようかと思ったテーマではあるが、こんなやり方で先手を打つなんて、あんまり友達がいがなさすぎる。弓削八束《ゆげやつか》め、今夜は袋叩きだ、という私の物騒な思惑をよそに、天宮くんは罪のない顔で微笑んだ。

「僕も野瀬さんて人、知ってるから――ちょっと好奇心」

「鶴島学院の生徒？」

「いや、旭日学園。三年前の全日本馬術大会で、ジュニア個人の一位になった人。きれいな馬に乗ってた。僕、こっそり厩舎に行って見てたら、その人が来て握手してくれたの。でも、後で旭日の友達に聞いたらね、正規の部員やなくって、誰かの代わりに出たのに優勝したって――」

野瀬さんならやりかねない。鶴島学院には馬術部がないので馬の話が出ることもないが、他のスポーツをしているところを見た限りでは、やることなすことにかく派手なのだから。この分なら、バレエ・コンクールで金賞を取ったと聞かされても、もう驚かない。

「鶴島学院なら、きっと違う人やね」

天宮くんはちらりと腕時計を見た。

「十二時か。もう準備終わってる。怒られるな」

天宮くんが今度こそ間違いなく乗馬センター方面へ去るのを見届け、私は汗ばんだ額を拭った。野瀬さんの名前が出る度に動揺する癖を何とかしなくては。一種の条件反射になってしまっている。この名が浮かんできた途端に、心悸亢進、発熱、発汗等の症状が喚起される他、しばしば幻聴や幻臭まで伴うのだから、始末が悪かった。たとえば、樹木の一本もない所で、突如さやさやと葉摺《はずれ》の音が聞こえてくる。ランドリーサービスから届いた洗いたてのシャツの匂いに、青葉のいきれやラベンダー石鹸の香りが忽然と立ち混じる。舞踏室にピアノがあったので久しぶりに弾いてみると――手あたり次第に開いた楽譜はモーツァルトの嬉遊曲《ディヴェルティメント》第十七番だったが――まるで誰かが肩越しに覗き込んでいるかのように、耳や頬のあたりが妙にくすぐったくて仕様がなかった。我ながら恐ろしい。精神分裂症の初期症状に酷似しているのだ。

「そやからあんなことすんのやめとき、言うたやろ？　もう二度とやったらあかんで」

そうそう。こんな風に、どこからともなく話し声なんかも聞こえてきたりして……

すんまへん、と言ったしおらしい声があまりにリアルだったので、竜宮城へ引き返しかけていた私は、後ろを振り向いてみた。由良くんと、先輩らしい馬術部員が一人、砂丘を上ってきたところだった。私の姿を見て由良くんが片手を上げ、連れに何か断わってこちらへ近づいて来た。先輩は、挨拶代わりに二重の顎を三重にして頷き、林の中の小道をのしのしと先へ進んだ。

何かあったのかと尋ねると、由良くんは泣きそうな顔をして、頭をかいた。

「便秘しとる馬がおってなあ。厩務員のおっちゃんに、飼料に気ィつけいうていっつも言いよんのやけど、あのおっちゃん、もうだいぶボケとるやろ？　なんぼ言うても埒があかんさかい、きょうブランマッシュ食わしたら、そいつが大失敗や。下痢が止まらんと腰抜かしよってん」

「かわいそうに――」

「かわいそなんはこっちやで。糞《クソ》の始末はせなあかんし、伊集院さんにはどつかれるし。早よ二学期になって、部長交代して欲しいわ」

由良くんはどうやら、伊集院派ではないらしい。

「あしたの競技会、出るの？」

「俺？　いいや、俺はパス。先月落馬して腰痛めとんのや。医者がリハビリ代わりに泳ぎに行けて言うさかい、来るには来たんやけどな。それより、天宮来てるやろ？　部長が呼んでんのや」

「今別れたとこ。乗馬センターの方へ行ったよ。会わなかった？」

「見んかったな。調教場から来たよって。センター帰ったんならええわ。あいつ、昨夜《ゆうべ》からどっかおかしいんや。何か変なこと言うてなかった？」

「別に――普通だったよ。競技会のこと知らせにきてくれたんだ」

昨夜から今朝にかけての天宮くんの心理状態は、話題にしない方が無難であった。

「ララヴィスの調子どう？」

「上々や。さては天宮に聞いたな？　そうなんや。実はあしたは、ララヴィスの争奪戦でな。大きい声では言えんけど、部員みんなで大金賭けとんやで」

生粋の関西人は、皆ギャンブラーである。由良くんは嬉々として手をこすり合わせた。

「俺、こないだ、アメリカ三大レースの三冠王《トリプルクラウン》当てたばっかしやさかい、ツキはあるはずなんや。今年は絶対、三冠馬が出る思てた」

ケンタッキー・ダービーやらベルモント・ステークスやら、私の知らない世界へパカパカと駆けて行きそうになる由良くんの思いを、すんでのところで引き戻し、

「あしたは誰が勝つと思う？」

と私は尋ねた。

「そやな。下馬評では本命伊集院さん、ダークホース、天宮。一番人気の摩耶先輩は天気次第。カリッシモは雨が大嫌いなんや。一粒ポツンときてもピリピリするよって、手こずるで。天宮も、部長に負けるんは仕方ないとしても、摩耶さんには絶対、ララヴィス渡しとうないはずや」

「どうして？」

軽い気持ちで訊いてみたのだったが、由良くんはなぜか周囲をキョロキョロと見回し、声を落とした。

「天宮のエアリエルな――あの馬、もう跳《と》べんようにしてしもたの、摩耶先輩なんや」

三七　天馬《ペガサス》

由良くんと天宮くんは、中一からずっとクラブが一緒なのだそうだ。

「あいつ馬は小学校からやってってな。顧問のJ先生にもえらい期待されとって、先生の知り合いからエアリエル譲ってもろたんや」

尤も、後に天宮くん本人が由良くんに語ったところでは、その知り合いというのが、酒屋で地主でマンション経営者で、とにかく大変な金持ちで、競馬の馬も数頭所有しており、持ち馬が桜花賞と菊花賞を制覇した記念に、二頭の馬をジョッキー諸共一双の屏風に描いてくれと天宮くんのお父さんに依頼したのだそうである。お父さんはその頃、三十代。画壇の重鎮とはいかぬまでも確実に中堅クラスには数えられるようになっていた。酒蔵《さかぐら》を一つアトリエにして三週間で仕上げたという屏風絵は、今一つ光彩に欠けていたお父さんの名を一躍有名にした傑作であり、蒐集家《コレクター》の間ではものすごいプレミアムがついているという。すっかり感激した酒屋さんから画料は如何《いか》ほどと尋ねられ、お父さんは、紹介者で飲み友達のJ先生を下賀茂の小料理屋に誘って相談した。

「いやあ、あれだけの作品なんやさかい、馬一頭分ぐらいの値打ちはありますやろ！」

酔いの回ったJ先生は気が大きい。酔漢の言葉も偶《たま》には天啓のような響きを持つことがある。実は子供が馬をやっているのですが――と切り出したお父さんに皆まで言わせず、酒屋さんは屏風の画代を馬で払うことに同意した。

「日本昔話みたいだねえ」

私はたいそう感じ入った。

「屏風から抜け出したっていう馬をもらってさ、絵が半分になったからおつりをよこせと言われたとか」

「話はこれからやで。勝手にオチ作らんといて」

「ごめん」

私は畏《かしこ》まって謹聴の姿勢を取った。（と言っても、近くの松の切株に腰を下ろしただけだ。）

入部した当初から、摩耶さんは天宮くんに特別な関心を寄せているらしいと由良くんは睨んでいた。部員の顔寄せでまず新入生が自己紹介をする。由良くんは偶然摩耶さんを正面に見る席についていた。新入部員が一人一人名前や出身校などを述べてゆく間、摩耶さんは隣の友人の肩に凭れて居眠りをしていた。失礼な先輩だと由良くんは思った。(その日は朝から虫歯が痛んで、物事に大変感じやすくなっていた。) 肩を貸していた友達の方も時々小声で注意していたようだが、あまり効果はなかった。そのうち由良くんの番がきた。むかっ腹を立てていたので、立ち上がりざま、「おはようございますっ!」と大音声で呼ばわった。(顔寄せは午後のチャペルアワーを利用して行われていた。) 居眠りに加担していた友人は赤面し、摩耶さん本人はゆっくりと片目を開けて由良くんの方を見た。

由良くんはたじたじとなった。同年代の平均的な少年に比べて見聞が広く、肝っ玉も太い方だと自負していたのだが、こんな途方もない不機嫌に直撃されたのは初めてだった。真向かいの嵐雲のような瞳から今にも稲妻が閃きそうであった。誰よりも早口で自己紹介を終えると、次は天宮くんが起立した。すると摩耶さんはもう片方の目も開いて、穴のあくほどその顔を凝視した。

「天宮紫苑《あまみやしおん》です」

と言った途端に野次が飛んだ。

「ケッタイな名前やな。どんな字書くんや?」

「天国の天にお宮の宮です」

「『シオン』は?」

「『紫《むらさき》』という字に広辞苑《こうじえん》の『苑《えん》』」

「コウジエンのエンて何やねん？」

「広辞苑で調べて下さい」

あちこちで笑い声が上がった。天宮くんはちょっと間が悪そうに室内を見回したが、やがて、

「京都から来ました。嵐山ライディング・クラブに所属してます」

と、落ち着いた声で言って座った。摩耶さんはその間、一瞬たりとも天宮くんから目を離さなかった。それどころか視線のヴォルテージが刻々と上がってくるようで、他人事《ひとごと》ながら、由良くんは非常に心配になった。

「俺らまだ小学校から直送のチイチイパッパや。青撫子《あおなでしこ》みたいな頽廃的風潮にも染まっとらんし、なんであないにジーッと見てはんのか全然わからん。ひたすら恐いなー思たわ」

と、当時を回想する。

「まあ、クラブが本格的に始まってから、ボチボチわかってきてん。摩耶さんはシオンが好きなんか嫌いなんか知らんけど、とにかく異常に意識しとんのや。仲ええいうんとちゃうで。みんなのおるとこではろくすっぽ口もきいてへんわ。けど、あいつのすることは何一つ見逃さん。監視でもしてるみたいに」

そうこうするうちにエアリエルが京都から亀甲へ移されて来た。自馬部員が自分の馬で練習するのは当たり前である。原則として馬の持ち主しか乗ってはならない。が、稀には顧問と所有者

の了解を得た上で、他の部員が騎乗してもよいことになっていた。ある時、J先生が天宮くんを呼んで、上級生に一人、自分の馬が怪我をして休養中の者がいる、と告げられた。

「摩耶くんは三つのときから乗っとる。うちの部員の中でも主戦力の一人や。特にジャンプではかなう者《もん》あらへん。エアリエルはまだまだ訓練せなあかんし、どや、一緒に乗ってみいへんか？」

もとはと言えば一杯機嫌のJ先生の一言がきっかけとなって、瓢箪《ひょうたん》から駒が出るように手に入った馬だ。むげには断われない。二日ほど考えて、天宮くんは承諾した。それからは、エアリエルに乗ってJ先生の指導を受ける摩耶さんと天宮くんの姿が頻繁に見られるようになった。二人とも寮生なので放課後の特訓も辞さない。同じ馬で練習しているのにだんまりで通すわけにも行かず、徐々に話ぐらいはするようになったらしい。それどころか、天宮くんの方では、一時随分摩耶さんに傾倒していたようだ、と由良くんは言う。しかし由良くんには、個人的理由から、何となく腑に落ちない点があった。摩耶さんの馬が「怪我をして休養中」だと天宮くんは聞かされていたのだ。

「カリッシモが急にどっかへ移されたんはほんまや。けど、どこも怪我なんかしてへんかった。その証拠に摩耶さん、毎週乗りに行って障害の練習やってたてん」

「どうして知ってるの？」

由良くんは、おやおやという顔で私を見た。

「わからん？　ま、君は関西に来てまだ日が浅いよって、無理もないが——」

と、鹿爪らしく咳払いする。

「何を隠そう、うちは三代続いた床屋でな。統計によると、近畿地方の床屋《バーバー》の家系には、ほぼ一世代ごとにＥＳＰが出現すんのや。うちの祖父《じい》ちゃんなんかもマスコミにごっつう騒がれてなあ。剃刀《かみそり》曲げるぐらいは朝飯前やったで」

私の懐疑的な視線に会って、由良くんはへへ、と鼻の頭をかいた。

「英語の宿題のショート・ストーリーのアイデアを模索中なんや。『サイキック・バーバー殺人事件』て、なかなかええやろ？」

「よくない」

私はにべもなく即答した。由良くんはミステリ狂である。ディクスン・カーやエラリー・クイーンを私に紹介してくれた人だ。最初に借りたのはたしか『オランダ靴の謎』だった。ともあれ、サイキック・バーバーはまた今度にして、今は早く話の続きが聞きたい。私がせかすと、由良くんは、読みもせんとよう言うわ、と口をとがらせながらも、本題に戻ってくれた。

由良くんの兄、莞爾《かんじ》さんは、亀甲学院卒業後、名古屋獣医畜産大学に学んでいる。休みに家へ帰って来るたび、実習を兼ねて、Ｋ市亀甲山牧場の嘱託医の助手を務める。馬術部のＯＢだから、弟に再会すると話題はやはり馬のことになる。ある時、試験休みで帰省していた莞爾さんが、山を下りてお父さんの店へ散髪に来た。

「こないだ、学院の何とかいう生徒が、馬預けて来よったで。真っ黒のデカい奴。ええ馬や。エフォルジオの子やて言うてたな」

「学院で真っ黒の馬はカリッシモしかいてへんけど」

「おい！　カリッシモいうたらもしかして、モントリオールの大賞典に出とったんやないか？」

「うん、そいつや」

「オリンピックに出た馬が何で亀甲にいてるのや？」

「オリンピックに出た後、日本脳炎にかかって絶望視されてたのを、日笠さんとこで引き取ったんやて。そしたら奇跡的に助かって復調したんや」

「それをあのお坊ちゃんが買《こ》うたんか。ツイてるなあ。なんぼ日本脳炎やったいうたかて――」

「カリッシモ、今度はどこが悪いん？　ソ連脳炎？」

「アホ、そんなんあるか。悪いとこなんかないわ。強化訓練やそうや」

その時、奥へ一服しに来たお父さんに、勉強せんのやったら店に出て剃刀でも研《と》げ、と言われて会話はそれきりになった。（お父さんにしてみれば、息子たちが亀甲学院の優等生であることを誇りに思う半面、先祖伝来の職業もいよいよ自分の代で終わりかと、胸ふたぐ日々なのだ。）

後日、兄さんにカリッシモの様子を尋ねると、「お坊ちゃん」は日曜ごとに乗りに来る、平日の訓練は専任のトレーナーがやっている、ということだった。どこが怪我や、と由良くんは思ったが、天宮くんにとっては摩耶さんと練習するのが案外励みになっているようだし、水を注すような言動は謹むべきだという気もした。その代わり、J先生にはそれとなく探りを入れてみた。先生も詳しいことはご存じなかった。軽度の寛跛行《かんはこう》が見られるからしばらく休養させたいとの届け出があり、持ち主の言うことだから間違いなかろうと思って許可した——それだけだった。

秋の競技会が次々に終わり、冬休みに入った。カリッシモはまだ戻らなかった。亀甲山牧場で冬を越すらしかった。休みが明けてみると、もう一頭馬が減っていた。エアリエルだった。厩務当番だった生徒の話では、前肢の蹄冠が裂けたのだという。天宮くんは休部していた。

三八　花園小町《はなぞのこまち》

「休み中、摩耶さんが時々乗りに来てたらしい。誰も口に出しては言わへんけど、過重トレーニングやったいうのは、皆わかってんのや」

由良くんの口調が厳粛になった。

「言うこときかん馬には容赦せん人やろ。脚の折り込みが悪い言うてやたら鞭当てたりな。競技会やったら、残忍行為で失格やで。エアリエルの場合も、冬休みで先生の目が届かんのをええことに、どんな練習してたかわかったもんやない」

この事件以来、摩耶さんと天宮くんの間には異様な緊張状態が生じた。摩耶さんはわざとのように、次から次へと他の部員に目をかける。天宮くんは無視する。みんなの手前、必要な時は言葉少なに口をきくが、それ以外は完全に没交渉だった。エアリエルに関しては二人ともノーコメントである。新学期が始まると、カリッシモがベスト・コンディションで帰って来た。

「そこで〈挑戦状〉やけど――」

由良くんは、馬を脚で抱えて乗るなと先輩から注意されるほどひょろ長い体を伸ばし、気取って鼻眼鏡をつまむ振りをした。関西版エラリー・クイーン。なかなか役者だ。

「摩耶さんがエアリエルをつぶしたんは何でやと思う?」

「僕はサイキックじゃないよ」

「俺のESPが告げるところによると、あの二人の関係は単なる先輩後輩以上や。ブキミなもんさえ感じる。ご先祖様から代々継承した祟りというか因縁というか……」

突然背中を丸めて天然パーマの長髪をかきむしる――これは易しい。下駄と袴をはいたら完璧だ。

「ヤツハカ村みたいな?」

「いや、実はな、白状すると、超能力よりもっと確かな筋から聞いた話があるのや」

由良くんはK市から海沿いに一つ大阪寄りのA市に住んでいた。既に紹介されたとおり、家業は床屋である。床屋とは昔から、英国におけるメンズクラブに相当する機能を果たしてきた、というのがお父さんの持論であった。つまり、女人禁制の、男の社交場だ。社交に不可欠のエンタテインメントは何と言ってもゴシップである。店の常連が心ゆくまで噂話を楽しめるように、お父さんは細心の注意を払う。言論、報道の自由を尊ぶお父さんも自ら積極的に参加する。料金が真っ当で腕もよかったので、客の層は広く厚く、男たちは老いも若きも、遠路はるばるA市山手《やまのて》通りイカリスーパー裏、由良理容室へ髪を刈りに来る。その結果、お父さんは町内のみならずA市で起こるたいていの出来事に通暁し、往々にして市役所の住民課などよりもずっと詳細かつ正確な情報を把握しておられた。

「お父《と》んには、昼間客と話したことを晩酌の席で再放送するいう癖があってな——」

由良くんは悲しげに打ち明けた。

「茶の間とは障子一枚隔ててるだけやさかい、いやでも話が聞こえて来るねん」

ある夜のこと、数学の命題の証明を途中で断念して、気分転換にミステリを読んでいると、隣の部屋で再放送が始まった。謎解きの邪魔だ、と耳栓に手を伸ばしかけた時、お父さんが「ハナゾノコマチ」と言ったのがはっきり聞こえた。名前から推してさては競馬中継かと思い、由良くんも決して嫌いなトピックではないので、つい耳を澄ました。が、よくよく聞いてみると、どうして馬の話なんかではなかったのである。

お父さんが放送していたのは、A市海岸通りにある月照覚寺《げっしょうかくじ》というお寺の住職夫人のことであった。この人は若い頃から近隣三都市に聞こえた美人で、摩耶さんのお母さんである。少女時代フランスに留学し、帰国してからは京都のT女学院で声楽など学んでいるうちに、ハンサムな貧しい画学生と恋に落ちてしまった。若い二人には、幸いこれといった強い自我もなく、恋とは100%プラトニック・ラブのことだと信じており、コンサートからの帰り道や、学生が銭湯へ通う途中などでわざとすれ違ってお辞儀をするくらいが精一杯の関係だったから、親は卒業と同時に無事娘を回収することができた。そして、A市は花園町の自宅から(メルセデスベンツで運べばスープが冷めずに届く圏内に生息する独身男性を、全員徹底的にチェックした結果、本堂の裏に総檜《そうひのき》の三階建ての新居を建築中の、とある青年住職に白羽の矢を立て、トラック五台分の嫁入り道具をつけて娘を嫁がせた。

子供もできて、まずはめでたしめでたしと思われていたのが、ある日突然、一通の曖昧な置き手紙を残して、母親は蒸発してしまった。しかし八方手を尽くして探した甲斐あって、例の学生と、万珠院《まんしゅいん》の近所に一軒屋を借りて住んでいることが判《わか》った。学生は当時、駆け出しの画家であった。（駆け出しであるから作品は滅多に売れない。）細々とした暮らしでも、初めのうちは、庭の紅葉《もみじ》の葉を天麩羅《てんぷら》にしてみたりするのが面白く、親がどんなに脅《おど》してもすかしても、娘は総檜の屋敷へ帰ろうとはしなかった。けれど赤ん坊が生まれてみると、生活苦はいや増し、貧乏臭い京都の寒さは年々歳々身にしみる。若い母は子供と愛人を残して再び姿を消した。A市の実家へ戻ったのだった。手塩にかけて育てた一人娘なので、叱りながらも親たちは内心喜んで迎えた。美しい女だったので、捨てられた夫も妻との復縁を望んだ。何より、最初に生まれた子の養育係が必要だった。子供は男の子で、母親が愛の逃避行を終えて帰宅した時には三つになっていた。

「――でな、その絵描きていうのが、どうもシオンの親父さんらしいのや」

床屋と歯医者は話し上手が得をするという。切株に座った私は、向こう脛の痛みをすっかり忘れて由良くんの話に聞き惚れていた。お父さんなら、今の間にテキパキ客の顔を当たって散髪にかかっているところなのだろう。

「じゃ、天宮くんと摩耶さんて――兄弟？」

「そういうことになるな。父親は違《ちご》てるけど」

私は十一月の黄昏に見た〈黒雁《ダークグース》〉のことを考えた。

「お母さんて、どんな人なんだろう？」

「いっぺん競技会に来てはったけど、摩耶さんと話してるとこ、後ろ姿しか見んかったわ。女の人にしては背ぇ高い方かな。おとなしい着物着て、首や肩の辺なんかこう、すうっと細うて——」

馬術部のクラブハウスで私を震え上がらせた暗い瞳。そして今し方、あどけなく微笑むところを見たばかりの、繻子《しゅす》のようになめらかで深く、暖かい目。石と花ほども異質な眼差しではあったが、どちらも同じ人から受け継いだものだったのだ。

「知ってるのかな、二人とも?」

「さあな。けど、普通、知ってても知らんふりするんやないか? どっちにとってもええ話やないし。俺かてもちろん学校じゃ何にも言わんよ。君やから話してんのやで。まあ、おそらく、摩耶さんは知っててもおかしゅうない思うわ。エアリエル見てみ。あのライバル意識は普通やないで」

ライバル意識だけの問題ではないだろうと私は思った。もっと複雑だ。由良くんの話が本当なら、天宮くんは愛馬と友人を一度に失ったことになる。最初から計算づくの背信行為なら、酷《ひど》い話だ。天宮くんは、誰とでも握手して冗談を言い合うタイプではない。エアリエルも摩耶さんも、どちらもかけがえのない存在だったに違いないのに。

私の胸中には、にわかに熱い、深い同情が広がっていった。十代の頃、友情はこの上なく神聖な問題なのである。愛による挺身《ていしん》も孤独への馴致《じゅんち》も、私たちは友情から学ぶのだ。

私の瞼にはまだ、少しうなだれて傍らを歩いて来た天宮くんの姿が、薄月《うすづき》のように懸かっていた。哀しみのために清らかに瘠せている人たちがいる。たとえば聖画《イコン》の中に。彼らの目はいつも何かを悼《いた》んでいる目だ。こよなく愛《いつく》しんだにもかかわらず、思いがけなく失われてしまったものを。

松林の際《きわ》で、海の風と光と、透き徹った明るい淋しさを纏《まと》ってふと佇んだ少年は、そういった聖者のことを思い出させた。由良くんと別れてぼんやり歩いていた私の足元で、さっき捨てた蝉の抜殻が、乾いた脆い音をたてて壊れた。エアリエルの翼か摩耶さんとの友情か、どちらか一つでも取り戻せるとしたら、天宮くんは何と言うだろう?

三九　船幽霊《ふないうれい》

その夜、松竹さんとロック・グループの面々が、三話連続で怪談を物語ってくれた。

第一話は海から這い上がってくるバケモノの話。海岸で焚火をしているキャンパーたちの中に一人ずつ紛れ込み、いつの間にかすっかり入れ替わってしまうというSFタッチ。第二話は夜更けに松林をさまようバケモノの話。松の木の枝で首を吊った源さんという漁師の亡霊だとか。第三話は磯姫または海女房といわれるバケモノの話。人間をつかまえてその血を啜《すす》る海の妖女だ。皆、馬鹿にして、鼻先で笑いながら聞いていた。

ところが寝に行く段になって、青木くんが海岸にウォークマンを忘れてきたことに気がつくに及んで、お化け話はにわかに信憑性を増してきた。

「ばっかじゃのう、今ごろ。とっくに波にさらわれとるわいや！」

と上月くん。しかし青木くんは望みを捨てない。

「いや、置いとったんはあのボロ船の近くなんじゃ。あそこまで波は来んはずじゃけぇ」

ボロ船というのは、天宮くんが話してくれた「難破船」のことらしかった。

「わからんで、満潮になったら」

「惜しいんじゃったら早よう取りに行て来いや」

「今から？　おい、お前ら、わし一人で行かすつもりなんか？」

「当然じゃ。お前のウォークマンじゃろうが」

「まだ十一時前で。行け、青木！」

悪ノリした上月くんと津々浦くんがせき立てる。洲々浜くんの目には同情の色があるが、一緒に行こうとは言わない。茶村くんと弓削くんは、肝試しというゲームが、軟弱に流れがちなミッションスクールの教育課程のひずみをいかに補正し得るかという点を論じ合っている。

「友達がいのない奴ばかしじゃのう。遠野、一緒に来てくれえや」

青木くんは遂に私に向かってアピールした。

「バケモノなんて信じてないって言ってただろ？」

と私が渋ると、

「こっちが信じてのうても出るのがバケモノじゃ。それに、恐いのはバケモノだけやないで。変質者でもおったら、大事《おおごと》じゃいや」

「よし。それじゃ、抽選で同行する奴を一人選ぼう。船のところまでなら三十分もあれば往復できる。ウォークマンを捜す時間を入れても四十分か、せいぜい五十分てとこだ。一時間経っても帰って来なかったら、残りの者が迎えに行ってやるよ」

と茶村くんが最終決定を下した。私はいつも籤運《くじ》の悪い方だからと安心していたのに、見事に丸印のついた紙切れを引き当ててしまった。

舞踏室からテラスへ出てみると、ついさっきまで皓々《こうこう》と照っていた月が隠れていた。本日の天気予報によると、瞬間最大風速二十メートルの台風＊号は、時速十キロというのんべんだらりとしたペースから、じりじりとスピードを上げつつ北上中、今夜中に四国足摺岬《あしずりみさき》沖を通過して、明日の朝には紀伊半島に上陸、関東地方に達するのは、加速の度合いにもよるが、明後日の夜明けになる見込み、野分《のわき》の頃の大型台風とは違うから、大雨による洪水や土砂崩れなどの被害は少ないと思われるが、海上では波が高いでしょう、以上、竜宮管区気象台より津々浦洋《つづうらひろし》がお伝え致しました、ということだった。

友人たちは、異口同音に餞《はなむけ》の言葉を言いながら、階段に並んで私と青木くんを見送ってくれた。テラスには、どういうわけか、早々と盆提灯《ぼんぢょうちん》が灯っていたが、明かりは階段の半ばまでしか届かない。だんだん暗くなる中を、下へ降りてゆくのは気が滅入る。最後の段は完全に闇に浸《つ》かっていたため、見落とした青木くんが、つんのめって転びそうになった。松林はもちろん真っ暗である。

「鼻をつつまれてもわからんとはこのことじゃのう」

青木くんが、わななく声で言った。

「鼻を――『つままれても』じゃなかった？」

尋ねるこちらの声も負けず劣らず頼りない。

「そうそう。つい緊張しとるもんで……」

「街灯でもつけてくれればいいのになあ。懐中電灯はルール違反だなんて、みんなひどいよ」

「砂地のとこまで行ったら、また月が出とるかもしれんで」

防風林は海岸線に沿って長々と続いていた。が、幅は一キロもなく、昼間なら下生えの中をまっすぐ近道すれば、あっと言う間に浜へ下りて行ける。地面に凹凸があったり、松の根や切株に邪魔されたりするので思ったより暇がかかったが、私たちはどうにか無事砂丘に着いた。ありがたいことに、月がまた顔を出していた。

「バケモノなんざチャンチャラおかしいわい」

と、青木くんは急に強気になった。

満潮の波が高々と打ち寄せていた。砂丘のごく近くまで水が来ている。

「ぐずぐずしてられないね」

「おう。あの船、浮かんどったらどうしょうかのう。わしの貴重なウォークマンが――」

私たちは黙って足を早めた。松林は、月を横切って飛ぶ怪鳥の影のように、並んで黒々とついて来た。間もなく、私は走り出そうとした。すると青木くんにシャツの袖をつかまれた。

「おい！　今――なんか聞こえんかった？」

「別に」

「気のせいかのう？　鐘か、鈴の音みたいなのが聞こえたような……」

「おどかすなよ。ここまで来て――」

チリンという幽《かす》かな響き。青木くんと私は顔を見合わせた。続いてさざめくような低い笑い声が風のまにまに伝わってきた。私たちの目指す方角からだ。

「うわ、あれ……おい、あれ、遠野、あれ！」

押し殺した声で呟きながら青木くんが指差す先には、月下に横たわる難破船の黒い影があった。浮かんではいなかった。海は、波飛沫《なみしぶき》が舳先《へさき》の突端にかかるくらいの所で、辛うじて船を諦めていた。船体は天宮くんが言ったとおり、左舷《ポートサイド》へやや傾いている。その甲板上、約一メートル五、六十センチの所を朧《おぼ》ろな白い塊がふわふわと行きつ戻りつしていた。

「お、お化け……！」

私も青木くんも、はじかれたように駆け出し、せっかく抜け出した松林の中へ逃げ込んだ。

「どど、どっちじゃろ？　エ、エイリアンの方じゃろか？　それとも源さん？」

「源さんはたしか——松の木だよ！」

一気にまた松林の出口まで駈け戻る。

「落ち着け！　おい、落ち着け！　バッバッバッバッ——」

「青木くん、こんな時にモーターボートの真似なんか！」

「——バッ、バケモノとは限らん。見間違いじゃったかもしれんで」

「二人で見たのに？」

「見たのは確かじゃけど、なんかほかのもんじゃったいう可能性もある。ウミネコとか」

「このへんにウミネコなんているもんか」

「わし、きのう見たで。厨房の勝手口まで来とったけぇ、陳さんと残飯投げてやったんじゃ」

「あれは、ノラネコ」

「海岸地方で野生化したネコのことやないんか？」

青木くんは完全にパニック状態である。私はしっかと目を閉じて論理的な考察を進めようと努力した。消去法でいこう。海鳥が今頃浜辺にいるはずはない。みんな巣の中だ。また、猫は宙に浮かない。あの白い物には尻尾《しっぽ》がなかった。だから猫でも人魂《ひとだま》でもない。笑いは人間に特有の感情表現である。幽霊や妖怪は人間ではないからして、笑うことはできない。私は深々と息を吸い込み、吐き出した。

「よし、見に行こう」

「ちゃ、ちゃ、茶村やほかの奴らが来るまで待たん？」

「ウォークマン、心配じゃないの？」

この一言に士気を鼓舞されて、青木くんはついて来た。あの白い物体は人間かＵＦＯかわからないが、姿を見られない方がいい。私たちは松林と砂丘の境界の暗がりに潜んで静かに前進した。難破船の方を見ると、白い物は消え、月明かりに曝《さら》された甲板上に物の動く気配はなかった。

船には後部甲板よりに小さな船室《キャビン》がついていた。船尾《とも》にさわれるくらいまで近づいた時、その中でゴソゴソと怪しい物音がした。心臓が縮み上がった。何か——いや、誰かが、甲板へ出てきた。

「また台風が来るんかいなあ……」

ボソリと呟く声を聞いて、思わずその場に座りこんでしまいそうになった。禿地頭さんではないか！　体中の筋肉が一度に弛《ゆる》む。

「さあ、どうですか——このへんは、ちょっと風が出るくらいですむんじゃないかしら？　乗馬センターで催し物があるのに、雨が降ったらお気の毒だわ」

禿地頭氏の後から出てきたらしいのは、母であった。

「やっぱりキャビンの中は蒸し暑いですね。デッキでお月見しながら涼んでいる方がいいわ。少し酔っ払ったみたい。お夕食の時からずっとワインを戴きっぱなしなので」

グラスが触れ合ったのか、チリンと鈴のような音がした。なんのことはない。中年の夫婦が、満月を肴《さかな》にワインを飲んでいるのだ。

「あんまり涼みすぎて風邪ひいたらあかん。スカーフははずさんとき」

「これ、ウェディング・ベールのリサイクルなのよ。お気づきになった？　きれいでしょう？」

「ああ、きれいや。よう似合《にお》とる」

ロマンティックなフルムーン・デートを邪魔してはならない！　青木くんと私は、互いの肩にしがみついて必死に笑いをこらえた。

四〇　怪談《くわいだん》

母と禿地頭氏はとりとめもない話をしながら、船尾の方へぶらぶら歩いて来た。私たちは、引きつる脇腹を押さえ、二人に見つからないよう、フジツボの如くぴったりと船体に張りついた。

「今度のホテルのことではえらい世話かけてしもたな」

と言う声がすぐ頭の上から降ってきた。禿地頭さんが下を見ませんように！

「あんたのおかげで大助かりや。松竹もたまげとったで。あないにおっとり上品な医者の奥さんやった人に、ここまで客商売の才能があるとは思わなんだっちゅうて」

母の笑い声がした。

「私、おっとりした奥さんをするより、こうしてお仕事任せていただく方がいいわ。たしかに大変ですけど、結構楽しんでいますからご心配なく」

「緑くんも楽しんどるようやな。よかった」

「本当に、ご親切にお招きいただいて」

「何言うとんのや、水臭い。わてら、夫婦なんやで」

と言って、禿地頭さんは照れ隠しの咳払いをした。青木くんは両手で口を覆って体を震わせている。私の方も、いつまで静かにしていられるか怪しいものだった。

「あの子は偉いで。見かけはちっとばかしひ弱そやけどな。鶴島で、淋しいこともあるやろに」

「そうでもないと思いますわ。もう高校生ですし。いいお友達もたくさんできて……」

「そない言うても、子供はやっぱし母親の近くが一番やで。緑くんだけやない、あんたかて——」

母は何も言わなかった。話題が自分のことになったので少し気が白けて、笑いの衝動は徐々に鎮まっていった。月はまたゆっくりと雲の陰に入ろうとしていた。

「わてに遠慮することないのや。あんたが緑くんと一緒に暮らしたい言うなら、わてはいつでも引き取るつもりなんやさかい。どや、そうした方がええんちゃうか？」

母は黙り続けていた。程なく私たちは皆、船もろとも闇の中に沈んだ。月が完全に隠れてしまったのだ。しばらくして禿地頭さんが、驚いたような声で言った。

「泣いとんのかいな？」

「——すみません」

「なんぞ悪いこと言うたか？」

「いいえ、そんな」

「一体どないしたんや?」

「ごめんなさい。そんなにご心配いただくなんて、本当に嬉しくて――」

「ほな、決まった! 緑くんはうちへ引き取ろ。な?」

「いいえ」

「紅子《こうこ》はん――?」

「きっと、ひどいことを言うとお思いでしょうけど、私……私は……あの子の側にいるのが恐いんです」

「紅子はん!」

私は息を詰めた。母の口から出たとは到底思えない台詞《せりふ》だ。私を竜宮城へ呼んでくれたのは母だったのだ。〈Turtle's《タートルズ》〉で差向いでお茶を飲むというプランもまだ実行していないというのに?

隣で青木くんが居心地悪そうに姿勢を変えた。

「おかしいでしょう? 変なんです、私は。でも嘘じゃない。本当に恐くてたまらないの」

「なんちゅうことを言うのや! あんた、自分の息子がかわゆうないんかいな?」

「もちろんかわいいわ。たった一人の子供なんですよ」

「それやったら、なんで――」

「だから、おかしいのは私の方だと申し上げたでしょう！　緑はちっとも悪くないんです」

「わからんな。緑くんがおったら何が恐いて？」

「あの子の側にいると私、時々何とも言えず淋しい気持ちになるんです。たぶん緑の顔が――」

「顔がなんやねん？」

「父親にそっくり……顔だけじゃありません。話し方とか、仕草、ちょっとした癖――全部」

「亡《の》うなった旦那さんを思い出さされるんがつらいっちゅうことか？」

「ええ――あなたの思っていらっしゃるような殊勝な気持ちからではありませんけど」

「どんな気持ちからやと言うんや？　わてはな、紅子はん、憚りながら、今のあんたのハートにはわてしかおらんと自惚《うぬぼ》れとったんでっせ」

「そのとおりですわ。私、直記さんと結婚できて幸せです。なんだかやっと人間の側で生きることができるようになった気がしますの」

「アホなこと言いなはんな。バケモンとでも暮らしよったみたいに。緑くんの父さんでっしゃろ？　息子が親父に似て何が悪いのや？」

青木くんが猛烈に頷いたような気がする。私はますます身を縮め、膝を抱えた腕に額を凭《もた》せかけて目を閉じた。この方が聞き取りに専念できる。あらゆる恐ろしい想像が一度に押し寄せてくる中、集中力を保つのは容易なことではなかった。短かい沈黙の後、ためらいがちに母が口を開いた。

「……普通に生まれた子ではないんです」

「なんやて？」

「緑は——なんて言ったらいいのかしら？　普通のやり方で生まれた子供じゃないんです」

「どういうことやねん？」

「人工授精児なんです」

はっと息を呑む気配。物の砕ける音。ワイングラスが甲板の床に落ちたのに違いない。ここまでシナリオ通りだと映画が撮れそうだ、と、奇妙な考えが頭をかすめた。こめかみがズキズキする。

「け——けど、あんた、今の今、緑くんはお父さんそっくりやと言うたばかりやおまへんか！」

「言いました。当然ですわ。父親は遠野なんですから。人工授精といっても、夫婦間で行われるケースがほとんどですのよ。夫が完全に無精子症《アスペルマ》と判明しない限り。でも私たちの場合、なかなか成功しなくて——それで遠野が私に言ったんです。『どうしても子供が欲しいのなら、いっそAIDの方にするか？　提供者は慎重に選ぶから』って」

「AIDてなんだす？」

「非配偶者間の人工授精で——夫以外の精子の提供者《ドナー》のことです」

「見上げたご亭主やな。並みの男やったら、なんぼ女房が子供欲しがってもそこまで言うたらんで。万に一つでも自分の赤ん坊つくるチャンスがあるうちは。よっぽどあんたに惚れとった証拠や」

「そうでしょうか――？」

「そや！　そうでのうて、どこの世界に、カミさんが他の男の子をはらむ危険を敢えて冒す奴がおますかいな？　どうしても子供生みたいいうあんたの気持ちを痛いほどわかっとったのや。あんたも嬉しかったやろ？」

「私……ゾッとしました」

母の声は、ほとんど啜り泣きだった。

「子供が欲しかったのは事実だけれど、そんなに――そんなにまでして、作らなければいけないのかしら、と思って」

「そやけど、結局そこまでする必要はなかったんでっしゃろ？　緑くんが生まれたんやさかい。どっから見ても遠野さんの子の。めでたしめでたしやないか」

「でも……あれ以来、おかしくなってしまったんです」

「夫婦の間が？」

「いえ……私が。夫はもともと穏やかな人でした。緑が生まれたあとも、変わらず優しい――それなのに、なんだかあの時以来、誰かの影が絶えず私たちの間に入って来るような不安につきまとわれて。病気じゃないかと疑ってみたくらい。内緒でカウンセリングにも通いましたわ」

「診断はなんや？」

「私の姦通願望ですって」

「ケッタイな！」

「私も納得がいきませんでした。本当に診断通りなら、夫の存在が疎《うと》ましくなるはずじゃないかしら？　全く逆でした。夫が私からどんどん離れていくような――離れるというより、私の目の前で、少しずつ、少しずつ、見知らぬ人に変わっていくような気がして、居ても立ってもいられなくなるんです。幸い緑が生まれてからは、遠野の仕事がだんだん忙しくなってきたせいもあって、そんな不安はいつの間にか消えてしまいましたけど。私自身、実は忘れてしまっていたんです」

朽ちかけた床板が軋《きし》んだ。母か禿地頭さんが、しゃがんでグラスのかけらを集めているらしかった。

「すっかり忘れていたんです。一昨日《おととい》、緑を見るまで。一体なぜなんでしょう？　あの頃と同じ気持ちを感じるんです。淋しい、淋しい、底なし沼に落ちていくような淋しさ。この前会ったのはお正月でした。その時は何でもなかった。たった五、六ヶ月のことなのに、あの子、なんだか変わってしまって」

「育ちざかりや。半年も会わなんだら男の子が変わるんは当たり前でんがな」

「でも……」

「紅子はん、あんた疲れとんのや。それともこんなとこで酒飲ましたんが悪かったか。もう帰ろ。帰って、寝《やす》も。な？」

「すみません。こんな話をして――」

「謝ることあらへんがな。お？　あかんわ、雨降って来よった！　ほれ、わての上着かぶって。乗馬センターの駐車場までや。そう濡れずにすむやろ。さ、こっちこっち、早よ来なはれ」

禿地頭さんは、船から先に飛び下りて――ズシンと砂にめり込む音がしたから――母に手を貸したようだった。二人は気がせいていたし、地面と甲板との距離が短かい右舷側から下りてくれたので、私たちは見つからずにすんだ。禿地頭さんと母の足音が松林に消えると、青木くんがそっと立ち上がって、ウォークマンを探し始めた。私は呆けて船腹に凭れていた。生温《なまぬる》い雨の滴《しずく》が、ぱらぱらと顔にかかる。拍手する気にもなれない怪談を、また一つ聞かされたような……

斯《か》くなる上は、鼻で笑って忘れてしまうのが得策であろう。

四一　朝曇《あさぐも》り

私は夜明けに目を覚ました。重い眠りだった。もう一度寝直す気にもなれないまま、起きてバルコニーへ出て行った。鯨の腹をいくつも並べたような雲が空いっぱいにひしめきあっている。じきにまた、一雨来るのだろう。

雨の日には、いつもより時間がゆっくりと流れるような気がする。忘れてしまいたいことまで思い出してしまう。忘却はウミネコ、いや、ノラネコのようだ。どこからか現われてそのへんで気儘《きまま》にくつろいでゆくくせに、こちらが躍起になって呼ぶ時に限って、絶対やって来ないのだ。

母と禿地頭氏の会話は夜通し私の脳裏を去らなかった。ようやくうとうとしたかと思うと、夢の中で余計鮮明に甦ってきた。今更一緒に暮らしたいと望んでいたわけでもないのに、実際に母の方からああ言われてみると、やはり堪《こた》える。母親べったりではないと自負していたのが滑稽だった。

だが不思議に腹は立たなかった。私を引き取ろうという禿地頭氏の提案を母が断わったからというので、なんちゅうお袋さんじゃ、と青木くんはしばらく憤慨していたが、当の私は、なぜか母を恨む気にはなれない。ただ、少し哀しかった。母が、朧《おぼろ》げにではあっても、本能的に感じとっていた夫からの疎外感は、父自身にも——そして私にも——癒してやることはできないだろうという気がしたからだ。側にいればいるほど悪化する、進行性の孤独。そんなものがあるのかもしれない。新しい夫のもとでは淋しい思いをせずに、笑い上戸の忙しい奥さんでいられるのだから、母にとっては今の方が幸せなのだ。私は禿地頭さんにつくづく感謝した。（無骨で温かいそのハートにも。）私は、父が母にスカーフが似合うと言っているところなど、聞いたこともなかった。

これまで意識しなかった、母との間の微妙な不協和音——しかしそれは、私たちが互いの距離を強《し》いてこれ以上縮めようとしない限り、いつか自然に解消されてゆくだろうと思った。また、私が人工授精で生まれた赤ん坊だという事実も、母にとっては所謂精神的外傷《トラウマ》なのかもしれないが、私にはただの新事実だ。新しい情報ではあってもショックとは言えない。私が遠野《とおの》銀《しろがね》の息子であることは一目瞭然らしい。ということは、両親は今までどおり、私の両親なのだから。

私の頭の中に繰返し響いていたのは、また別の主題だ。「ＡＩＤ」——父はなぜそんな話を持ち出したのか？　生まれて来る赤ん坊が妻の血を受けてさえいれば、半分は誰の子でもよかったのだろうか？　キリスト教的博愛主義の一変種と言えないこともないが、生身の信者には地上の葛藤がある。禿地頭さんの言い草ではないけれど、自分の妻の胎内に他人の子供を宿らせるにやぶさかでない夫が、どこにあるだろう？　里親として、よその子を引き取って育てるという方が、まだ自然なのでは、と思う。

『聖書物語』を読む子供の心に湧いてくる素朴な疑問の一つは、ヨセフと神様とがなぜ同一人物ではないのかということだ。

「かみさまはイエスさまのおとうさんでしょ？」

「そうだよ」

「マリアさまはヨセフとけっこんしてたんでしょ？」

「そうだよ」

「だったらどうしてヨセフはかみさまじゃないの？」

「マリアさまがヨセフとけっこんしたときには、もうイエスさまがおなかにいたんだよ。だからイエスさまのおとうさんはヨセフじゃなくてかみさまなんだ」

「それじゃイエスさまにはおとうさんがふたりいるの？」

「まあ、そんなもんだ。でも、ほんとうのおとうさんは、かみさまだけなんだよ」

「かみさまはどうしてマリアさまとけっこんしないの？」

「マリアさまはヨセフとけっこんしてたからさ」

「マリアさまはイエスさまのおかあさんでしょ?」

「ああ」

「じゃあどうしてヨセフはイエスさまのほんとのおとうさんじゃないの?」

「だから、かみさまが——」

「かみさまはヨセフじゃないの?」

父はたいていこのあたりで不毛な会話をギブアップして、私を近くの公園へ連れて行った。ちゃちな滑り台やジャングルジムなどの、お粗末な小道具でごまかされた町中《まちなか》の公園ではない。高い木々が茂り、芝草の青々と広がる自然公園で、敷地を貫いて流れる川のほとりで釣り糸を垂れる人もある。家はその頃、東京の外れにあった。勤務先までの通勤時間が惜しいというので、父は医局の同僚二人と共有で四谷にマンションを借りて、研究で遅くなった日などは、そこに寝泊まりしていた。

父にとって整理整頓は第二の天性であったらしく、母がたまに、お掃除に行きましょうか、と訊いても、決まって「いいよ」と断わっていた。(母の方もそれがわかっているから、安心して尋ねることができるらしかった。)母は無精というほどではないが、掃除洗濯に関してはあまり野心的でなく、必要最小限のノルマさえ果たせばそれで気のすむ性分だった。そのため私は、母には決して子供部屋の片づけを手伝わせなかった。どんなに散らかっても、父が帰宅するまで待って、一緒に片づけてもらう。時には二日も三日も帰って来ないが、それでも、待つ。というのは、玩具《おもちゃ》の片づけを自分でやったり、母に手伝ってもらったりすると、後で必ず、どこかへ紛れ込んで見つからなくなる物があるからだった。積木、パズル、プラモデル、グライダー、ローラースケートその他で足の踏み場もない子供部屋とその主を、ジロジロと見比べながら、お父さんの部屋の方がよっぽどきれいだなあ、と父は呆れていた。

そう言うのも尤もなほど、父のマンションはいつでもこざっぱりと片づいていた。母に連れられて時々遊びに行くと、男所帯だから派手な活け花やフリルのカーテンこそ見当たらないものの、線のすっきりした暗色の家具調度が、銘々あるべき場所にきちんと納まっている。寝室の壁に掛かった油彩がただ一つの意図的な装飾だった。画布《カンヴァス》の中央に、白い鳥とも花ともつかない、ふわりと柔らかい形が描《か》いてあるのだが、背景もまた、麻の目を丹念につぶして下地作りをしたらしい微妙な乳白色なので、際立っているのはむしろ、薄青く滲《にじ》んだその影である。

「何を描いてあるんですか?」

と、母が尋ねたことがあった。

「さあね。写真や絵をやってる友人がくれたんだ。神経科だから何かのセラピーのつもりかもしれない。それともテストかな? ロールシャッハのような」

「私にはお花に見えるわ。白い背景に白い——罌粟《けし》かしら?」

「緑は？　これ、なんだと思う？」

父は私をベッドの上に載せる。私は絵に近寄ってつらつら眺めるのだが、皆目わからない。

「知らない」

と答える他はない。ベッドの裾に腰掛けた父は、

「コンプレックス皆無《ゼロ》。今はまだ、意識の深層から、滓《かす》や澱《おり》を浚渫《サルベージ》してやる必要がないということかな」

と笑って、片手で私を抱き寄せる。自分の想像力の貧困を褒められたのか貶《けな》されたのか、定かではなかったが、父が楽しそうなので、私はいい方に解釈して悦に入った。

個人的経験から言うと、この年頃の子供は、たとえば休暇などが楽しかったかと訊かれて、「うん！」と答えはしても、〈楽しい〉とはどんなことか説明してみよと言われると、できない。「楽しかった？」と尋ねる大人の声や表情に、すでに肯定の返事を期待してはずんでいる何かがあるから、それに誘発されて「うん」と言うことが多い。〈楽しさ〉或いは〈幸福〉の概念を、純粋に自らの体験として理解し、語ることができるようになるのは、はるかに後のことだ。私が父と一緒にいて幸せな気分でいられたのは、父がいつも幸せそうに、私を見たり、名前を呼んだり、抱き上げたりしたからだ。自分とは別の光源から暖かく放射される幸福感を、太陽に照らされる月のように、子供の私が反射していたのだ。

何の手柄を立てたわけでも、犠牲を払ったわけでもないのに、自分がそこにいるというだけで、こんなにも喜んでくれる人がいる。自我《エゴ》にとっては最高の贅沢だ。その点では、大方の一人っ子と同じように、私は随分贅沢に育てられたと言える。そして、大方の一人っ子の例にもれず、物心つくや否や、世間と家庭のギャップを痛感して遺憾に思っていた。とはいえ、自閉症に陥ったり登校拒否を敢行したりするほどではない。小学校は健ボー症に物を言わせて超然と過ごした。両親がそれとなく仕組んだプログラムにまんまとはまって、高学年になる頃には塾も稽古事も完全に習慣化してしまい、できがよかろうが悪かろうが、教室へ出かけて行くこと自体は苦にならなくなっていた。ピアノはフランス組曲の途中でやめた。父が死んだ年だった。

父はある時期、大学病院を去ろう、つまり辞職しようと考えていたことがあったらしい。プロフェッサーに説得されて、今しばらく研究生という身分《ステイタス》で留まり、その間に再考してぜひ復帰するようにと言われていたそうだ。ではお言葉に甘えて考えさせていただきます、と言ってマレーシアへ発ったきり、医局にもこの世にも永遠に復帰する望みはなくなった。死ぬところを見たわけではないので、母も私も当座は全く実感がわかず、単に滞在が長引いているだけのような気が始終していた。父の不在には慣れている。待っていれば、そのうち帰ってくる。帰ってきたら一緒にピアノの復習《おさらい》をして、すんだら犬を連れて公園へ遊びに行く――と空想しているうちに、隣家の大銀杏《おおいちょう》が金色の松明《たいまつ》のように燃え上がり、斑《まだら》に色づいた柿の葉が散り、朝夕吐く息はますます白くなって、霙《みぞれ》の降る寒い朝に旭日学園の入学試験が行なわれた。その後は入学式、母の見合い、再婚、と立て続けに事が運んだ。おちおち回想に耽る暇もなかった。父の死という事実が私の心の中で今なお棚上げ状態になっているのは、そのせいかもしれない。悲嘆にくれて然るべき時期を逃してしまったから、哀しみの後の諦めと受容もまた無期延期されてしまったらしい。

合格発表の日、母は何かどうしても抜けられない用事があった。それで、私のピアノの教師だったN先生と一緒に発表を見に行くことになった。先生は父と同じ教会へ行くクリスチャンだった。指揮科を出ている人で、ピアノはごく限られた知人の子弟にだけ、頼まれて教授していたようだ。午前十時の発表と同時に、掲示板の前は受験者とその父兄で黒山の人だかりとなったが、たいていの大人より頭一つ背の高いN先生は、易々と私の受験番号を見つけ出してくれた。帰りの車の中で、

「よかったね。お父さんも喜んでいらっしゃるよ、きっと」

と言う声は大変優しく、語尾が微かに震えていた。

天国にいる死者の消息は現在形で語られる。私以外にも、父のことが好きで、できるならその死を信じたくないという人がいる、と思った。

四二　握手療法《あくしゅセラピー》

気がつくと、弓削くんが隣に立っていた。寝不足なのか、目の下にパジャマとお揃いの青灰色《ブルーグレイ》の隈《くま》ができている。そのため、彫刻のような鼻が、普段より鋭く尖って険呑《けんのん》に見えた。並んで手摺りに凭れること数分、やっと口を開いた弓削くんの声は、墓石のように固くてまっすぐで冷たかった。

「何か言うことがあるんじゃないか?」

「別に――」

「とぼけるなよ。昨夜《ゆうべ》からずっと俺のこと無視してるくせに。夕食の時からずっとだ。夜は夜で、それこそバケモノでも見たような顔して帰って来て、さっさと寝ちまうしさ。何を怒ってるんだ?」

「怒ってなんか――ああ、そうだ。怒ってたんだ。袋叩きにしてやろうと思ってた」

「罪状は?」

「忘れたよ」

「嘘つけ」

「――いいんだよ、もう。大したことじゃないんだから」

「思い出したくないってわけ？」

私は答えなかった。もともと朝食前に議論をする趣味はない。そこへもってきて、特に寝覚めの悪い朝だったから、弓削くんの皮肉な口調に、世界は突然無彩色《モノクロ》に転じた。

「俺の方には、思い当たることっていえば一つしかないね」

へえ、そうかい？　私はまるで駄々っ子の気分になった。どんなことを言われても逆らってやる、と決めた。謝ってみろ。絶対に赦してやらないから。

「悪かったよ。君があんまり振り回されてるのがおかしくてさ、つい――」

「振り回されてる――僕が？　何に？」

「『誰に』だろ？　野瀬さんに決まってるじゃないか」

大当たり。私は完全に世を拗《す》ねた。むっつり押し黙って沖合を眺める。空も海も人生も、泥色に糊化《こか》していく。嗚呼《ああ》、混沌！

「わかんないね。確かにカッコいいけどさ。同じ人間じゃないか。何でそんなに一喜一憂しなきゃいけないんだか、理解に苦しむよ。あの人のことになったら君の反応って、ほんと、マトモじゃないぜ」

どうせ分裂病質《スキツォイド》だよ。私は無性に意地悪なことを言いたくなった。

「僕も交換日記をやるくらいマトモになれってこと？」

弓削くんは顔を赤らめた。相手に一矢報いたことがわかると、私はすぐに後悔した。武力闘争はもちろん苦手だが、神経戦にも弱いのだ。

「ごめん、弓削くん。もうやめようよ。今とても喧嘩《けんか》できる気分じゃないんだ」

「こっちは大いにその気ありだよ。でも——ま、いいさ。君がそう言うなら、この次にしよう」

私が差し出した手を、弓削くんは申し訳程度に軽く握った。私は急にひどく淋しくなった。

「駄目だよ、そんなんじゃ」

「何が？」

「握手する時はきちんとしてくれないと」

我ながら子供じみているとは思ったが、言わずにはいられなかった。実際、手応えのない握手は、室温で飲む牛乳と同じくらい私を虚無的な心持ちに誘う。弓削くんは隈のできた大きな目をいっそう大きくして私を見たが、次の瞬間には笑いだしていた。

「おい、頼むよ、泣きださないでくれよ。君を泣かしたらほかの連中から袋叩きにされるから！」

と言いながら、もう一度私の手を握った。

「こんなもの？」

「うん」

「もっときちんとやろうか？」

「痛いよ」

早朝の平和が戻った。空と海はまた分離して、それぞれの柔らかな銀灰色に輝き始めた。嘘のような話だが、弓削くんの二度目の握手の後、私の機嫌は速やかに回復していった。精神科領域で握手療法《セラピー》というのが実施されているかどうか知らないが、午前中の軽いデプレッションにはお奨めだと思う。

朝食は昨日に引き続き、和風だった。瀬戸内産の高級片口煮干しでだしを取り、八丁味噌にちょっぴり豆板醤《トウバンジャン》を足してオリジナリティを強調した陳さんの味噌汁は、確かに美味《うま》かったが、「ごはん、みそしる、たくわん」と言った言葉通り、他に何も出してくれないのが玉に瑕《きず》だった。それでも昨日は、青木くんが鍋島さん直伝の葱《ねぎ》入りだし巻きで補足してくれたので、洲々浜くんを除いて、空腹を耐え忍ばなければならない者は誰もいなかった。洲々浜くんは卵アレルギーなのだそうだ。今朝も卵焼き?と、冴えない顔つきで青木くんに尋ねている。

「毎朝タマゴも芸がないのお」

津々浦くんは親切に迎合してやる。上月くんが三杯目の味噌汁から顔を上げた。

「きのう釣ってきた魚はどこへやったんじゃ？」

洲々浜くんの顔色が変わった。

「ロビーの水槽に入れとるけど……」

「イキのええうちに食おうで」

上月くんの提案に、洲々浜くんはいっそう蒼ざめた。隣の津々浦くんが相棒の心境を代弁する。

「そりゃあないで、上月！　あれは洲々浜が家へ連れて帰る言うたじゃろうが」

「おまえ魚連れで新幹線に乗る気か？」

「い――犬や猫が乗っとるんじゃけえ、怒られんじゃろ？」

しどろもどろの洲々浜くんに、憐憫と軽蔑の入り混じった友の視線が集中した。上月くんだけは、あくまでもハードボイルドで通すつもりだ。漬物を音高く獰猛《どうもう》に噛りながら、と言う。

「金魚やないんで。食うちゃらんと釣られてきた甲斐がないわい」

「でも、海水魚を鑑賞の目的で飼ってはいけないという法律はないんだ。水族館を見ろよ」

茶村くんが調停に入る。

「水族館は学術研究用。寿司屋の生簀《いけす》を見んさい」

「そう言えばそうだな」

「現状では確かに、朝飯をもう一品増やしてもらうとありがたい」

「そんな……」

「食用魚の宿命じゃ。ペットにしたいんじゃったらエンゼルフィッシュを釣れ」

「もっと魚サイドで考えぇや」

「釣られた魚はどうすれば一番幸福になれるんだろう？」

「塩焼き」

「お造り」

「天日干し」

この後しばらく、捕獲された魚の福祉と生存権について喧々囂々《けんけんごうごう》の議論が戦わされた。やがてロビーに置いてある骨董品のホール・クロックが、破《や》れ鐘のような音で九時半のチャイムを打ち鳴らしたので、討論会はお開きになり、乗馬センターへ障害飛越競技を見に行くことにした。

相変わらず、今にも降り出しそうな空模様だ。昨日より風が強く、七月とは思えないほど涼しい日だった。浜沿いに歩いて乗馬センターの裏手から入る、いつもの道を取った。難破船の横を通り過ぎる時、私は努めて昨夜のこと考えないようにした。

「弓削、きのう船室をチェックしてみてどうだった？」

茶村くんが船を見上げながら尋ねた。

「案外ましだったよ。もちろん砂だらけだけどさ。掃除すりゃ使えるんじゃない？」

「何じゃ、茶村、引っ越して来るんか？　ホームシックにはまだ早いで」

「松竹さんが望遠鏡を持ってるそうだから、ちょっと貸してもらって、一晩天体観測をする予定なんだ。その時、道具を置いておくスペースがあるかと思ってさ」

「実に暗い趣味じゃ。のお、青木？」

「そうかのう？　わしゃ結構好きなんじゃけど——」

「心配するな、上月。おまえは絶対誘ってやらんから」

センターに着くと、ちょっとした勘違いがあったことがわかった。ゲートの脇に、『競技会は第二馬場付属競技場《スタジアム》で行います』という地図つきの貼紙がしてあったのだ。もう一度ぞろぞろと浜辺を取って返した。第二馬場の方へ来るのは初めてだった。着いてみると、一体どこから湧いて出たのか、ものすごい群衆だ。三冠達成の瞬間を見届けんと全米から人が集まったベルモント・ステークスに優るとも劣るまい。そしてその九割方が、私たちと同じ年頃の女の子によって占められている。万国旗のように色とりどりの夏服に混じって、制服姿もちらほら見えた。

「修学旅行にでも来とるんかのう?」

青木くんが恐れ入った顔で呟いた。普段、女性のいない気楽な学校生活を送っているもので、こんな大集団の中にいきなり放り込まれると、皆、不安になるのは否めない。洲々浜くんなど、はぐれたら一大事とばかり、津々浦くんの袖をしっかとつかんでいる。競技はもう始まっていた。スタートの合図である振鈴の音はすれども肝腎の馬が見えない。競技場の周囲に、みっしり繁った生垣とフェンスを巡らせてあるからだ。入場口を探して右往左往する間に、誰かの足を踏んでは悲鳴を上げられ、髪がボタンに絡まったといっては罵られ、とある小グループを知らずに分断して通り抜けようとした上月くんは、

「きゃあ、エッチ!」

と、ハンドバッグでひっぱたかれた。

これはあんまりだ。上月くんのすぐ後ろにいて、彼の無実を知っていた私は、抗議しようとした。バッグの持ち主は、険悪な形相で私をキッと睨みつけた。ミニー・マウスだった。

四三　紳士淑女《レイディーズ&ジェントルメン》

私は固唾《かたず》を飲んだ。今日のミニーは真っ赤なリボン。バッグも靴もワンピースもお揃いの赤。闘牛士のように挑発的だ。こちらも絶体絶命の牛の如く奮い立たねばならない。

「殴るなんて、ひ――ひどいじゃないですか。何もしてないのに」

「したわよ」

「してません」

「したの」

「でも……」

「した！」

「……って、じゃ、何を……」

「破廉恥行為。あたしを押しのけるふりして胸にさわったの」

これを聞いた上月くんは、俄然憤慨した。

「濡衣《ぬれぎぬ》じゃ！　ありもせんもんに何でさわれるんじゃ？」

「何ですって！　このクソガキ！」

強打再び――が、残念、狙いは初回ほど正確でなかった。虚空を打って勢い余ったバッグは、ミニーの手を離れて宙に舞う。放物線が尽きる前に、白い手袋をはめた手がハッシとそれを受け止めた。バスの運転手さんが見物に来ているのかな、と思ったら、人込みが左右に分かれ、バッグを持って歩み出たのは部長の伊集院さんだった。数名の部員を側近のように従えていた。

喋っているところだけ聞くと上方《かみがた》漫才のようだが、競技会の日、亀甲学院馬術部の人々は大変スマートな装いをする。黒いヘルメットに、黒の折返し《ラペル》がついた淡灰色《ライトグレイ》のジャケット、亀子印《カメノコマーク》の校章を銀糸で刺繍したホワイト・シルクのアスコット・タイ、白手袋。ブーツはもちろんピッカピカ。このシックな色彩の中に燃えるような真紅を携えて現われた伊集院さんは、度外れに目立った。ミニーを始め、彼女の友人らしい女の子たちは、魅入られたように沈黙した。

伊集院さんは、赤銅《しゃくどう》色に焼けた顔にお父さん然とした笑みを浮かべて、ミニー・マウスの横にいる少女にバッグを差し出した。

「これ、君の？」

決してハンサムと言えるタイプではない。たとえば摩耶さんが、デッサンの練習用に作られた完璧な塑像の面立《おもだち》を備えているとすれば、伊集院さんの容貌はその対極に位置づけることができよう。ただしそのいかつい風采には一つの稀有な独創性があった。福笑いの最中に、偶然の手引きにより、バラバラな目や鼻が突如恐ろしい生彩を帯びることがあるが、それに似た活力が顔面神経の一本一本に漲《みなぎ》っているのである。訊かれた女の子は頬を染めて恥ずかしげにイイエと答えた。

「じゃあ――彼女のかな?」

と、ミニーの方を向いた時、私は伊集院さんの睫毛の先端が、バービー人形のようにくるりとカールしていることを発見した。劇烈な地殻変動の産物であるかのような顔や体形とは、随分かけ離れた代物である。上背《うわぜい》はないのに肩が異様に張り出しているせいで、上半身は腰のすぼまった所謂逆三角形。下半身は極めて短かく、極めて力強い。キュロットとブーツの外からも、岩のように発達した脚の筋肉がありありと見てとれる。低音の、やや間延びした話し方にも、抑えたエネルギーがこもっている。地下でふつふつとたぎるマグマ溜りのように、いつ噴出するかわからない。

伊集院さんの物問いたげな流し目に会って、ミニーはそわそわと髪を直すふりをした。

「ええ、あたしのバッグです。嬉しいわ、拾って下さって」

上月くんをクソガキ呼ばわりしたさっきの剣幕など、おくびにも出さない。

「きょうは人が多い。礼儀を知らない連中が紛れ込んでいるかも知れないから、気をつけてね」

バッグを渡す時、伊集院さんは不躾《ぶしつけ》といってもいいほどの視線でミニーの目を覗き込み、同時に歯並みの立派な口元を思い切り左右に広げて微笑んだ。

「ザクトライオンのＣＭができるのぉ」

聞き取れないくらいの低い声で、上月くんが言った。

「ああ、馬用のな」

耳敏《みみざと》い弓削くんが、やはり小声で相槌を打つ。伊集院さんは私たちを完全に無視していた。帽子にちょっと手をかけてミニーに挨拶したかと思うと、右や左のお客様にいちいち「失礼、失礼」と声をかけながら、側近を引き連れて悠々と去って行った。

女の子たちは一行の後ろ姿を陶然と目で追った。

「カーッコイーッ！　王子様みたい！」

「やっぱりさぁ、違うわよね、乗馬なんかやってる人は」

「ジェントルマンて感じ」

「ね、ね、部長さんも素敵だけどさ、あたし、あの後ろにいた人も――」

「あれさっき、ミサコが名前訊いた人でしょお？」

「キャー！」

「ウッソー！」

「ヤッダー！」

耳を聾する嬌声が飛び交《か》う。こんな所に長居は無用だ。私たちは前進を続けることにした。

「あそこのガキどもとは大違いだわっ！」

ミニーが侮蔑に満ちた一言を投げつけた。上月くんは一瞬拳を固めたが、振り返らなかった。

第二馬場の敷地はずっと広かった。スタジアムとはまた別に、調教用馬場が設けてある。何頭かの馬が調馬索《ちょうばさく》やキャバレッティでウォーミングアップをしている。ようやくパドックまで辿り着いた時には、サハラ砂漠を横断したくらい疲れきっていた。手近の馬繋柱《ばけいちゅう》に凭れて一息ついていると、見覚えのある馬が一頭、軽快な歩様で近づいて来た。例の鼻面の白い、人なつこい馬だ。乗り手は天宮くんだった。

女たちが何と言おうと、王子様なら私は断然こっちだと思う。天宮くんの乗り方は、毅然としているが、力みがない。拳はあくまでも軽く、柔らかく、いつ馬に合図しているのかと思うくらい扶助が控えめなので、馬は恰も自分の意志でいそいそとアピュイエやピルエットをやっているかに見える。人馬一体を絵に描いたようなエレガントな騎乗ぶりだ。馬を止め、純白の手袋を翼の先端のように閃かせてこちらへ挨拶した姿は、何とはなしに胸のときめく清々《すがすが》しさに溢れていた。

「もう始まってるよ」

「うん。実は今来たとこなんだ。場所間違えちゃってさ」

「あ、そうか！　僕、うっかりして――」

「ええ、ええ、とにかく着いたんじゃけえ」

上月くんが手を振りながら、鷹揚《おうよう》に構えた。

「それにしても、ハァ、この女どもは、どっから湧いて出たんね？」

「東京から見に来たんやて」

ＰＲが充実しとるのう、と感心したのは津々浦くん。（学院祭では毎年広報担当なのだ。）

「特に宣伝したわけやないねん。部長に知り合いが多いよって、クチコミでな」

と言う声に振り向くと、由良くん、西海くん、湧嶋くんの三人が立っていた。

「天宮、そろそろやで。今、児玉がスタートしたとこや。もう一周したら、行き」

天宮くんは頷《うなず》いて馬首をめぐらせ、颯爽《さっそう》とキャバレッティの方へ駈けて行った。

「本格的だね」

競技場の裾をぐるりと囲む月桂樹の生垣を指しながら、私は言った。

「日笠さん、コース・デザイン好きやねん。新しいコース作っては、僕らでテストしてんのや」

湧嶋くんが笑った。

「今日なんか二段障害入れて十五個も飛ばんならんのやで。オリンピックと間違えとんやないか？」

口をとがらす西海くんを、蚊帳《かや》の外の気楽さで由良くんが激励する。

「どうせ紅白試合や。まぁボチボチやり」

「ボチボチやっとったらどつかれるわ。俺も副部長チームに入りたかった」

「そやな。摩耶さんは自分の成績にしか興味ないよって、ほかの者《もん》は楽や」

「団体精神のカケラもない、て伊集院さんが怒ってはる」

「それがどしたっちゅうねん？　今時団体精神なんか流行《はや》らへんで」

「ほな、由良、おまえ、二学期は摩耶先輩に清き一票か？」

「今の部長以外やったら誰でもええねん。天宮でもええで」

「あいつはあかん。人間だけやのうて馬にも投票さすなウソや、て言い出しかねんさかい」

「馬オイデヤス競争でもやったろか」

天宮くんの飛越はぜひとも見なければならない。私は西海くんに頼んで、競技場の中に入れてもらうことにした。新馬を舞台馴れさせるための競技会でもあるから、物に驚きやすい馬の性質を慮って、今日は招待客しかスタンドに入れないのだという。はみ出た女性軍とはフェンスで隔てられるから、乱闘騒ぎが持ち上がることもなかろう。

便宜上、参加者を伊集院さんのAチームと摩耶さんのBチームに分けて競技を進めているということだった。要領は、まず普段乗っている馬で出場者が一通り跳ぶ。次に、両方のグループから成績順に四名選出し、もう一度同じ馬で同じコースを跳ばせる。この四名を更に二名にしぼる。最終的にはこの二人が順番にラヴィスに乗って決勝競技《ジャンプオフ》に臨む、ということだった。

ところで馬術部における伊集院さんの紳士教育は、服装ほど徹底しているわけではないらしい。ヘルメットからブーツまで、英国製の高級ブランドをさりげなく着こなした亀甲学院の友人たちは、競技場入口への道すがら、行く手に溢れかえる女の子の群れを〈なにわ〉ナンバーの軽トラやタクシーさながらの迫力でかき分けて突き進む。

「ねーちゃん、ちょっとそこどいてんか！」

「えーかげんにせえよぉ、おまえら！」

「トロトロ行きよったらケツ煽ったるでえ！」

すっかり感激した鶴島のジェントルメンは、惚れぼれと彼らの後につき従った。

四四　飛越《ピュイッサンス》

入口付近は更に過密状態だった。十重二十重にひしめくドレスを押しのけて、ようやく中に入ると、背後で一しきり羨望と非難の嵐が吹き荒れた。由良くんが、プログラムらしい薄い印刷物を取り出して、団扇代《うちわ》わりにする。（私たちも西海くんから一部もらった。）

「まるで中国のディスコや。知っとる？　中国のディスコて、地元の人は入ったらあかんねん。ただし、日本人とか、観光客が〈お友達〉として連れていってくれる場合は構へんのやて。入口のとこに、ギンギンにおしゃれした子らがズラッと並んでお呼びがかかるんを待ってるそうや」

「きょうは誰も呼んだらあかん。あのケタタマシイ声で騒がれたら馬がたまげるよって」

「と言うても、フェンスのあっち側に仰山はりついとぅで」

「なんで有刺鉄線にせんのや？」

「あんまりうるそうなったら電流でも流したれ」

「ほんまに、クチコミでようこんだけ集まったもんやな」

国際馬術連盟障害飛越競技会規定第二百条によれば、『障害飛越競技会は、馬および競技者が一体となり、経路上の各種条件下に設けられた障害物をいかに飛越するかを審査する競技である。このテストは、馬の自由さ、エネルギー、技能、競技者の馬術および飛越に対する馬の従順性を見るものである』という。大ざっぱに言って、高さと幅を飛越する能力を競う標準競技《ノーマル》と、高さ・幅に加えて速度を競う時間競技《アゲンストクロック》の二種に分けられる。本日行われている競技はノーマルの方で、同点首位が出た場合に限り、スピードを考慮する。障害の数は、生垣、煉瓦、横木オクサー等を含む計十五個。競技場の面積を考えれば、まず妥当である。

さて、Aチームの児玉則夫《こだまのりお》選手の飛越が終了し、続いてBチームの永多甲子之《ながたきねゆき》選手がスタートラインについた。振鈴の合図で順調にスタートして第一障害はまず無難にこなす。だが第二障害から第三障害へ移行する間に、早くも馬の前進気勢《ぜんしんきせい》がやや衰える。一・六mの垂直横木障害に果敢に挑戦するも、失敗。眼鏡がはずれて落ちる。第七障害前の鋭角回転をみごとにこなしたのはあっぱれであったが、回りすぎて経路を誤り障害物の順序を間違えて、減点。

「あー恥ずかし！　頼むわ、ナーちゃん！」

由良くんが顔をおおった。

「馬の名前が悪いんや。〈ウズシオ号〉やて」

「なるほど、人馬一体で迷走しとるな」

「あかん、巻き乗りしてしもた。また減点や」

最終障害物を辛うじてクリアしたウズシオ号は、突如素晴らしい前進気勢を発揮してゴールインした。次はいよいよ天宮くんである。Aチーム、ということは伊集院さんの組から出場するわけだ。乗っている馬はイワツバメ号といった。（部員の間では「ガンちゃん」と呼ばれているとのこと。）シーホース乗馬センター所有の元気な五歳馬で、天宮くんとは合宿初日から非常に相性がいいそうだ。

「もっとも、天宮と相性悪い馬て、おらんみたいやけどな」

と湧嶋くんが言うと、西海くんも頷いた。

「調教すんどる馬では、まあ、おらんな。カリッシモは別やけど」

「あの馬、性格悪いの？」

弓削くんが意外そうに尋ねた。

「大きいわりにすごくおとなしくて、馴れてる感じだったけど」

「飼い主の前では猫かぶってんねん」

由良くんが肩をすくめた。

「けど、その飼い主でも時々手に負えんようになるんやで」

スタートのベルが鳴った。ガンちゃんは、ウズシオ号に比べると比較的緩やかな歩度で助走区間を走り、頸《くび》を長く伸ばして跳《と》ぶ。ストライドはなかなか力強く駈足《かけあし》のリズムも安定している。ただし勝負心はあまりないようだ。え、よっこらしょ！と鼻歌まじりのかけ声でも聞こえてきそうな、のどかな跳び方である。どの障害もスレスレの所でクリアしており、とにかくひっかからなければいいと思っているらしい。土壁横木障害を越えた時、一番上の横木《バー》がわなわなと震えたが、すんでのところで落ちずに持ちこたえた。湧嶋くんの双眼鏡を借りて覗いていた洲々浜くんが、

「あ、かわいい。目え細めて飛んでる！」

と、無邪気な歓声を上げた。

私の順番がきて双眼鏡を手にした時は、ちょどコーナーを回って難しい二段障害にかかるところだった。生垣平行横木の次に約十一ｍの間隔を置いて垂直障害が立ちはだかっている。隅角《ぐうかく》回転の際も、騎手と馬の体勢は全く崩れなかったが、ピントを合わせてよく見ると、心もちガンちゃんの馬相に変化があり、表情がきりりと引き締まったような気がする。踏み切りまであと五歩、四歩、三歩、二歩――天宮くんがぐっと前掲姿勢を取る――両後肢で思い切り地を蹴って、離陸、飛越、着地、僅かに歩度を詰めた駈足で二歩走って再び踏み切る。成功だ。

「美しいのお！」

上月くんが感心して目を細める。

「ヌレエフのグラン・ジュテとバリシニコフのアントルシャ・ユィを一遍に見たようじゃ」

「疎通性のない褒め方をすなや」

と、津々浦くんから文句が出た。しかし湧嶋くんは興味を引かれたようだ。

「君、バレエやってんの？」

「兄貴がやってんねん」

上月くんは反射的にみごとな関西弁で答えた。（見かけによらず染まりやすい性質《たち》らしい。）

「小学校の時、うちによう来ょうったバレエの先生に誘われて、それ以来惰性で続きょうるんじゃ。頼まれたらイヤと言えん性格の上に、サッカー部とバレエ教室は親父の上顧客《じょうとくい》じゃけぇ」

「ははあ――靴屋さん？」

「いーや、整形外科じゃ」

と言いながら、上月くんは私の手から双眼鏡を受け取って目に当てた。

全障害物を恙《つつが》なくクリアしたイワツバメ号は、誇らしげに尾をくるくる回しながらゴールに到着した。さぞかし高成績が出たことと思う。西海くんが、湧嶋くんの背中を軽く叩いて立ち上がった。

「ほな行こか」

「頑張ってな」

由良くんがVサインを出す。私たちも異口同音に激励の言葉をかけた。

四五　蒼《あを》ざめた騎士《きし》

二人が去って十分ほどしてから、入れ替わりに天宮くんがスタンドにやって来た。既に顔見知りの弓削くんや上月くんが称賛の言葉を贈る。天宮くんは軽く頷いて、さらりと礼を言う。私の隣に座って競技を観戦する横顔は、もういつもの涼やかな表情に戻っていた。

「イワツバメ号、頑張ってたじゃないか」

と私が言うと、

「二段障害は危ないかなと思てたのやけど――」

と、初めて嬉しそうに微笑んだ。

「ガンちゃん、とにかくのんびりしててなあ。練習の時はあんまり飛んでくれへんよって、実力がもひとつつかめんのや」

「本番に強いタイプなんだね」

「乗る方はハラハラさせられる」

そこへ慌ただしい足音と共にスタンドへ駆け込んできた者があった。樽《たる》のような体形に見覚えがある。昨日、由良くんと連れ立って砂丘を上がって来た人だ。

「おい、誰でもええ、ちょっと一緒に来てんか！」

と、荒い息の下から訴える。由良くんがまず腰を上げた。

「どないしはったんです、鯖谷《さばたに》先輩？」

「カリッシモが癇癪《かんしゃく》起こしてもうた。調馬索でウォームアップさしとけて言われてんねんけど、それどこやあらへん。僕もう恐《おと》ろしゅうて恐《おと》ろしゅうて。な、みんな、早よ来て来て！」

由良くんは、恐慌状態の鯖谷先輩に引っぱられて、あたふたと競技場を出て行った。天宮くんは無言でその後ろ姿を見送っていたが、やがてまた馬場の方へ、心なしか緊張した顔を向けた。

「君は行かなくていいの？」

弓削くんが尋ねると、視線を前方に据えたまま、小さく鋭くかぶりを振った。

「いつものことやから……つまり、こんな天気の日は、いつも。そのうち鎮《しず》まる」

こんな天気の日、と言われて、皆で一斉に見上げた空は、頭上に低くのしかかるようだった。雨粒はまだ落ちてこないが、空気はたっぷりと水を含んで重い。時折、冷たい風が、威嚇するようにスタンドを吹き抜けて行く。半袖だった由良くんが上着を着て、急ぎ足で戻って来た。

「シオン」

膝頭に頬杖ついて目前の競技に集中しているかに見えた天宮くんだが、由良くんに呼ばれて振り向いた瞬間、身辺の空気がぴしりと張り詰めた。

「シオン、来い。摩耶さんに一言、言うてほしいんや」

「言う、て——何？」

「カリッシモ、今日は乗ったらあかん」

「まだいやがってるの？」

「いやがるどこやないわ。雨降りそうな時は決まって駄々こねる奴やけど、あんなん初めて見た。鞍も何もうっちゃってしもて。結局、摩耶さんが自分で来て、鞍置いて乗ったんはええけど——血が出てもどないしても、とにかくバシバシ拍車入れて蹴りまくってな、やっと下りた時は、もう、馬が全身泡吹いて、白眼むいてブルブル震えてんのや」

天宮くんは下を向いた。というより、ほとんど目を閉じた。薄い頬に不釣合なほど重たく懸《か》かった睫毛の陰翳《いんえい》や、淡雪の片《ひら》のように蒼ざめた唇の形が、不思議なほど摩耶さんを思い出させる。先日の由良くんの話を聞いた後だから、よけいそう見えるのかもしれない。

「絶対危ないで。な、乗るな、て言うてやり」

由良くんが低い声で真剣に促した。天宮くんはうつむいたままだ。脱いだ手袋と鞭を一緒に握りしめた指の関節が、白く浮き上がる。空が一際暗くなったようだった。

「僕の言うことなんか……聞かないもの」

ピアノ線のように細く硬い声を聞いて、由良くんは尚も説得しかけたのを思い直したらしい。会話が途切れたところへ、鯖谷先輩がバタバタと階段を上って再登場した。

「ちょっとちょっと！　誰か、鞭持ってへん？」

私も由良くんも、咄嗟《とっさ》に天宮くんの手元を見た。

「摩耶さんの、柄のとこで折れてしもてん。ああ、ほんまにもう、縁起が悪いいうたら！」

鯖谷さんは、眉を八の字にして苛々《いらいら》と足を踏み鳴らした。その音に呼び出されたかのように、摩耶さん本人が通路に現われた。霜が降りたような顔には普段にも増して感情が稀薄で、馬を激しく懲戒してきたばかりとはとても思えない。無彩色で、端正で、忍びやかなその姿が、階段を上がりきった所で澱んだ暗がりを背に立ち止まるのを見て、私はいつものように、夜中に墓地を跳梁《ちょうりょう》する不穏な種族、黒葉水松《くろばいちい》の葉蔭に見え隠れする忌わしい微笑など、E・A・ポー《エドガー・アラン・ポー》風の情景を連想した。

鯖谷さん、由良くん、私の顔を、おざなりに撫でていった摩耶さんの視線は、天宮くんの上でぴたりと静止した。と同時に、天宮くんが目を上げた。摩耶さんは、ゆっくりと、漂うように近づいて、掌《てのひら》を上向けた片手を天宮くんに差し出した。銀の匕首《ナイフ》でも突きつけるように。天宮くんは逆らわなかった。けれども、鞭を手渡す時に摩耶さんの指先がふと触れた、その刹那、痛みに耐えるかのようにきつく唇を噛んだ。

カリッシモと摩耶さんがスタートの位置についた時、雨の最初の一粒が私の鼻に当たった。続いて、もう一粒。馬はぶるっと体を震わせ、半旋回しそうになった。（摩耶さんはすかさず鞭を見せて体勢を立て直す。）スタートの合図が鳴ると、カリッシモは今度はいきなり全速力で飛び出した。あっという間に二個、三個と障害をクリアしたのはいいが、襲歩《しゅうほ》から力まかせに踏み切っている状態なので、リズムは乱れに乱れて実に危ない。並みの騎手だったらとうに振り落とされているところだ。

摩耶さんは助走を何とか三節の駈足《かけあし》歩調に戻そうとしているらしいが、カリッシモは両耳をぴったり寝かせて悪魔のように疾走していた。垂直障害を、信じられないほど無茶な体勢で飛越して着地した際、摩耶さんの上体の平衡が僅かに崩れた。カリッシモは更に数歩走ったが、乗り手の膝がゆるんだ瞬息の間に乗じて急にペースを落とした。このままでは次の障害を拒止してしまうと危惧したのか、摩耶さんはいきなり強く拍車を入れた。既にさんざん痛めつけられていた横腹を蹴られて、馬は今度こそ恐ろしい勢いで狂奔し始めた。コースからは完全に逸脱している。振鈴の音が長く鋭く響き渡った。

隣で天宮くんがはっと息を詰めた。鯖谷先輩の悲鳴が聞こえる。由良くんはスタンドから飛び下りて馬場へ走って行く。双眼鏡を取り落とす前に目に映った最後の光景は、後肢《あとあし》で立ち上がった巨大な馬体がほとんど垂直になり、鞍から滑り落ちた摩耶さんの上に、黒い雪崩《なだれ》のように倒れかかるところだった。

四六　小夜嵐《ワイルド・ナイト》

噂の組成を具《つぶさ》に観察すると、びっくりするほど真実に近い部分と根も葉もない部分が微妙に結合して、二重螺旋《らせん》構造を成しているのがわかる。場合によっては、「虚」の部分と「実」の部分があまりにも精緻に絡み合い、完璧なドラマの様相を呈しているので、どちらか一方だけを抽出することが即ち冒瀆《ぼうとく》であるような気がするほどだ。

天宮くんが、お母さんの不貞から生まれた、摩耶さんの実の弟であるという話は、人妻の浮気という主題が古今東西を問わぬ普遍的なものだったせいもあって、私は諸手を上げて信用してしまった。無論、見る角度や気分によって、彼らの顔が随分よく似ているという事実も手伝っていた。が、極めつけだったのは、そのような関係にある二人の人物が、皮肉な運命の糸（？）に操られて同じ学校に学び、同じクラブで研鑽を積むうちに、互いに惹かれてはいけないと知りつつ（?・?）惹かれ合い、宿命的な愛憎のモザイク模様（?・?・?）を織りなしてゆく――というシチュエーションの劇的要素に、めいっぱい感動しよう、と野次馬根性を出したことだと思う。

摩耶さんが落馬事故で怪我をした日、天宮くんが問わず語りに話してくれたのは、不貞の不の字も出てこない、どころか、道徳の教科書や『こどものための聖書物語』に採録されてもいいくらい、浮世離れした物語だった。そんな話を聞くようになった経緯はよく覚えていないが、時間はもうかなり遅く、場所は竜宮城の私の寝室で、ぴったり閉めきった窓の外では、予定より早めに到着した台風が思う様吹き荒れていた。

摩耶さんは競技場で応急処置をされた後、救急車が来るまで一時竜宮城に担ぎ込まれた。（乗馬センターの宿舎は運ぶには遠すぎた上、車軸を流すような雨が降り出したからだ。）日笠さんを始め部員が何人か付き添っていた。半ば放心状態で担架を遠巻きに眺めていた天宮くんも、由良くんに促されて一緒に来たのはいいが、摩耶さんに劣らず血の気のない顔をして、木の葉のように震えている。心配した私の母の配慮で、五〇三号室へ連れて行って熱い飲物など奨めている間に、病院へは日笠さんと鯖谷さんが同行して、他の部員は松竹さんがマイクロ・バスでセンターまで送って行った。吼え猛る嵐の中をさんざん苦労して戻って来た時には、もう一度天宮くんを送って行こうにも、水中翼船を呼ばなければ行けないくらいの豪雨になっていた。

「泊まってけばいいじゃないの、一晩ぐらい。あたしはまた外へ出るなんてごめんだわ」

と言い捨てて、松竹さんは一階の滝壺のある大浴場へ風呂を使いに行った。

弓削くんが気を遣って青木くんの部屋へ移動してくれたので、天宮くんと私はその晩五〇三号室に寝《やす》んだ。眠くなるまでの常で、あれやこれや、とりとめもない話をした。摩耶さんとの間柄が明らかになったのもその時だった。話してもらってよかったと思う。摩耶さんのお母さんと天宮くんのお父さんの名誉のためにも。

天宮くんのお父さんは神主さんの息子だ。お祖母《ばあ》さんや曾祖母《ひいばあ》さんには、若い頃、神社の巫女《みこ》を務めていた人が多く、その中には本物の霊媒もいたと伝えられる。天宮くんのおばあさんは、お父さんが生まれるちょうど一ヶ月前に、三晩続けて同じ夢を見た。毎夜同じ人が同じ白い寝まきを着て枕元に立ち、

「私は天使です」

と自己紹介をする。

「地上で愛し合った二人の人間は天国で一人の天使になります」

「そうですか」

おばあさんは如才なく返事をした。天使は悪戯《いたずら》っぽく目をキラキラさせて、

「信じてませんね？　まあいいよ。巫女さんはスウェーデンボリなんか読まないからな。でも、

私は本当に、二人の人間からできている一人の天使なのです。困るのは、その二人が、愛し合っていたわけでもないのに、間違って一緒にされてしまったという点です」

「そうですか」

おばあさんは欠伸《あくび》をした。夢の中だというのに眠りこけてしまいそうだ。天使は先を続けた。

「私はあなたの手を借りて、このミステイクを是正しようと思うのです。いや手というより——子宮をちょっとお借りして」

呆気《あっけ》にとられたおばあさんに、天使は嫣然《えんぜん》と頷いた。

「私はこれからあなたの胎内に入らせていただいて、そこで脱分化《だつぶんか》致します。その結果、あなたには、双生児《ふたご》が生まれます。その子供たちは稀に見る仲の悪いきょうだいです。災いを避けたいなら、一緒に育てない方がよろしい」

「どんな災いなのですか?」

「それは起こってからわかります」

代々神道を司ってきた由緒ある家系を誇る夫に、三晩続けて異教の天使が夢枕に立ったなどと言えるわけがない。(神主の妻にとっては浮気をするよりも恐ろしい問題なのであった。)

夢占いの書物などを繙《ひもと》いて、自分なりに解釈しようと思っているうちに、分娩の時が来た。生まれたのは天使の予言通り双生児だった。一人は男、一人は女だ。女の子の方が後に出たので、古来の慣習に則《のっと》り「お姉さん」ということに決まった。天使の予言は着々と実現してゆく。成長するにつれて子供たちの仲は大変悪くなり、顔さえ見ればつかみ合いの喧嘩を始めるので、小さな体のあちこちに生傷や青痣の絶えることがなかった。

予言の中のせめて「災い」の部分だけでも防ぎたいと思案した母親は、思い切って夫に夢の話をした。夫は最初取り合わなかった。八百万《やおよろず》の神々のご加護を頼んでおれば、幼い姉弟の間にはいつの日か必ず麗《うるわ》しい愛情が芽生える、と妻を諭《さと》し、双生児が喧嘩をするたびに、念入りに御祓《おはら》いをしてやっていた。だがある日のこと、姉が弟に洗剤を振りかけ、洗濯機に突っ込んで回そうとしている現場を押さえてからは、御祓いどころではなくなった。母親は半狂乱になり、父親は途方に暮れる。遂に岳父が乗り出してきて、A市の知人の世話で、どちらか一人を養子にやることにした。

A市の知人とは不妊症治療を専門に行う高名な産婦人科医であった。体力的・年齢的に見て、もはや出産は諦めた方がよかろうと思われる患者を密かにリストアップして、それとなく養子の件を持ち出してみたところ、中に一人、他人の子でもいいから娘が欲しい、という奇特な婦人があった。この人は、長年の治療の甲斐あってようやく妊娠したのに、早産で女の子の未熟児を生み、その子が生後十二時間で死んでしまったという辛い経験を持っていた。かくて双生児の半分は養女に出され、新しい両親のもとで、蝶よ花よパリ留学よと甘やかされて育ったのである。

一方、家に残った弟は、天下晴れて一人っ子となった幸運を濫用して我儘《わがまま》いっぱいのドラ息子に成長した。父親が熱心に奨励する神官教育はそっちのけで、モーターバイクや浮世絵やアール・ヌーボーにうつつをぬかしている。就中、十八歳を迎えた年のバレンタインデー前夜、両親に無断でキリスト教に改宗するという最大の親不孝をしでかした。それ以後勘当され、京都市内の画塾に通いながら下宿を転々とすることになる。生き別れの姉に再会したのはこの頃であった。別れたのは四歳頃のことだったから、あやふやとはいえ互いの存在の記憶はある。姉が養女に行った背景や行き先は特に秘密にされていたわけではなかったので、会おうと思えばいつでも会えた。(それをなぜ十年以上も音沙汰なしで過ごしたかというと、単に二人ともその気にならなかっただけの話だ。)どのみち、長ずるにつれて各自の生活がそれなりに忙しくなり、憎たらしい喧嘩相手のことなど、いつとはなしに思い出さなくなっていた。

弟は生活のためにキリスト教徒であることを伏せて、時々神社でアルバイトをしていた。大安吉日でひっぱりダコの神主さんがホテルの結婚式場へ出張している間に、自宅でもう一つ神前結婚を引き受けると収入は二倍になる。このような場合に神主代行というドッペルゲンガーを務めるわけである。

ある時、友人の結婚式の客として式に参列していた姉は、祝詞《のりと》をあげている青年にどうも見覚えがあるような気がした。それればかりか、見ているとなぜか身内に敵愾心《てきがいしん》がふつふつとたぎってくるのを如何ともしがたい。気になって仕様がないので、後日改めてその神社を訪れ、青年の素性を尋ねてみた。すると、四つの時別れたきりの弟であることが判明した。神主さんは、姉の質問の意図を誤解したらしく、ここでもう一つ縁結びをすればまた結婚式が増えると胸算用したのか、訊きもしない青年の下宿先まで教えてくれた。最近そこへ引っ越したばかりであるという。町名や番地を見ると、姉の通っているT女学院からは至近距離である。姉は不吉な予感に脅えた。不吉な予感は当たり、姉弟は時折往来でバッタリ出くわした。幼児期の経験は案外根が深い。四歳の頃までにインプリントされた記憶が何としても払拭できない姉は、道の向こうから弟が歩いて来るのを見たが最後、すれ違うまで絶対に目を離すことができない。（一瞬でも隙を見せたら殴られるような気がするからである。）弟の方も、そうやって毎回食い入るように見つめられるので、いやでも視線を感じて姉を見つめ返す。しかしこちらの方が少しトロかったため、すぐには姉と気づかず、軽く会釈などしながら通り過ぎたことさえあった。二人の異様な態度に目をとめた姉の同級生らは、やれロマンスの一目惚れのと騒ぎ立てた。

姉のT女学院在学中、双生児はたった一度だけ、二人きりで遭遇して言葉を交わす機会があった。ある春の宵のこと、花見酒でいい気持ちになって下宿へ戻りかけていた弟が、道端の電信柱の陰で防御の態勢を固めている姉を見かけて、何でいつもそんなにじっと睨むのかと思い切って訊いたのである。姉は止むを得ず身元を明かした。「ああ、お姉さんでしたか」と弟はびっくりしたが、苦労したせいか、闘争本能はだいぶ退化しており、かつては犬猿の中であった姉とも当たり障りのない世間話ぐらいはできるようになっていた。それで姉の方も、出かかっていた戦の矛をひとまず納め、二人は手短かに近況を報告し合ってそそくさと別れた。（お互い、何がきっかけで昔の仇敵に対する恨みが再燃しないものでもない、と気が気ではなかったのである。）

血縁関係にありながら滅多に会わない者が、久々に顔を合わすと変に他人行儀になって、言わなくてもいいことまで言ってしまうものである。この時の双生児もそうであった。姉は、弟が画家になろうが丁稚《でっち》に行こうが、少しも頓着《とんちゃく》しなかったにもかかわらず、

「頑張って、立派な絵描きさんになって頂戴ね」

と励まし、弟は弟で、

「ええ、ありがとう。今度ゆっくり僕の下宿へも来て下さい。なんにもないけど、お茶漬けでも食べてってて」

と社交辞令を返した。

四七　総檜《そうひのき》

――とまあ、学生時代はその程度の交渉ですんだのであるが、二人の行く手には、更に宿命的な再々会の時が用意されていた。その原因となった姉の健康上の問題が顕在化したのは、彼女の結婚後、間もない頃であった。夫は両親を早くに亡くした新進気鋭の住職。資産があり系累がないという好条件に加え、従来の和尚《おしょう》の常識を破る豊かな頭髪まで生え揃っていたので、養父母は無論のこと姉本人も大満足で嫁いだ。

木の香も新しい新居は、天井羽目板から風呂桶まで全て高価な檜《ひのき》造りであった。無駄の嫌いな職人に施工を任せたものか、木っ端《こば》を利用して、下駄や箸や盆、米櫃《こめびつ》、楊枝《ようじ》、しゃもじ、あらゆる物が檜でできている。新婚当初は感心していた姉であったが、日が経つにつれて我が身に不思議な変化が起こっているのに気がついた。体調が悪いというわけではないけれど、妙に気怠《けだる》く、何もする気になれないのである。自分でもおかしいと思って病院へ行ってみた。器質的にはどこにも異常がない。それどころか、羨ましいほどの健康体だと言われた。患者の不定愁訴を黙って聞いていた若い医師は、突然、「フィトンチッド中毒かもしれない」と言った。

「杉や檜など、植物から放散される揮発性物質で、普通は気分を落ち着けると言われています。奥さんの場合はきっと一時に多量に摂取するため、リラックス過剰で怠け者になるのでしょう」

姉はフィトンチッドの充満している我が家を呪った。だが夫は総檜の屋敷を誇りに思っている。姉としても、婚約時代にさんざん誉めちぎった手前、建てかえてくれとも言えない。長男が誕生した頃、姉の心身は益々リラックスして、一日の大半を気持ちよく寝て暮らすようになった。赤ん坊よりたっぷり寝るから、世話はねえや婆やに任せっぱなしだ。見兼ねた夫に諫《いさ》められ、目覚めている時は自分でも自分を責める。やがて独断で一大決心をして体質改善の療養に行くことにした。どこか森林浴のできる所にしばらく住んで、少しずつフィトンチッドに対する抗体を高めてゆき、容易にリラックスしない体を作ろうというのである。滅多な知人や親戚のもとに身を寄せたりしたら、あらぬ噂を立てられて、潔癖な夫の評判に瑕《きず》がつくかもしれない。とはいえ一応箱入り娘で育っているので一人暮らしは心細い。(力仕事や使い走りをしてくれる者が是非とも必要である。)考えた末、普段つきあいがなく、目的達成の暁にも取り立てて義理を感じなくてすみそうな、京都の弟の所へ行くことにした。弟の下宿は手狭だったので、家賃を出すからという条件で説き伏せ、左京区にある万珠院《まんしゅいん》という寺の近くに一戸建ての平屋を借りて移らせた。

弟はその頃、画塾の先生の娘と恋愛をしていた。ただし結婚には反対されていた。まだ海の物とも山の物ともつかない弟の才能に先生は一抹の不安を抱いていたのだ。間数のある家に引っ越したのをよいことに、二人は駈落同然にして籍を入れ、しばらくの間、姉、弟、その嫁、三人の共同生活が続いた。先生の娘は気立てのいい働き者だった。炊事、洗濯、掃除、庭仕事と嫌がらずに何でもやってくれるので、姉は義妹を大いに気に入っていた。だがこの宝物のような娘は、男の子を生んだ後、産褥の床につき、日に日に衰弱してとうとう帰らぬ人となった。毎朝エスプレッソを三杯飲んでから森林浴に出かけていた甲斐あって、だいぶフィトンチッドに対する抵抗力がつき、そろそろA市へ帰ろうと考えていた姉だが、かわいがっていた義妹の忘れ形見であるいたいけな赤児を、トロい弟の手元に残してゆくにしのびず、もうしばらく居残ることにした。

教育方針の違いにより、時には両人の間に座布団やビンタの応酬が見られることもあった。たとえば子守歌の選択だ。実父が神主、夫が住職、のわりには、菊や鯉や浪花節に通底する奥床しい日本情緒を少しも解さない姉は、弟が『赤城の子守唄』を歌うことを厳禁した。自分は学生時代に鍛えたオペラ用の声で、モーツァルトやブラームスの子守歌をコロコロと囀《さえず》り、弟にも真似してみよと言う。が、幼少の頃祝詞《のりと》ばかり聞いて育った弟の音感は鈍く、何を歌っても陰気な一本調子になる。しかしこの問題は、姉が子守歌のレコードを山のように購入してやったおかげで、円満な解決を見た。いよいよ本当に女手がなくなった後も、弟は大体において姉のメソッドを踏襲し、母のない子を今日の天宮くんという珠玉のような存在にまで育て上げたのであった……

天宮くんは伯母《おば》さんに大変感謝している。フランス式馬術を奨励したのも亀甲学院への入学を推薦したのも、この伯母さんだった。フィトンチッド中毒をみごとに克服した伯母さんは、一転してアクティヴ、というより、超多忙な生活を送り始めた。京都まで訪ねて来る時間は既になかったが、天宮くんの誕生日には、必ず伯母さんから、バースデイ・カードと某《なにがし》かの贈物が宅配されて来るという。生まれたのが十月なので、年によったら伯母さん宅の庭で採れた柿や栗の実を、葡萄蔓《えびづる》で編んだ小籠などに入れて添えてくれることもあるそうだ。ごんぎつねのように素朴でさりげないその心遣いを、気に入らなかったのは摩耶さんくらいのものだった。

摩耶さんは天宮くんという従弟《いとこ》が存在することを知っていた。なぜなら、物心ついた摩耶さんを教育するのに、お母さんがさんざん天宮くんの名を利用したからである。(「紫苑は外から帰ったら石鹸で手を洗います」、「紫苑は寝る前にちゃんと歯を磨きます」、「紫苑は知らない人からお菓子を貰っても食べません」、「紫苑は毎日十回、九々の暗唱をします」……)

摩耶さんはズバ抜けて知能指数の高い、身近な大人も同世代の友達も押しなべて鼻であしらう、早熟な美童であった。そのため手本にする人物はどこか遠方に求めなければならず、かといって二宮尊徳やジョージ・ワシントンでは説得力に乏しい。お母さんの作戦はある意味では成功であったが、その反面、自尊心の強い息子の心に、まだ見ぬ従弟への並々ならぬ対抗意識を植えつける結果になったのである。

天宮くんも、伯母さんに子供があるのは知っていたが、家ではその話が出ることもなく、亀甲学院に入学するまでほとんど思い出しもしなかった――馬術部で顔を合わせるまでは。

「初めて会った時、何か感じた？」

と、私は天宮くんに訊いてみた。

「え？　何を？」

「運命の戦慄だよ。背中がゾクゾクするとか、なかった？　あと、動悸が高まるとか汗が出てくるとか、急に熱が上がってうまく喋れなくなるとかさ――」

「覚えないなあ」

私は掛布団の陰で、密かな失望の吐息を洩らした。事実と小説は、やはり違うのだ。

「運命の戦慄はないけど――」

天宮くんがぱたりと寝返りを打つ音がした。

「ないけど――何？」

（もう一度、ぱたり。）

「笑わない？」

「笑わない」

「僕ね、初めて会った時、ほっとした。ああ、ここに、僕と同じ素材《マテリアル》でできてる人がいるなあと思って。ほんとに友達になれる人を――ううん、それより、兄さんとお母さんをいっぺんに見つけたような気がしたの」

四八　深夜通話《よはのかたらひ》

徒然なる夜話が途切れがちになり、眠りの波が次第に満ちて瞼を浸し始めた頃、インターフォンのベルが警報のように鳴り始めた。天宮くんも私も、ドキリと胸が高鳴るのを覚えた。病院からだろうか？　夕方、西海くんに電話して確かめたところでは、摩耶さんは体が地面に触れた瞬間に素早く横転したので、馬の下敷きになるのは免れ、右鎖骨の骨折と足首の捻挫だけですんだということだった。それで皆ひとまず安心していたのだが、何か急変があったのかもしれない。

習慣で夜光時計の文字盤を見ると、針は十一時五分を指していた。

私が受話器を取った。

「はい？」

ラジオのホワイトノイズのような雑音が聞こえるだけで、誰も何も言わない。

「もしもし——もしもし——もしもし？」

お呪《まじな》いのようにもしもしを唱えていると、カチッという金属音が聞こえた。続いて、遥々《ようよう》たる宇宙の涯から水素やヘリウムの海を潜《くぐ》って辿り着いたような、ひどく爽やかな涼味を湛《たた》えた声が響いてきた。

「あ、まだ流されていないんだ。よかった」

私は夢ではないかと耳を疑った。こんな思いがけない時刻に、まさか——

「今こっちで台風情報をやっててね、房総半島付近が荒れてるそうだから、高潮による被害なんかもあるんじゃないかなと思って。元気？」

私は二、三度強く頷《うなず》いた。（勿論、先方には見えない。）電話がかかってきたら言おうと思っていた台詞《せりふ》は悉《ことごと》く高波にさらわれ、台本が真っ白になってしまった。

「ええ——はい——あの——野瀬さんは？」

「『私も元気です、ありがとう。』この後どう続くんだったかな、教科書では？」

「中一のレッスン1《ワン》はそれでお終《しま》いです……」

「そうだっけ？　じゃ、レッスン2《トゥー》に行くか。『私は元気で毎日君のことを思い出しています。』」

「そ、そんなのあったかなあ——？」

「改訂版にはある。よし、次、レッスン3《スリー》——」

（ここで突発的な短かい笑い声が挿入された。）

「レッスン3は電話じゃちょっと難しいな。二学期にしよう」

「今、どこにいるんですか？」

「牧場」

「はあ——？」

「札幌から苫小牧へ遊びに来る途中で三つ子を拾ったんだ。社台《しゃだい》牧場で働いてる知り合いが引き取ってくれるって言うんで、連れてきたところ」

「い——いいんですか？　そんなに簡単に、子供を——」

「犬の三つ子だよ」

「……」

「君は毎日どんなことをしてるの？」

「泳ぎに行ってます」

「きょうは何をしたの？」

「きょうは近くの乗馬センターで競技会があって、それを見に行きました」

「じゃ、今は何してる？」

「今は——あのう、話をしてます」

「ああそうか、忘れるところだった。友達が一緒なんだったな」

「ええ。でも、今話してるのはクラスメイトじゃなくて……」

そこで私はハタと詰まった。天宮くんをどうやって紹介しよう？

電話が摩耶さんの容態の報告でないことがわかると、天宮くんはほっと緊張を解いて羽根枕に沈み込んだ。が、すぐにまた起き上がり、裸足の足で草叢《くさむら》のような絨毯《じゅうたん》を踏み分け、窓辺に行った。カーテンを細目に開けて荒れ狂う外の様子を窺《うかが》っている。なだらかな薄い肩の周《まわ》りが、何となく寒そうである。セーターでもかけてやった方がいいのでは……？

「どうしたんだい？」

野瀬さんが笑いながら言ったので、私ははっと我に返って受話器を握り直した。本当に、一体どうしたことだろう？　よりによってこんな時に健ボー症の発作とは！

「いいんだよ。言いたくなければ言わなくても」

野瀬さんの声は晴れやかだった。私は突然のうしろめたさを振り払おうと躍起になった。

「いえ、言います、言いたいんです！　話しているのは天宮くんといって亀甲学院に行ってた頃の友達で馬術部の合宿に来ていて今夜は台風で宿舎へ帰れなくなったから僕の部屋に泊まってるんです！」

と一気に喋って、息をはずませながら野瀬さんの反応を待った。

「それは素敵だ」

間髪を入れぬ明るい応答。

「ぜひとも大波が押し寄せてくることを祈るよ」

私は泣いていいのか笑っていいのかわからなくなった。先方の顔が目に見えるようだ。軽快《かる》い、しかし慎重な手で、鑿々《さくさく》と刻んだような目鼻立ちは、すまして他人を揶揄《からか》うのに持ってこいなのである。私は遠慮がちに防御を試みた。

「意地悪しないで下さい。せっかく声が聞けたのに――」

「僕は意地悪で有名なんだ。僕から意地悪を取ったらなんにも残らないぞ」

そんなことはない。日向《ひなた》の語らい。月夜の抱擁。そして青い静寂《しじま》を幾重にも重ね合わせた夏の闇から、沁《し》み入るような夜更けの声音《トーン》で囁かれた私の名――短かいけれども、純粋な優しさのみでできていた時間のことを思い出して、私は切なくなった。

「野瀬さん――」

「うん?」

「『地上で愛し合った二人の人間は天国で一人の天使になる』って、聞いたことありますか?」

「何だい、スウェーデンボリでも読んでるの?」

さすがだ。

「そうじゃないんですけど……」

「理想の人格についての詩的な隠喩《メタファー》とも考えられる。だとすると、ダンテやユンクに通じる突飛《とっぴ》さがあるね。人間の性質の、たとえば女性的な属性と男性的な属性が統合《インテグレート》されて、初めて一個の完成した人格が生まれるというような」

私は自分の課題図書のリストにこっそり新たな著者名をつけ加えた。ヘッセの次はダンテ、ユンク、スウェーデンボリ。

「完《まった》き人格が最初に成し遂げるべき偉業とは何だと思う?」

「さあ……」

「孤独の克服だよ。スウェーデンボリに拠ると、天使たちには言葉もいらないんだそうだ。天使が別の天使をそばへ呼び寄せるには、その天使のことを思い浮かべるだけでいいんだってさ」

「とても便利ですね――」

私は自分の頭がSサイズのモミガラ枕でできているような気がし始めた。叩けばきっと公式や年号や頻出単語がシャリシャリと侘しい音を立てる。けれど野瀬さんの深遠なディレッタンティズムと変幻自在の思考テンポに即応するには、それ以上の何かが必要だった。

「そんなふうにでも考えないと、離れてる時に淋しいだろ? さて、それじゃもう電話を切って、友達と話の続きをしたまえ。ベッドメイトを退屈させちゃいけない」

「――ここはツインルームです」

「それがどうした？　遠慮するな」

「……」

野瀬さんは突然、電話口で吹き出した。澄んだ液体の中を眩しい気泡がさざめきつつ上昇してゆくように、あとからあとから笑いが溢れ出す。

「君に意地悪をするのはほんとに楽しいよ。おやすみ――」

「あっ……あの、ちょっと待って下さい！」

咄嗟《とっさ》にそう言ったものの、この上何を話すつもりなのか自分でもさっぱりわからない。だが、せっかく津軽海峡を越えてかかってきた電話を、こんな形で終わらせたくなかったのである。

「あの、改訂版のレッスン2の件ですが……僕も毎晩復習してますので、ご心配なく……」

電話は十秒ほど沈黙していた。それで、ひょっとしたらもう切れてしまったのかも、と、がっかりしかけた時、野瀬さんは内緒話でもするようにひっそりと尋ねた。

「もう文集を読んだの？」

「まだです」

「せかしてるわけじゃないんだよ。ただ、君が天使の話なんか出したものだから――」

短かい休止《ポーズ》。そして再び、転調。どこかにまだ笑いの余韻が光の屑のように残っている声で、野瀬さんは燦々《きらきら》と私の耳をくすぐった。

「波にさらわれても慌てずに泳ぐんだよ」

「はい――」

「それで、できれば函館港の沖合四キロくらいの地点まで漂流しておいで。明日から三日ほど函館へ行くんだ。うまく捕獲されたところを、朝市でせり落としてあげるよ」

「は、はい……」

南海の青い小島に漂着するのとは随分趣が違う。果ては金魚鉢か刺身か干物か――野瀬さんはもう一度軽やかに笑うと、おやすみと言って受話器を置いた。

四九　二輪《にりん》の薄花《うすはな》

私はしばらく電話器を眺めながら深い健ボー症に陥った。やがて部屋のどこかでクシュン！と小さなくしゃみが聞こえたので、やっと回復した。くしゃみをしたのは天宮くんだった。今年は全国的に冷夏となる恐れがあり東北地方の米作農家にとっては大打撃である、と津々浦くんが報道していたが、今日は破天荒と事故のせいで気分的には一段と冷える。電話のおかげで血行がよくなった私はいいとして、天宮くんの方は、白粉《おしろい》を刷いたような項《えり》や透き徹る耳朶《じだ》を藍色の薄闇にぼんやりと浮かべて、いっそう哀れをもよおす格好で片隅に佇んでいる。

私はベッドの裾を回って窓際へ行き、嵐に耳を澄ましている繊弱《ひわや》かな姿に寄り添った。風邪ひくよ、と言うと、天宮くんは夢から覚めたばかりのように、私の顔を見て頼りない瞬きをした。かわいそうに、彼にも健ボー症という持病があるのかもしれない。きっと摩耶さんのことを考えていたのだ。頽廃的《デカダン》で冷酷な美しい従兄《いとこ》とは、ある種の甘美な旋律のように、嫌いにはなれても忘れることの難しい存在であるに違いないから……

同情しているうちに感情移入が昂じて、私もまた血流が停滞してきた。何か憂《う》さ晴しの手段はないかと室内を見回す——と、あったあった、テーブルの上に帯封を切ったばかりのレミ・マルタンの壜が載っていた。暖まるから紅茶に一匙入れてあげなさい、と母が持って来て、忘れて行ったのだ。私が禁酒を誓ったのは一昨日のことだった。今飲んだら三日も待たずに誓いを破ることになる。葛藤の末、意を決して栓を抜いた。卒倒したところでどうせベッドの中だ。

芳醇な香りが甘やかすように私を包み込んだ。桃源郷《シャングリラ》の花々でブーケを編んだようだ。グラスがないので紅茶茶碗に少し注ぎ、舌先を浸してみる。ひりひりするけれど、悪くない。二口も飲むと俄然ぽかぽかしてきた。天宮くんにも奨めた。こちらはクリネックスで鼻をかんでから、上品に一口味わった。

「あ、おいしい」

「うん」

「僕、日本酒しか飲んだことないの。それも、父さんの晩酌につきあう時だけ」

「いいね」

「遠野くんのお父さんも強そうやね」

「禿地頭《とくじとう》さんのこと？　うん、確かに酒は強いよ。あの人は母さんの再婚相手なんだ」

「そう……堪忍《かんにん》」

「どうして？　君、謝りすぎだよ」

「そう？　堪忍な」

カップはすぐ空《から》になり、私は迷わず中身を足した。二人とも爪先まで気持ちよく暖まった。ところがどうしたことか、今度は私がくしゃみを始めた。立て続けに三回、四回、五回——天宮くんがクリネックスを渡してくれた。

「大丈夫？」

「うん……変だな、寒いわけでもないのに。何かのアレルギー反応かも知れない」

盛大なくしゃみ。天宮くんは新しいクリネックスを持ってきて、稚《おさな》い動物のような目で私を気遣った。すると再び、鏡に見入っているような錯覚に襲われた。

私たちの背丈はほぼ同じくらいだ。身長のわりに手と靴の寸法が大きい私と違って、天宮くんの手足は中世の宮廷貴族のように小さく優美だが、それさえ別にしたら、決してヘヴィ・デューティの称号は貰えそうにない体格だとか、なかなか思うように日焼けしない腕や背中だとか、ささやかな共通点がないこともない。だが、決定的なのは、キスマークだった。もうだいぶ目立たなくなってはいるけれど、季節外れの花のように、まだそこにある。

過度の飲酒は私を失神させ、適度のそれは感傷癖を助長するらしい。薄氷《うすらい》の下に柔らかく凍《こご》ったような淡紅色の一点を眺めているうちに、詩でも書けそうな気分になってきた。目の前の姿に向かって手を差し伸べると、心の中には雪野原や水平線の景色が遥かに広がってゆく。〈鏡〉はうっとりと微笑みながら、同じ動作を反射《かえ》した。間もなく私たちは、互いの肩に頭を預けて大変満ち足りた気持ちになった。これも慣れない酒のせいか、こうも体が密着しているというのに、少しも具合が悪くない。まるで私自身の皮膚か、骨の一部から作られたものに触れているかのようだ、しっくりと抱き合える。私は目を閉じて若草の香りをこめた髪を頰に感じた。この姿を造った最初の直線は、いとも優しく撓《たわ》められ、祈りの如く静かな呼吸で流れて、しなやかな背や肩や、ほっそりした感じやすい指先を整えるのだ……

やがて、消え入るように幽《あえ》かな溜息を聞いたように思った。それで、英語で言うならば"Don't《ドント》

worry《ウォリー》, baby《ベイビー》〟でなければ〝Everything《エヴリシング》 will《ウィル》 be《ビー》 alright《オールライト》〟の類のことを、ぜひ囁いてみたかったのだが、直接日本語変換すると歌謡曲になりそうで、まずい。仕方なく、言いたい言葉が一つ浮かぶたびにキスをすることにした。アルコールでぬくもった体はひどく怠惰で、あちこち動かすのは億劫《おっくう》である。キスをするのも、凭れている肩からあまり遠出をせずにできる所に限る。しかしそうしておけば、必ずこちらの意図を汲んでもらえるという（酔っ払いの）信念が私を支えていた。どうしてかというと、この酩酊状態に陥る以前に、誰かがどこかで同じことをしてくれたような気がするのだが、その時だって、台詞なしでもメッセージはちゃんと伝わってきたからだ。

　雨音が時間を連れてゆっくりと遠ざかる。いつしか私は、夜の森の騒立ちに耳を傾けていた。葉洩れの月の光の中で私が身じろぎすると、私を抱きしめている腕にいっそう心地よい力が加わった。〝Stay here.《ココニイテ》〟（キス一つ。）〝I'll keep you from harm.《マモッテアゲルヨ》〟（もう一つ。）とても幸せで、目は自然に閉じてしまった。両の手は迷子の仔兎《こうさぎ》のように、さらりと白いシャツの背をおとなしくさまよっている。どこかに生えているかもしれない翼の輪郭を、こっそりと尋ねながら。

『同じ素材でできているなら言葉は必要ないんだ。』友達とも恋人とも呼べない大好きな人が、狡猾な命題を出す。証明できたら、抱擁。できなかったら――やはり、抱擁。

〔蛇足〕

翌朝、天宮くんと私はそれぞれのベッドから爽やかに起床したが、それは概ね私の貢献によるものである。

午前四時に突如意識が戻った時、私は疑問の余地のない喪失感を自覚した。失くなったものは何であろうかと思い巡らせた末、左腕の感覚であることがわかった。早速原因究明に乗り出すと、それは案外近い所にあった。件《くだん》の腕を枕に、天宮くんがすやすやと寝息をたてていたからである。泥酔に至るまで飲んではいなかったので、曖昧ながら先夜の出来事は覚えている。ただし、いつどこでどうやって眠りに落ちたのか、そのへんは定かでない。

私は眠っている人を起こさないように、小さな頭の下からそろそろと左腕を抜いて、忍び足で寝床に戻った。うっすらと砂糖衣をまぶしたような記憶が胸の中で仄かに甘い。いつか野瀬さんにシオンの話をしよう、と考えながら、私は再び眠りに落ちたのだった。

五〇　紫苑《しをん》の文《ふみ》

人が何十年も生きてゆくうちには、心打たれる手紙の一通や二通貰ってもおかしくはない。私は自分であまり手紙を書かないので人から貰うことも少ないが、そんな私でも幾つか印象に残っている手紙が――厳密に言えば三通――ある。そしてこの三通のうち二通は、竜宮城へ遊びに行った一夏の間に受け取ったのである。その中には天宮くんが京都から出してくれた手紙も入っている。亀甲学院の校章を印刷した先生生徒御用達の書簡箋に、細い丁寧な字で綴られた数頁が、無瑕《むきず》で保存されている。封筒も切手もそのままである。切手の図柄は祇園祭の山車《だし》であった。

台風の翌日、ロック・バンドと一緒に松竹さんが車で東京へ帰るついでに、お見舞いに行くなら乗せてってあげるわよ、と言われて天宮くんと私は病院まで同乗させてもらった。私は最初躊躇《ちゅうちょ》したのだが、天宮くんが一緒に来てほしいと言ったので結局ついて行ったのである。あいにく回診の最中で、しばらく待たなければならなかった。最近改築したという市民病院には、花屋とカフェテリアとAVルームがあった。花屋の前を通る時、私は野瀬さんが白いチューリップを携えて叔母さんを見舞っていたことを思い出し、女の人ではないが、摩耶さんにも花を持って行くべきかどうか、天宮くんの意向を訊いてみた。天宮くんはウィンドウの中をちらと見て首を振った。

「あの人、仏壇に飾るような花は嫌い」

そう言われてみれば、花柴の菰《こも》包みの他、剪花《きりばな》は菊の類しか置いてないようだった。愛くるしい松葉牡丹《マツバボタン》の鉢植えなどもあるにはあったが、これがどう見ても摩耶さんにそぐわないことくらいは私にもわかった。カフェでしばらく時間を潰した後、ＡＶルームを覗いてみることにした。ちょうど上映中だった『安産教室』という二十分ほどの作品がなかなか面白く、つい最後まで見ていたら、病棟の回診はとうに終わっていた。

私たちがノックをして扉を開けると、摩耶さんは上半身を起こして移動式のベッドテーブルの上で何か書いていた。右腕は副木《サポーター》で固定してあるから使えないけれど、すらすらと淀みなくペンを走らせているということは、左ききなのだろう。入ってきた二人連れのうち、私の方は若干《そこばく》の緊張を隠せなかったが、天宮くんは落ち着いていた。摩耶さんは書き物を続けながら、羽毛のような睫毛をそよりと動かして、面会者の姿を視界の片隅に掃き入れた。隣のベッドには敷布が掛けてない。そちら側の床頭台もきちんと片づいており、患者は摩耶さん一人だけだった。

天宮くんが恐れ気もなく摩耶さんの枕頭に寄ったのを見て私は感心した。更に彼の見舞い第一声を聞いて感心は尊敬に変わった。即ち、ペンを持つ摩耶さんの手に、白アヤメの蕾のような自分の手を重ねつつ、実に優しい、かわいらしい声で、ソオビはほんまにどうしようもないアホやねと言ったのである。摩耶さんの頬に血が上るのを見たのは初めてだった。

「どうして僕が?」

「こんなの書いてるから」

天宮くんは摩耶さんのペンをすっと抜き取ってポケットにしまった。

「退部願なんか書いて――ララヴィスは誰が乗るの?」

アホと言われたからか、ペンを取られたからか、それともその両方か、摩耶さんの頬はいよいよ花ランプでも点《とも》したように薄明るんできた。血潮が注《さ》すと、奇妙に脆い感じがした。元々、外観が豪傑型ではないから、こんなふうに些《いささ》かでも動揺の色を見せると、弱い。傲慢な額にも、不遜な瞳にも、さわるとさぞ冷たかろうと思われるほど、まっすぐ整った鼻にも、突如として消え果てんばかりに可憐な風情が加わる。従弟《いとこ》の視線を避けてそっぽを向いた顔にも、長田《おさだ》幸《みゆき》さんが不束《ふつつか》なウェイトレスに対してつんと顎を上げた時ほどの迫力もなかった。

天宮くんは話題を転じた。

「合宿あしたで終わりや」

「競技会は?」

「うん。も少し日にちがあったら再開できるのやけど、宿舎の方に別の予約が入ってるから。日笠さんは、学院でもういっぺんやるように言うてはる。いつ退院できるの？」

「明日にでも」

「けど、折れてるのやろ？」

「ヒビが入ってるだけ。もう動ける」

「なら、一緒に帰ろ。あしたお午頃《ひる》迎えに来る」

出て行く合図に天宮くんが腕に手をかけたので、私は急いでお大事にと言った。摩耶さんは頷いたが、心は何だか別のところにあるようだった。扉を閉めかけた時、小さな声で、シオン、と呼ぶのが聞こえた。天宮くんは、もう一度ドアの隙間から頭を差し入れた。

「なあに？」

「僕の万年筆、置いてって」

天宮くんは私と目を見交わしてキラリと微笑した、かと思うと、小鳥のように勢いよく室内へ飛び込んで行った。

彼らが二人でいるところを見たのはその時で最後だが、天宮くんの手紙によると、これが一種の「仲直り」だったのだそうだ。祇園祭の切手が運んできた封書には、仲直りに至るまでの事情がもう少し詳しく書いてある。曰く、

『僕たちは去年の冬に喧嘩して以来、あまり顔を合わせないようにしていました。喧嘩の原因は、みんなはエアリエルのことだと思っているけど、実はそうではないのです。カリッシモは時々ものすごく神経質になって、ほかの馬から隔離しなければならないほどだったので、僕はいずれにせよエアリエルには二人で乗っていくつもりでした。怪我をしたことについては、元々蹄の管理に普通以上に気をつかう馬だったから、冬休み中、新米の厩務員に世話を任せっぱなしにしていた僕自身の責任でもあるのです。僕が腹を立てていた理由はもっと些細なことでした。つまり、蒼薇《そうび》（摩耶さん）の虚栄心に対して。

二人きりのとき、僕は蒼薇がとても好きです。ごく自然に何でも一緒にできる。僕はあんまり驚かないたちなのですが、最初の部活で蒼薇がカリッシモに乗って飛越したときは、びっくりした。こんなにきれいなものは見たことがないと思って。エアリエルで練習している間も、本当にいい先輩で、友達でした。でもおかしなことに、それは僕たちのほかに人がいないときだけの話で、側に誰か一人でも第三者がいると、蒼薇はまるで別人のように振る舞うのです。急によそよそしくなったり横柄になったり。いつか君に〈青撫子シンドローム〉のことを言ったと思うけど、僕は個人的には亀甲のこういった傾向が嫌いです。なぜかというと、誰かのことを真剣に、心の底から、好きになったとしても、ゲームだと思われて茶化されてしまうから。

新入部員の中には先輩に憧れて入ってくる者もいるし、先輩は先輩で下級生の中に取っかえ引っかえ新しいお気に入りを作る。それがまあ一種のステイタス・シンボルなのですが、僕には馬鹿馬鹿しいとしか思えない。こんなこと書いていいのかどうかわからないけど、君が亀甲へ来たときも上級生の間ではずいぶん評判になっていました。（転校生があるといつもひとしきり騒ぎ立てる人たちがいるのですが、君の場合は特別でした。）君がテニス部と馬術部に入ったものだから、テニス部の部長と蒼薇と、どちらが先に遠野くんを「落とす」ことができるかという下らない賭けをする者まで出てくる始末。僕は、先輩たちがそんな話をしてるのを聞いても、いつもの遊びだと思って気にも止めませんでした。

ところが、あれは冬休みに入ってからだったと思いますが、蒼薇との約束で、エアリエルの装蹄の具合をチェックするために一度学院へ行ったとき、君がクラブハウスから出てきてまた入って行くのを見かけたのです。きっとそのまま中へ入って行けばよかったのかもしれないけど、どうしてか、入れなかった。僕たちはその何日か前に、トレーニングの方法についての意見の食い違いから、口論をしたばかりでした。蒼薇は僕が来ることを知っていたから、もしかすると腹いせに君を呼んだのかと一瞬疑ってしまったのです。窓からちょっと中を見たきり、僕は引き返しました。君に嫉妬したからというよりも、蒼薇の子供っぽい意地悪にいい加減うんざりしたから――と、そのときは信じ込んでいたのですが、今思えばやっぱり嫉妬していたのかもしれない。君のことをよく知らなかったし――でも一番の原因は、僕が蒼薇のことを本当に好きだったからだと思う。青撫子みたいな風潮に煽られなくてもやはり好きになっていたでしょう。

蒼薇がカリッシモの下敷きになったと思ったとき、僕は自分が死んでしまったような気がしました。そうでないことがわかっても、なかなかすぐには生きた心地がしなかった。やっと落ち着いたのは、君が一緒にいてくれたからです。どうしてかと訊かれても説明できないけれど、僕が蒼薇に対して自分の気持ちをまた自然に表現できるようになったのは、君といろいろ話をしてからなのです。

僕には蒼薇がいればほかにはなんにもいらない。ずっとこう思ってきた。でも、蒼薇自身が僕の痛みの原因となっているときに、「痛い」と訴えることはできなかった。そんな痛みが募って、どうしようもなくなっていたのが、君と話していると、どんどん楽になっていったのです。君には何だか、人をとても素直な気持ちにしてくれるところがある。君に側にいてもらった間に、僕の意地っぱりやプライドは死んでしまって、人を愛するとかいたわるとか、優しくて正しい感情だけが生き返ったような気がします。』

この後には、摩耶さんの怪我は順調に快方に向かっていること、ラヴィスとガンちゃんが亀甲学院に引っ越してきたこと、カリッシモが余儀なく安楽死させられたことなどの記載が続く。そして手紙の最終部分は、『またいつか会いましょう。さようなら』と結んである。私の方でもまた会いたい思いは同じだったが、ある事件が起こったために再会はとうとう果たせなかった。

夏休みも終わりに近づいた頃、お父さんに連れられて十日間のヨーロッパ旅行に出かけた天宮くんは、飛行機の墜落事故によりあえなく落命した。私がそれを知ったのは無論ずっと後になってからで、図らずも報せてくれたのは松竹さんであった。二学期の中間テストが始まる直前だったと思うが、天宮夏南《あまみやかなん》追悼展というのが鶴島三越でも開かれるから馬が好きなら行ってごらんなさい、と招待状を送ってくれたのだ。私は試験勉強を放り出して三越へ駈けつけ、日本画壇の誇る鬼才が不慮の事故のため人生半ばにして子息と共に薨《みまか》った由を伝えられた。と同時に、お父さんのサインが〈Canaan《カナーン》〉と綴られており、すると天宮くんの名前も聖書にある「シオンの丘」から取ったものなのであろう、ということに初めて思い当たった。

五一　大文字《だいもんじ》

台風一過。晴れ渡った海岸にはあらゆる物が流れ着いていた。本物の難破船の残骸かと思われる破片や、ゴム合羽《がっぱ》の切れ端、壊れた釣具、海藻の絡みついた草履《ぞうり》、一見何に使うのかよくわからない家財道具の一部らしき物、そして甲殻類から哺乳類に至る種々の動物の死骸——アザラシの子の水死体があったのには驚いた――珍しい色や形に惹かれて拾い始めた貝殻も、あまり沢山ありすぎてきりがないので、青木くんのお母さんへのお土産に持ち帰る分を除いて、あとは皆、放り出してしまった。一泳ぎしてから、青木くんは陳さんとメニューのレイアウトを検討する約束があるとかでホテルへ戻って行った。上月、津々浦、洲々浜くんらも後に続いた。私は弓削くんや茶村くんと一緒に残ってしばらく甲羅干しをしてゆくことにした。

砂丘の頂で腹這いになって七月の天文現象の話などしているところへ、岬の方から数頭の馬が、よく揃った踏み込みのよい伸長速足で見る見る近づいてきた。先頭は伊集院さんだった。私たちの姿を認めると、昂然と頭をそびやかし、「全体、止まれ！」と叫んだ。人も馬も、号令とほとんど同時にぴたりと停止した。馬は全部で五頭いた。伊集院さんは、部員に「休め」と声をかけてから、一騎のみ隊列を離れ、悠然たる常歩《なみあし》で砂丘の麓へやって来た。

「なんや、おまえら。まだおったんか？　早よ、お母《か》んのとこへ帰らんかい！」

物腰も顔つきも競技会の折に見た完璧な紳士ぶりとは対照的である。合宿が終わって亀甲学院の生徒は全員K市へ帰ったと思っていたのに、「まだおったんか」とはこっちの言いたい台詞だ。

「僕たちがいつ帰るかなんて、そちらには関係ないことでしょう」

茶村くんは努めて冷静を装って言った。

「そやかて、ガキにいつまでもウロチョロされとったら目ざわりやで」

「理由もなく他人にからんでくる方が、よっぽどガキだぜ」

と、弓削くんが肩をすくめた。伊集院さんのこめかみがピクリと動いた。

「なんやと？　オンドリャ、もういっぺん言うてみ。俺にメンチ切っただけで指がのうなった奴もおるねんで」

「メンチ切る」って何だ？と、弓削くんがこっそり尋ねたので、私は、「ガンつける」みたいなもんだよ、とプロンプターを務めた。

「何コソコソ言うとんのや。クソガキの童貞集団」

これにはさすがに皆気色《けしき》ばんだ。高校一年生の第一学期終了時に於いて童貞を堅持していることの是非はともかく、事実は事実であるから反論のしようがない。一言も返す言葉を思いつけない我々三人のうち、弓削くんがいち早く立ち直った。

「選ぶ権利を重視していると言ってくれ。雑魚《ざこ》を相手に手あたりしだいなんてご免だね！」

伊集院さんは弓削くんの顔を見上げながら、バービー人形の睫毛を二、三度パシパシと打ち合わせた。何か更に不作法な言葉を吐くかと思ったら、そうではなく、

「ほなら……」

と、馬上で身を反《そ》らして不敵に嗤《わら》った。

「あさって土曜日の夜、この浜でサタデイナイト・パーティやったろうやないか。そんとき、そ

っちも男の数だけ女を集めてこい。ただし雑魚はお断りやで。今言うた権利を尊重したるさかい、せいぜい選んでくること。一番マブい女《スケ》を連れてきた方が勝ちや。ええな？」

弓削くん、茶村くんと私は無言で目を見交わした。伊集院さんは、こらおもろなったで、とうそぶき、いきなり鮮やかに馬を反転させて、待っていた部員たちに「気をつけ！」、「速足——進め！」と号令をかけ、声高に笑いながら馬場の方へ駈け去った。

「おい、どうするんだ？」

弓削くんが茶村くんをそっと肘で小突いた。

「知らんけど、勝負するはめになったみたいだな。『選ぶ権利』は軽率だった。責任取れよ」

と、茶村くんは陰鬱な顔をした。

「そんな……俺、女の子なんて全然心当たりないよ」

「まあ、帰って相談してみよう」

竜宮城へ戻ると青木くんと上月くんはティー・ラウンジでチェスをやっていた。洲々浜くんと津々浦くんはジムでトランポリンを楽しんでいるところを中断してもらって、私たちは青木くんの部屋に集結した。三人寄れば文殊の知恵というが、七人寄っても何一つ名案が浮かばない。

「あかんわ。誰もナンパなんかしたことある奴おらへんのに、女をひっかけるいうたかて」

「『ひっかける』とは何だ、上月。『お誘いする』と言え」

「同じことやがな。気取っとる場合やおまへんで、級長」

「関西弁はやめろ」

「なんでやねん？」

「生理的に受けつけん」

「何言うてけつかる。差別したぁあかん。わてらかて人間だっせ」

「『わてら』はよかったのう。生まれも育ちも鶴島のくせして！」

と、津々浦くんがせせら笑った。

「練習せんといけんじゃろうが。敵を制するにはまず敵の言語を知れ――『やで』、と」

本題から外れたぞ、と弓削くんが注意を促し、青木くんは嘆息した。

「このまま、女が一人も見つかりませんでした、ちゅうのはどう考えても惨めじゃのう」

「アルバイトの子に頼んでみようか――あ、ミニーはだめだ！　絶対伊集院さんの方につくから」

「あの子は上月と喧嘩してから顔出さんようになったで。あと五人が全員協力してくれたとしても、まだ足りんのう。それに、頭数だけ揃うたらええいうんと違うんじゃろう？」

「そうだ。『一番マブい女《スケ》』という条件がつくんだった。美人でなくちゃ」

インターフォンが鳴った。青木くんが出た。

「青木さんですか？　ロビーにお友達が見えていらっしゃいます。花小路さんとおっしゃってますが。緑さんのお部屋にご連絡したんですけれども、お返事がありませんので」

「花小路――はい、すぐ行きます！　どうもありがとう！」

　受話器を置いて振り返った青木くんの瞳はらんらんと輝いていた。

「美人が着いたで」

と、仲間のマヌケ面を一渡り眺めて、ニヤリと笑った。

「これしかない。遠野でもええか思うたけど、あっちに顔を知られすぎとるけぇ、見破られる心配がある。由理也やったら絶対バレんで。もうこっちのもんじゃいや！」

　青木くんは自分のインスピレーションに陶酔していた。陶酔の波はほどなく私たちをも飲み込んだ。皆、美人の到来を歓迎せんと、我先に廊下へ走り出てエレベーターのボタンを押したが、二階で止まったきりなかなか上がってこない。もどかしいので、一気に階段を駈け下りた。

　花小路くんはロビーの温室で待っていた。私たちが行った時は、つい今し方、白鳥かなんぞから転身したばかり、といった風情で花咲くレモンの木蔭に佇み、本物かな?という顔で幹や枝を観察しているところだった。一同は踊り場で一時停止して息を殺し、その芳《かぐわし》き姿を惚れぼれと見守った。(「おい、あれ見てみいや」、「うーん……ええのお。完璧じゃ」、「表情がもうちょい白痴的な方がええのんちゃう?」、「関西弁は使うなというのに」……)

由理也くんは踊り場に固まっている友人に気づいたとみえ、片手を上げてニッコリした。まさしく、ありがたいマドンナの微笑み。私たちは残りの階段をころがるように駆け下りて、一斉に由理也くんを取り囲んだ。

「おー花小路、懐かしいのう！」

「よう来てくれた！　いやあ、よう来てくれた！」

「荷物持っちゃるけぇ、こっちかせえや」

由理也くんはこの熱狂的なレセプションに面食らったようだったが、微笑は絶やさなかった。私は、今までにも増して慇ろなホストぶりを発揮せねばと張り切った。その一念は陳さんにも通じたのか、その日の晩餐は申し分なかった。コンソメは、麗しい桜色の海老団子を浮かべて夏の日光のようにキラキラと澄み渡り、昼網で上がった魚は、天女の羽衣をまとったかの如き繊細な口当たりのムニエルに仕立てられた。胡桃《くるみ》をたっぷりまぶしたチョコレートがけアイスクリームを堪能した後、私たちはテラスへ出て、ハワイアン・パンチ片手に夕涼みをした。沖合い遥かに漁火《いさりび》がちらつき、上を見れば金銀の真砂を敷き詰めた天の河《ミルキーウェイ》。美食と夜景と潮風と。リゾート気分満点である。やがて青木くんが、手真似で私を物陰へ呼んだ。

「おまえ、由理也に頼んでみてくれえや」

「えー、だめだよ。君のアイデアじゃないか」

「そりゃあそうじゃけど……来る早々、いきなり女に化けてくれんか言うのものう」

「花小路くんも疲れてるだろうから、あんまり話を長くしない方がいいよ。今夜、二人きりになってから、単刀直入に頼んでみたら？　シャワーでも浴びてリラックスして」

「そうじゃのう……」

「一生懸命頼めば、青木くんの熱意に打たれてＯＫしてくれるって！　それに、僕らみんなの名誉のためなんだから」

「うん……よっしゃ。頑張って頼んでみょう！」

その夜更け、隣室で地響きのような怪音が轟いた。私と弓削くんが駆けつけてみると、五〇四号室の床に青木くんが大の字に伸びており、きりりと口元を結んだバスローブ姿の由理也くんが、何か一仕事すませた後のように、軽く両手をはたいているところだった。由理也くんは、戸口で唖然《あぜん》としている私たちをジロリと見て、

「君たちは変態か？」

と厳しい声で言った。

「僕がシャワーの後、髪を乾かしてると、こいつが（と青木くんを顎で示して）来て、なんと言ったと思う？　『頼む、みんなのために、女になってくれ』だなんて——失敬な！　てっきり聞き違えたと思ったよ。そしたらまた、『頼む！』と言いながら近寄って来たんで、やむを得ず技

をかけた。青木には当然の報いだ」

由理也くんに武道の心得があろうとは、誰も夢想だにしなかったに違いない。

五二　芳《かぐは》し蘭《》き友情《いうじやう》

参謀会議のテーブルにコーヒーとチーズが配られる。カマンベール、ロックフォール、ペリゴール等々のフランス尽くし。小さな三色旗がそれぞれのチーズの天辺にはためいている。いつもなら、かわいいねと笑って賞味にかかるところなのだが、その日はなぜか、お子様ランチの連想が先に立って食欲を殺《そ》がれ、私は手つかずのチーズプレートを先へ回した。

「問題は――」

青木くんにコーヒーを注いでもらいながら、茶村くんが重々しく切り出した。

「女装に関する限り、敵の知識と経験は遺憾ながら我々のそれをはるかに上回っているという点にある。遠野が提供してくれた情報によると、亀甲学院において女装という行為は何ら異端ではなく、例年の文化祭の欠くべからざる行事として日常化されているそうだ。であるからして、こちらがいかに細心の注意を払って装いをこらしても、単に外見のみの偽装に終わっては、目の肥えた奴らのことだ、必ず看破されるに決まっている。そこで花小路――」

「いやだ！」

「まだ何も頼んでないぞ」

「女に化けるなんて死んでもいやだ」

「女装という手段自体には恥ずべきところはない。特に、味方の危急存亡がかかっているとか、極限状況にあっては――」

「おい、ギリシャの英雄にだって女に化けて危難を逃れた奴がいるんだぜ。女装して外国の王女様たちに混じって育てられたおかげで、戦争に行かなくてすんだんだ。いいなあ……」

「そんなに王女様がいいのなら、弓削、君がなればいいだろう？」

と言い返した花小路くんは、氷山のように険しい口ぶりでつけ加えた。

「それに、アキレスは結局、トロイ戦争に駆り出されたんだ。装飾品でなく武器や鎧に興味を示したために正体がばれて。本を読む時はちゃんと最後まで読め」

「そうなんだ、花小路」

茶村くんが我が意を得たりとばかりに頷いた。

「僕が指摘したかったのはまさにそこなんだ。いくら化粧をしてスカートをはいても、嗜好や感性が男のままでは早晩ボロが出る。我々はその点に充分留意して敵の裏をかかなければならん。そこでまず、由理也、君が今一番興味がある事柄というと何だ？」

「少林寺拳法と中世ドイツ神学」

「女がそんなものに興味を持ってどうする？　早速ウィンドーショッピングと現代フランス語会話に変更しろ」

「レース編みなんかでもええと思うよ」

クラッカーにカマンベールを一切れ載せて黒スグリのジャムをかけていた洲々浜くんが、のんびりと提案した。

「もうちょっとアクティヴなイメージを演出したいっていうのなら、ダーリン、バレエはどうお？」

上月くんは松竹さんそこのけのカマっぽさで迫る。

「料理はユニセックスな趣味じゃと思うけど――」

「それより女言葉や歩き方の練習を始めにゃあ」

「あっ！　もしかして、下着も女物を揃えなきゃいけないとか？」

出席者が一斉に喋り出したので、茶村くんはチーズカッターの柄でテーブルを叩いて静粛を促した。由理也くんは空になったコーヒーカップを睨みつけている。青木くんがいそいそとポットを取り上げてお代わりを注いだ。その陰に隠れて茶村くんが弓削くんに素早く目配せしたのが、私の席から見てとれた。弓削くんは自分のカップを手に持ったまま、徐ろに席を立ち、筋向かいに座っていた由理也くんの所まで出向いてきた。

「ねえ、花小路……」

「気色の悪い声を出すな。何と言われようと、僕は絶対——」

「君はたしか、三年生の藤井御代輝《みよてる》さんという人と同室だったよね？」

予期せぬ展開に、由理也くんは鳩が豆鉄砲を喰《くら》ったような顔をした。（私までが我知らず耳をそばだてた。）

「それが何だっていうんだ？」

「いや実はね、僕はほら、パウロ寮でさ、生徒会長と部屋が一緒だろ？　それで、まあ、いろんな情報が入ってくるわけなんだけど……藤井さんは、二学期の寮祭の実行委員長に内定しているんだそうだ」

「そのことと僕の女装と何の関係がある？　要点を早く言ってくれ」

「要点を言うとだね、藤井さんは、ルカ寮の出し物は演劇、しかもシェイクスピア、しかも『ロミオとジュリエット』、しかもロミオは自分で演じると決めていて、ジュリエット役を君にするか遠野にするか、只今考慮中なんだ」

青天の霹靂《へきれき》。私は由理也くんと目を見合わせた途端、ショックのあまり一時呼吸困難に陥った。次の瞬間、大きなシャックリが飛び出していた。弓削くんは私に同情の一瞥《いちべつ》を投げて話を続けた。

「しかしだね、由理也。もし君が今回、我々鶴島学院生の名誉を守るために一肌ぬいでくれるなら、寮祭の方は遠野が引き受けて、自らジュリエットに立候補してやろうと言っている」

逆上して席を立ちかけた私は、両隣の者の手によって椅子に押さえつけられた。

「よくもそんな（ヒック！）……僕はそんな（ヒック！）……ジュリ（ッヒック！）……エット（ックヒックヒックヒック！）……」

誰かがそっと脚を蹴飛ばした。静かにせよという合図だったのかも知れないが、蹴られたのが先日松の根で打った向こう脛《ずね》だからたまらない。悲鳴を上げる寸前、縁までいっぱいに水を満たした大コップがどこからか現われて、私の口に当てがわれた。

由理也くんは憮然《ぶぜん》として、再び空になったカップを見つめていたが、青木くんがポットを傾けようとしたところを遮り、しばらく考えさせてくれと言ってダイニングルームを出て行った。水を一気に飲み干してシャックリが止まったのを幸い、満身の怒りをこめて、私は抗議した。茶村くんが頭をかきながら、謝った。

「悪い悪い！　弓削と相談して食事の直前に決めた案なんだ。みんなに知らせとく暇がなくて」

「それにしてはチームワークが抜群だったじゃないか」

私はせいぜい冷たい視線で、テーブルについている人々を見渡した。慎しく赤らんでいる顔もあれば、ふてぶてしく居直っている顔もある。

「──で、どこまで本当なんだ?」

「藤井さんが寮祭の実行委員長をやるというところまでだよ。毎年、誰もやりたがる奴がいないから、なり手を見つけるのに一苦労だと脇さんが言ってた」

「『ロミオとジュリエット』は絶対嘘だな?」

「絶対というわけでも……シェイクスピアをやってみたいと言ったのは本当なんだ」

私は癇癪《かんしゃく》を起こした。

「どうして演劇というとシェイクスピアなんだ? 『アラビアのロレンス』を舞台化すればいいじゃないか! あれなら男とラクダをわんさと出しておけばすむ。女役なんかしなくてもいいのに!」

花小路くんが戻ってきた。殉教のセバスティアンのような諦観《ていかん》が総身に漲《みなぎ》っている。

「仕方がない。やるよ」

「やってくれるか!」

茶村くんが立ち上がって由理也くんの肩に両手をかける。弓削くんもマキアヴェリの仮面をは

ずし、安堵の笑みをそれに代えてその背を叩く。万雷の拍手の中、由理也くんは私の顔をひたと見据え、

「その代わり、藤井さんのことはよろしく頼むよ。僕はあの人、大の苦手なんだ」

と念を押した。私とて大の苦手は同じだ。藤井さんが得意な奴なんているわけないと思ったが、茶村くんは遠視用眼鏡のレンズ越しにはっきりと懇願のサインを送ってくるし、弓削くんは横目でこっちを窺いながら、それとなくポキポキと指を鳴らしてウォーミングアップをしているようなので、私はやむを得ず首を縦に振った。

「そうと決まったら、早速、遠野のお母さんとこへ行て化粧や衣装の相談をしょうで。どうせ女の人に手伝うてもらわんことには成功せんプランじゃ。仮装パーティをするとでも言うとけばええじゃろう」

　津々浦くんが、テキパキと指示を出しながら由理也くんを追い立てて出ていった。それを見送る青木くんが、

「惜しいのう。松竹さんがもうちょっとおってくれたら、アドバイスしてもらえたのに」

と残念そうに言った。そこへ茶村くんが来て、耳打ちした。

「とにかくこれで美人の都合はついたわけだ。あとは任せたぞ」

　青木くんは頷いて、もうとっくにマンハッタンへ手配ずみじゃ、と謎めいた返答をした。

五三　宵待草《よひまちぐさ》

篝火《かがりび》から少し離れた松林の一角に、下枝を太く低く張り出した木があった。その天然の縁台に、花も恥じらう浴衣美人が柳腰を預けて涼んでいた。私は冷たいシードルを一杯奨めて、ねぎらいの言葉をかけた。

「もうちょっとの辛抱だよ」

「暑くて死にそうだ！　バスタオル三枚も巻いてるから。ほんとにバレてないと思う？」

「大丈夫」

竜宮城のワードローブを総ざらいした結果、ウェディングドレスもお色直し用ドレスも、並《な》べて役に立たないことがわかった。松竹さんのターゲットは、身長一七〇㎝、Ｂ九五・Ｗ六〇・Ｈ九八のあたりであるらしい。由理也くんのスレンダーな体形は、すっきりと均斉がとれてダンスや器械体操をやるには最適と思われるが、本物の女性の体に比較するとやはり盛り上がりに乏しいという欠点がある。フェミニンなボディラインを執拗に強調した露出度の高いローブデコルテの中には、趣味は二の次で選ぶにしろ、サイズとカットの点でこれならと妥協できるものが一着もなかった。打掛けを着て行くわけにもいかないしねえ、と考え込んでいた母が、一計を案じた。

「いっそ浴衣《ゆかた》になさいよ。涼しいし、体形補正が簡単だし、パンプスも履かなくっていいし」

そこで盆踊り用のレンタル浴衣のうち、藍地に浜千鳥を白く抜いた袂の長い一枚が選び出された。

〈仮装パーティ〉当日の夕方、花小路くんは夕食もそこそこに風呂に入って、コティだかディオールだかのパウダーを顔や首にはたかれ、自前の睫毛の上に更につけ睫毛を重ねてマスカラで補強し、頬紅は控えめに、口紅は鮮やかに、等々の細工を凝らした後、金銀水引の飾りを取って芒《すすき》の簪《かんざし》だけを差した、婚礼用の尾長《おなが》の鬘《かつら》をつけた。帯だけはいいのを貸してあげましょうと探し出してきた朱鷺《とき》色の「ケンジョウハカタ」とやらを、由理也くんの胴にくるくると巻きつけながら、母はかわいらしいかわいらしいを連発した。今頃のお嬢さんなら浴衣帯は黄色になさるかもしれないとか、あなたは細面《ほそおもて》の上品なお姫様《ひいさま》顔だから古風なのがかえって粋でしょうとか、これは文庫という結び方なのよ、などと当人には全く使い道のない情報を色々と提供していた。

支度の整った由理也くんが楚々として階段を下りてくる姿に、友人一同の胸には希望的観測が温泉のようにこんこんと涌き出《い》でた。『マイ・フェア・レディ』のヒギンズ教授だって、勝利をこれほど確信できたはずはない。惜しむらくは最後の所で、裾捌きに微小の誤差が生じたとみえ、あわや一段踏み外しそうになったが、茶村くんが敏速に駈けつけて支えてやった。

そこへ雷のような轟音と共に、数台のバイクがロータリーを廻って正面玄関へ乗りつけてくるのが見えた。皆、一台に二人乗りである。真っ先に飛び降りてヘルメットを取ったライダーは、青木煌《おうぎきらら》くんであった。迎えに出た兄さんと握手しながら、

「ほんまに六人でええんか？」

と、笑う。麗《うらら》くんはリアシートから蝶のようにヒラヒラと降り立つ人々を眺めて頷いた。

ヘルメットとダスターコートから解放された蝶々たちは、羽根を伸ばして笑ったり喋ったりし始めた。

「全員サーファーか？」

と、兄さんが尋ねた。煌くんは答えて、

「セイラーと言うてくれ。二人は違うけど、みんな同じペンションに泊まっとるお友達じゃ。名前はペンションでも内容は民宿でのお。おばさんがブチやかましいんじゃ。一応門限があるけえ、あんまり遅うなったらヤバいことになるで。何時頃迎えに来たらええか言うといてくれえや」

「そうじゃのう——十時？」

「よっしゃ。このロビーで十時……おっ、兄ちゃん、あれ誰？」

「花小路じゃ」

「はー……よう化けとってんじゃねえ！」

煌くんと彼の仲間のサーファー＝セイラー＝ライダーは、エンジンの音も勇ましく、岬のペンション〈万八丹《まんはったん》〉へ引き上げていった。

華やかな残照に彩られた空を愛でつつ一同は海岸へ出た。女の子たちは無論事情を了解ずみで、半ば羞《はにか》み、半ば面白がりながら親切に協力してくれた。横浜から来たノリコちゃんという子が、転ばぬ先の杖を買って出た茶村くんにすがって、伏し目がちに歩を運ぶ由理也くんを見て、あたしも浴衣着てくればよかったわ、としみじみ呟いた。

伊集院さんが指定した場所には、既にあかあかと焚火が燃されていた。威勢のいい炎は天を焦がさんばかりだ。ピクニック・テーブルの上にコールド・チキンや多彩なカナッペを並べ立て、アイスバケットには各種の飲物を冷やしてあるあたり、さすがにぬかりはない。音楽はテープの他に生演奏も予定されているのか、ヤマハのポータブル・アンプの側にレス・ポールのギターが一本、フェンダーのベース、マラカス、タンバリンなどと一緒に出番を待っていた。

亀甲学院が集めた女性客の中には案の定ミニー・マウスが入っていた。私たちが来たのを知ると、今宵はバミューダ・ショーツにアロハシャツという強引な熱帯《トロピカル》ファッションで決めた伊集院さんに何か囁き、聞こえよがしな笑い声をたてた。茶村くんは花小路くんを弓削くんに預け、代表で「お招きありがとう」と述べに行った。一番マブい女《スケ》は我が手にありと安心しているから、泰然自若を維持するのも容易だ。（この時ほど級長を誇らしく思ったことはない、と後にみんな言ったものである。）伊集院さんは私たちの同伴者を無言で品評して、フフンと鼻を鳴らした。何を飲みますかと尋ねる口調は慇懃無礼《いんぎんぶれい》の典型だ。マンハッタンの乙女らがカナッペをつまみに行った間に、弓削くんの傍らへ来て、すれ違いざま、デカい口たたいたわりにはジャリばっかし拾て来よって、と厭味《イヤミ》を言った。

「どうせナンパするなら女子大生かOLを――」

そこで厭味は立ち消えになった。弓削くんの背中にしがみついて一生懸命隠れようとしていた花小路くんに気がついたのである。

人が魂を奪われる瞬間を目撃する機会は、そうたびたびあるものではない。またその奪われ方は、人によって様々に異なることも充分考えられる。伊集院さんの場合、魂の離脱度は鼻の下の伸長に正比例するらしかった。今まで浴衣を着た人間を見たことがなかったかのように、伊集院さんの視線は花小路くんの艶姿《あですがた》に釘づけになった。焚火のごく近くに立っていたので、風向きが変わった途端にもうもうと押し寄せた煙にむせて、浴衣美人は激しく咳き込んだ。ようやく袂の陰から覗かせた顔は、うっすらと涙ぐみ、ウォータープルーフのマスカラも空しく、一筋の黒い流れがほろほろと頬をつたい落ちてゆく。これはいかんと判断した弓削くんは、咄嗟《とっさ》に由理也くんに腕を回して献上博多の文庫諸共ぐいと抱き寄せ、ここは火の粉が飛んできて危ないからあっちへ行きましょう、と言いながら、二人睦まじく暗い砂丘の方へ立ち去った。それを見送る伊集院さんの目には、焚火以上に危険な闘志の炎《ほむら》がメラメラと燃え上がった。

私が持ってきたシードルをおいしそうに飲んだ花小路くんは、弓削くんの注意に従ってマスカラの汚れを袂できれいに拭きとり、帯の間からコンパクトを取り出して白粉《おしろい》をパフパフはたいた。幽《あえ》かな銀色に輝く顔《かんば》せは、砂丘の月見草に混じって日没と同時に夢の如く花開いたかのようだ。篝火の周囲では、ライヴ音楽に乗ってダンスが始まり、渚で打ち上げ花火に興じる一群もあった。弓削くんは本物の女の子の相手をしに浜辺へ戻って行った。入れ違いに、がっちりしたバミューダ・ショーツの人影が、焚火を離れて単身こちらへやって来るのが見えた。さっきの目つきのとばっちりを食うのはご免こうむりたかったので、私は急いで木の後ろに身を隠した。（まさか女が一人でいるところをいじめたりはすまい。）

由理也くんの前まで来ると、伊集院さんは手に持った二個のワイングラスのうち一つを差し出して、いかがですかと奨めた。少しためらったものの、喉の乾きがまだ治まっていなかったらしい由理也くんは、小声で礼を言いながらグラスを受け取った。

「お隣にすわってもよろしいでしょうか？」

「あ——はい、どうぞ」

由理也くんは淑やかに浴衣の袖をまとめて伊集院さんのために場所を作った。伊集院さんは、失礼、とそこへ腰を下ろしたらしいが、二人とも随分長いこと一言も物を言わない。一晩中「の」の字を書いて過ごすのだろうか、と心配になった頃、ようやく伊集院さんが口をきいた。

「やはり鶴島から遊びにいらしたんですか？」

「ええ……」

「鶴島には僕も何人か知り合いがいるんだけれども——学校はどちらですか？」

「あたくしですか？　あたくしは、鶴島学院——」

私は驚いて木の陰から由理也くんの袂の端を引っ張った。

「——の、ちょうどお向かいの丘の上にある、聖母マリア学園てところに通っております」

「聖母マリア学園——なんと清らかな名前だ。それで、あいつら——いや、あの人たちとは一体どんなきっかけで知り合われたんです？」

「あ……ええと……それはですね……あたくしどもの学校では、毎朝朝礼のときに日直が、鐘楼《しょうろう》から手旗信号で鶴島学院の方へご挨拶申し上げることになっているんですの。ほら何しろ女子校ですから退屈でございましょう？　まあとにかくそういったようなご縁で、茶村さんたちともお近づきになったようなわけで……」

「あなたも日直で旗を振られたことがあるんですか？」

「え、ええ、もちろんですわ」

「そのとき鶴島学院から旗を振り返したのは誰なんです？　どんなメッセージが返ってきました？」

「だ、だれ？　ええっと誰だったかしら……メッセージと言われても……手旗信号部には部員が三百六十五人もいるから、日直は年に一度くらいしか回ってこなくて……」

「誰だっていい。僕はその男がよこしたメッセージをはっきりと読み取ることができますよ。言ってみましょうか？」

「はあ、どうぞ。おっしゃりたければ」

「『ジ・ュ・テ・ー・ム』と言ったんです」

「何ですって？」

「おや、もう一度言わせたいんですね？　いけない人だ――」

渋い低音《バス》をいよいよ渋く抑えつつ、伊集院さんが由理也くんの方へにじり寄って行く気配がした。

五四　形見袖《かたみのそで》

ここで我が名誉のために一言断っておく。由理也くんが役柄に徹してきゃーと小さく叫んだ時、私はよほど飛び出して行こうかと思った。真実女の子だったら、いくら腕に自信がなくても一応助けに行ったと思う。だが幸か不幸か私は由理也くんの本当の性を知っている。その上、他人の手を借りなくても、自分で充分護身ができるということも。悲鳴の上げ方から判断するに、彼は依然、自分の役を放棄するつもりはなく、女として朋友の名誉をあくまでも守り通してくれる所存であるようだ。その健気な心ばえがどこまで持続するかわからないが、「きゃー」の中に一抹の余裕が聞き取れたのをよいことに、私は今しばらく成り行きに任せてみることにした。

「あの、お願いです。どうか手をお離しになって……」

「お、これは失敬。僕は美しいものを見ると、つい手を触れてみたくなるんです。こんな美しいもの、あるいは人が、本当に存在しているのかと確かめたくなって。人間の自然な欲求だと思いませんか？」

「いいえ！」

（由理也くんがさっと身をかわしたようだった。ゴツン！と硬い物のぶつかり合う音がした。）

「アイタタ……！　ひどいなあ。頭を打ってしまったじゃないですか」

「あらほんとだ。松の木にコブができておりますわ。お気の毒に。ところであたくし、そろそろ茶村さんたちのところへ戻りませんと――」

「茶村ってどいつです？　あの、フレディ・マーキュリーみたいな衣装をつけた奴ですか？」

「あれは上月さんです。茶村さんはタータンチェックの方ですわ」

「どの程度の仲なんです？」

「何のことですの？」

「あなたとその茶村という男です。あなたからそいつの名前を聞くのはさっきからもう三度めだ。ごまかしてもだめです。僕はちゃんと数えていたんです」

「別にごまかしてなんか――」

「嘘をつくあなたはいっそう美しい」

（由理也くんは立ち上がった。）

「それでは失礼致しま――あっ、何をなさるの、離して下さい！」

「離しません。あなたが明日もう一度会うと約束して下さるまでは。僕たちはあさって発たなければならないんです。その前にどうかもう一目！　それさえ無理とおっしゃるなら、せめて今ここで別れの――」

（ビンタの音頻《しき》り。）

「いいかげんにしろ！」

由理也くんが息をはずませながら叱咤するのが聞こえた。

「おとなしくしていればいい気になって。いやがる女に無理強《むりじ》いするなんて、それでも男か！」

伊集院さんは不気味に押し黙っている。いよいよ出番かと私は拳を固めた。その途端、

「素敵だ……！」

相手が感に堪えぬといった声音《こわね》で詠歎したので出鼻を挫《くじ》かれた。

「怒ったあなたは、またなんと素晴らしいんだろう！　右の頬を打たれたら左の頬を差し出せというキリストの心が、僕には今初めてわかった。さ、よかったらどうぞもう二、三回――」

「結構だよ！　おい、袖を離せと言ったら離せ！　遠野くん！」

呼ばれたからにはこれ以上引っ込んでおれない。私は直ちに登場した。

「悪いね。でも僕はもうまっぴらだ。忍耐にも限度がある」

堪忍袋の緒が切れた浴衣美人に向かって、私は弱々しく頷いた。気持ちはお察しする。

「伊集院とやら、君がさっきから並べ立てているごたくは何の役にも立たないんだよ。あいにく

僕は男なんだ。嘘だと思ったら、そこにいる遠野くんに訊いてみたまえ」

「わかっています」

「なんだと？」

由理也くんと私はぎょっとして伊集院さんの顔を見た。伊集院さんは由理也くんの浴衣の袂をしっかとつかまえて法悦状態に陥っており、私の姿などほとんど目に入らないようだった。

「そんなこと初めからわかっていました。僕の目は節穴だとでも思っているんですか？　伊達《だて》に亀甲学院へ行っているわけじゃないんですよ。君が男だってことぐらいすぐわかったけど、でも僕はもうどっちでもいいんです。君が女になりたいっていうのなら女の格好のままでも……そんなことで僕の気持ちは変わりません。安心して下さい！」

由理也くんは私の耳に口を寄せて、走るぞ！と鋭く囁いた。伊集院さんに押さえられていた袖を肩口からビリリと引き裂いたかと思うと、いきなり浴衣の裾をたくし上げて一散に駆け出した。あおりを喰ってひっくり返った伊集院さんが、松の幹に後頭部を打ちつけてうーんと唸るのを背後に聞きながら、私も由理也くんの後について必死で走った。途中、篝火の横を駆けぬけながらスクランブルを叫んだので、何が何だかよくわからないまま仲間と女の子たちが合流して夜の浜辺の大レースとなり、我先に竜宮城のロビーへなだれ込んだ時には呼吸をするのがやっとであった。

一番最後の走者がよろよろとソファに辿り着くと同時に時計が十時を打ち始めた。松林のはるか先で遠雷のように鳴っているのは、近づいてくるバイクの音に違いなかった。

五五　乙鳥《つばめ》

海浜パーティの翌日は、もしかしたら亀甲学院側から改めて果たし状でも届くかと、一同心の準備おさおさ怠りなかったのだが、終日何も音沙汰がないので、私たちは安心して花小路くんの慰労会を催した。（伊集院さんは浴衣美人の残した袖を形見に、傷心でK市への帰途についたことであろう。）津々浦、洲々浜、上月の三人が滞在する最後の夜でもあり、夜更かしをしてさんざん騒ぎまくった。更に二日後、花小路くんは東京へ発ち、青木くんと茶村くんが陳さんに惜しまれつつ鶴島へ帰って行った後、残ったのは弓削くんと私だけになった。

弓削くんの両親はアメリカに住んでいた。お父さんはフィラデルフィアの大学で客員教授をしておられ、任期はあと一年だということだった。弓削くんも、津田塾大に行っているというお姉さんも、寮生活だった。そのお姉さんと一緒に親戚の家を訪ねるので、弓削くんも明日からいなくなる。

私たちは午前中図書室で宿題を片づけた後、浜辺へ下りて一泳ぎした。日射病になる一歩手前で竜宮城へ戻り、日が落ちて少し涼しくなってからまた散歩に出た。松林がからりと開けて砂丘に出るところで、いつものように靴を脱いだ。昼間の温《ぬく》みの残る砂地を一足ごとにポクポク返しながら、靴をぶら下げてしばらく歩いた。「難破船」のある場所まで来ると、弓削くんは船縁《ふなべり》に手をかけて事もなげに甲板に上がり、続いて私を助け上げてくれた。私たちは更に船室の屋根へよじ上り、旗竿につかまって沖合を展望した。昼間練習していたセイラーたちも宿へ引き上げていた。雲のない空一面に、落日の名残りの黄金《きん》と淡紅色《ばらいろ》が氾濫して、そこから香《かぐわ》しい空気か妙なる奏楽でも漂って来そうな、壮麗な空間が作られていた。

「水平線て、直線じゃなくて曲線なんだなあ」

と、弓削くんが言った。

「地球は丸いって実感するよ」

ふっと溜息が出た。地球が丸いからではない。私は健ボー症なりに、周囲に誰かいてくれる方が好きなのだ。（もちろん、相手にもよるけれど。）明日は一日がひどく長く思えることだろう。

「何だい？」

弓削くんが私の溜息を聞き咎めて、尋ねた。こんな時、弓削くんは本当に心配そうな顔をする。

私に限らず、一緒にいる友人の気分の浮き沈みが自分の双肩にかかっているかのように、押しつけがましくはないけれども、親身になるのである。こんな性格の人の前で、みだりにふさぎ込むのは罪悪だ。

「ちょっとね――あしたから退屈になるな、と思って」

「兄弟、いないのか？」

「うん。一人くらいいたらなと思うよ」

「いればいいってもんでもないぜ。俺なんか姉貴だけだけど、すごい女でさ。あいつを女と呼ぶこと自体、疑問を感じるね。身長なんか俺と同じくらいあって、手は早いし、啖呵《たんか》は切るし、小さい頃だっていっつも泣かされてたんだ」

「今は？」

「今？　そうだな。今でも……」

弓削くんは、生まれたての仔馬のように細長い脚を、窮屈そうに折って座った。私も並んで腰を下ろした。耳元では絶えず風が鳴っていた。一呼吸おいて、弓削くんは閑話休題した。

「両親がね、もうすぐ離婚するんだ」

私は聞き違えたかと思った。唐突な話だ。

「あっちへ行く前から何だかんだ言っててね。親戚とか周りになだめられて、まあもう一回夫婦だけでやり直してみようって、いっしょに出かけたんだけど、結局だめだったみたいだな。じき、お袋だけ先に帰って来るってさ」

私は曖昧に頷いた。何か適当な言葉を思いつけばいいのだが――

「春休みだったかな。俺、姉貴といっしょに親戚の家にいて、そこへ親父から電話があったんだ。もう別れるしかないって。そしたら――」

弓削くんは立てた膝を抱え込み、途方に暮れたように、砂まみれの自分の足先を見つめた。

「姉貴の奴、ポロポロ泣き出しちゃってさ。電話口で。びっくりしたよ。いつもはこっちが泣かされてるだろ。へえ、こいつでも泣くことあるのかと思ったら、おかしいやら気の毒やら、気味が悪いやら！」

「きっと、すごいショックだったんだよ。お姉さんには」

「そんなことあるもんか。だめなのはもうわかってたんだ。アメリカに行こうとアフリカに行こうと、気が合わない奴らは合わないよ。離婚しか解決策はないって、姉貴が自分で言ってたんだぜ。その方が両親は幸せだし、俺たちは夫婦喧嘩を見聞きしなくてすむから、平和だって」

「それはつまり――何て言うのかな、最悪の場合を少しでも耐えやすくするための予防線だよ。でも、やっぱり、心のどこかでは、そんなことあってほしくないと思ってるもんじゃないか。だから、最悪の事態が実際に起こったら、わかっててもショックなんだよ。女の人だし――」

「それだ！」

弓削くんはハタと膝を打った。私の膝だった。自分の膝のつもりだったのかもしれないが、狭い場所にくっつき合って座っていたので、つい間違えたのだろう。いきなり叩かれて驚いた拍子に、屋根から滑り落ちそうになった。弓削くんがつかまえてくれなかったら、本当に転落するところだった。

「俺、要するに、そのせいだと思うんだ。とても女には見えないけど、やっぱしどっか女なんだよ。女って、肝腎な時に情緒不安定になって、恐ろしく頼りなげに見えるだろう？　そのくせ、立ち直りがものすごく早い。電話切って五分もすると、ああ腹へった、ラーメン食いに行こう、なんて平気な顔して言うんだぜ。どう対処すればいいのかわからんよ、全く」

珍しく弓削くんの深刻な顔を見た。落ちるといけないというので私の肩に腕をかけてくれたままだったから、横顔だった。

「――わからんけど、とにかくあれ以来、戦意が鈍ったのは確かだな。ひっぱたかれても、どうしてだか殴り返す気になれない。電話でもそうだ。最近は、どんなに罵倒されても黙々と耐えてる。前だったら、受話器を叩きつけて切ってやるとこだけど。しかし万一また、泣きだされたりしたら……」

弓削くんが身震いしたので、映画館のボディソニック・シートのように、震動がダイレクトに伝わってきた。

「泣いてる時でも、お姉さん、恐いの？」

「いいや。そうじゃなくて――もし泣きだしたら、ハンカチ持って慰めに行かなきゃならん、という気がしてくる。それが、恐い」

私はそれまでも弓削くんの性格は好きだったが、その時、改めていい奴だと思った。お姉さんと、お姉さんを含めて女性全般というものが、ちょっぴり羨ましくもあった。人前で堂々と泣けるというのは、やはり女性の特権だと思う。男だってさめざめ泣きたい時はあるのだが、誰かがいつもハンカチを持って待機していてくれるとは限らない。むしろ、社会通念上、そんなことを期待してはいけないことになっている。折悪しく、野瀬さんが学院まで送ってきてくれた夜のことが思い出された。いや、あれは、あんなのは、泣いたうちに入らない、と自分に言い聞かせた。一時的な神経症だ。男性版ヒステリーだ。第一、涙を拭うのにハンカチなんか使用してもらわなかった……

恐ろしいことに、私はこの最後の文（「ハンカチなんか……」）を思わず口に出してしまった。弓削くんは物問いたげな目をこちらに向けた。野瀬さんのことは、日数が経つにつれて益々切り出しにくくなっていた。空は燃え、海は凪ぎ、向こうの松林では沁《し》みいるように蜩《ひぐらし》の鳴くこんな情況では、尚更話せない。感極まって話を大ロマンに仕立ててしまう恐れがある。弓削くんの視線を避けて下を向いているうちに、顔にぐんぐん血が上ってくるのがわかった。このまま黙っているのは変だ。何か言わなくては——しかし、焦るほどに声は細り、言葉は不明瞭になる。ああ、情けない！

そこへ野瀬さんのことも一時どこかへ吹っ飛ぶようなハプニングがあった。私が思い切って顔を上げたのと、弓削くんが私の独り言をよく聞き取ろうとしてこちらへうつむいたのが一緒になって、はずみとはいえ、一瞬だけ唇が軽く擦《す》れ合った。驚いて見張った弓削くんの瞳。点々と、星のような雀斑《そばかす》の飛んだ鼻——その先端《さき》が私の鼻に触れんばかりに、近々と絡み合ってしまった視線は、容易に解《ほど》けない。これは一大事だ。

だが、弓削くんの真価はこんな時にこそ発揮されるのだった。沈黙がもう一秒長びいたら取り返しがつかなくなるという瀬戸際に、あるいは世にも滑稽な洒落《しゃれ》を飛ばし、あるいは辛辣な警句を吐き、あるいはただひょいと肩をすくめて、軽妙に窮地を脱する才がある。今もそうだった。大げさに瞬きして、

「いやあ、遠野でよかった。ファーストキスの相手が大佐古《おおさこ》だったりしたら、救われんからなあ！」

と、威勢よく私の背を叩いた。ほっとして、こちらも調子を合わせた。

「大佐古くんなら、こんなものじゃすまないよ」

「そうだな。背負い投げぐらいやるかもな。柔道部は恐いぜ」

弓削くんは立ち上がり、傾いた屋根の端からいきなり砂の上へ飛び下りた。私はそこまで冒険心がなかったので、屋根を滑り降りるという安全策をとった。甲板の手摺りを越えようとした時、弓削くんが振り返って見上げた。少し上気した顔で、私の目をまっすぐに見て、

「君なら、いいよ」

と短かく言った。それから、燕《つばめ》のように身を翻し、暮れなずむ砂丘を波打際へと下って行った。

五六　Pietà《ピエタ》

長田幸《おさだみゆき》さんから遂に葉書が届いた。宛名は私が想像していたような連名でなく、『遠野緑さま』と、私の名前だけになっていた。文面はごく普通の暑中見舞で、近況として、犬の世話があるため旅行に行けないことが書いてあった。本来ならそれは従兄《いとこ》がしてくれるのだが今年は札幌の予備校に休み中ずっと通うから私の役目になってしまった、と記されている。『もちろん受験勉強のほか、不純な下心もあるのです』と括弧《かっこ》内に補足があった。

返事を出さなければならない。竜宮城の絵葉書の中から、ホテルの建物がなるべく目立たない、海浜の風景に重点を置いたものを二、三枚選び出して図書室へ行った。母が書棚の本と蔵書目録を照合している最中だった。棚には英語、フランス語、スペイン語、イタリア語その他、外国語の書籍を納めたコーナーもある。英語のタイトルがわかった限りでは、ディケンズやサッカレーなどの時代物の作品を除けば、ほとんどが推理小説だ。ドロシー・セイヤーズの名に食指が動いたが、その前に《Childhood's《チャイルドフッズ》 End《エンド》》を読み始めなければ、と思った。

禿地頭さんは令息と前後して仕事場へ復帰しており、今度はハンブルクとデュッセルドルフとミュンヒェンにお好み焼きのチェーン店を出すとかで、ドイツへ飛んでいた。そのため母と私は完全に親子水入らずになった。にもかかわらず、〈Turtle's《タートルズ》〉で午後のお茶を楽しもうという提案はどちらからも出なかった。尤も、母は今や名実共にホテルの総支配人となったので、起床するが早いか用事は山ほど控えていて、目覚めている間中、ゆっくり座る暇もない。図書室で私の跫《あし》音《おと》に振り返りながら、

「あら、ちょうどよかった。横文字の本は任せようと思っていたところよ」

と、忙しげに言って微笑んだ。

「明日からお客様の受け入れ開始だから、きちんとチェックしておかないとね」

私は母からリストを受け取った。英語以外はよくわからないながらも、背表紙のアルファベッ

トの配列を一々確かめ、見当で国別に揃えていった。ペーパーバックばかりでなく、詩集らしい装幀の美しい小型本などもあった。それはドイツの本よと言われ、つい手に取って眺めた。Stephan George《シュテファン・ゲオルゲ》、Rainer Maria Rilke《ライナー・マリア・リルケ》、Georg Trakl《ゲオルク・トラークル》、Hugo von Hofmannsthal《フーゴー・フォン・ホーフマンスタール》……いつかこういった詩人たちの作品を読んで感動する日が来るだろうか？　どうもなかなか来ないように思われた。外国語は今のところ英語で手一杯だ。由理也くんと違ってGSSに入ろうという野心もない。ただ、野瀬さんと知り合ったきっかけがドイツ語の本だったというだけの理由で、大学に行ったら選択してみようかなど、漠然と考えることはあった。

　私は母に本は全部揃っている旨報告した。母はご苦労様と言ってまたにっこりした。こだわりのない微笑に見える。普通の母親が、ちょっとしたお手伝いをしてくれた子供にちょっとしたご褒美として与える普通の笑い顔だ。福々しく細まった目が、ふいにまた丸くなって、子供の顔を心配そうに覗き込む。

「緑ちゃん、夜ぐっすり眠れるの？」

「うん、まあまあ。どうして？」

「そうじゃないような目をしてるからよ。当直明けのお父さんを思い出すわ。パンダみたいな顔して帰って来たものだった。皮膚が人一倍デリケートだったのね。あなた、眼鏡はいらないいの？」

「遠くの字がちょっと見えにくくなってきた」

「無理しないで早めに作りなさい。それと、ベッドの中で遅くまで本を読んじゃだめですよ」

父の話題が出たのを幸い、私は母に是非とも訊いてみたいと思っていた質問をすることにした。自分では何と切り出してよいかわからなかったのだ。しかし初めに一言謝っておかなければならない。北向きに設《しつら》えられた図書室は静かだが光に乏しく、窓辺の一隅に置いた禿地頭氏の胸像《バスト》だけが、さんさんと日を浴びていた。急に薄い寒気を覚えた私は惹かれるようにそちらへ歩きながら、母を見ずに喋った。

「お母さん、ごめん。この前、あの壊れた船の上で禿地頭さんとお月見してたでしょう？　僕、青木くんと一緒にウォークマン探しにあそこへ行って、お母さんたちの話を聞いたんだ」

母が息を呑む気配がした。

「まあ――そう！　まあ、どうしよう、お母さんの方が謝らなくちゃ。お酒を飲んでたし、色々ひどいことを言ったわね？　後で直記さんにずいぶん叱られたわ。ごめんなさいね」

日光浴をする胸像を眺めながら私はかぶりを振った。こうして詫びを言い合わねばならないこと自体、私たちの間にいつの間にか口をあけていた深淵の距離を物語っているように思われた。

胸像の陰には素焼きの鉢があった。植えてあるのは〈インド原産、クワ科、インドゴムノキ〉。さすがに花言葉までは書いてない。革質の葉は一面に埃の膜を被《かぶ》り、紅色であるべき托葉《たくよう》が茶褐色に萎縮して、〈家庭の幸福〉は危機に瀕していた。

「僕、お父さんによく似てるってほんと？」

母は小さく、ええ、と言った。

「もしかしたら、僕じゃない子が生まれてたかもしれないんだね」

「さあ、どうかしら……」

「そしたら、誰の子かわからなかった？」

「そうね……ええ、お母さんにはきっとわからなかったわ。普通、知らせてもらえないものなのよ。ドナーが複数いる場合なんか……」

「でも、お父さんにはわかってたんだね？　子供がもし――ＡＩＤだっけ？――その、ドナーの人の子だったとしたら、お父さんには、父親が誰だかわかっていたんでしょう？」

「そうよ。あなたの場合は――」

母の手は蔵書目録を徒らに折りたたんだり広げたりしていた。機械的な指の動きを、まるで自分の体の一部ではなく、全然別個の生物の運動を観察するようにしげしげと見つめていた。やがてその同じ視線が私の方へ向けられ、山径《やまみち》でふと出くわす霧のように、冷たく、柔らかく、ゆっくりと足元から顔へと這い上がってきた。

「あなたの場合はね、可能性は確かに五分五分だったの。お父さんの子か、お父さんが慎重に選んだというその人の子か、どちらかが生まれてくるはずだった。でも私は、そのことを知らされていなかったのよ。ひどいわ！」

最後の言葉をぶつけるように言って、横を向いた母の姿は、丈の高い書棚の間の暗がりに沈んだ。

「お父さんは、協力者がいたなんて、ましてドナーが誰かなんて、一言も打ち明けてくれなかったの。たぶん、前に一度ＡＩＤの話を出された時、私が取り乱したことがあったから。でも、それだけに、後で知った時には、もっと驚いたわ。夫婦間の、普通の人工授精だとばかり思っていたのに。ひょっとしたら、全然知らない人の子を妊娠していたかもしれないと思うと……」

「――どうしてわかったの？」

「お父さん、その人に手紙で相談していたらしいの。反故《ほご》にしたページを偶然読んでしまって」

「じゃ、その人の名前も……わかった？」

「知りたくもないわ」

母は疲れた声で投げやりに答えて、目を閉じた。Pietà《ピエタ》の聖母のように。傷ついて、一切が終わった、という嘆きの徴《しるし》を初めて見せながら。私は陽光の中から再び影の領域へ歩み入った。石のように硬い姿勢で立っている母の傍らへ行き、その背に手をかけながら、舌は慰めとはおよそかけ離れた言葉を囁いていた。

「それでお母さんは、お父さんが嫌いなんだね？」

石像の女の頭部が微かに前方へ揺らいだ。

「そうよ――大嫌いよ」

五七　北都信《ほくとのたより》

〔野瀬さんの手紙〕
『七月三十一日　夜
眠っているの？
時計の針は当てにならない。たぶんまだ起きているだろう。電話するには遅すぎるが、何もせずに寝てしまうのは「　」淋しい。だから、手紙を書きます。（「　」内には、次の中から適切と思われる副詞を選択して入れること。①少し、②とても、③死ぬほど。）
植物園で君の友達に会った。青木くんといったかな？　僕はちょうど、ペン先生への土産にと思って、トリカブトを採ろうと（盗ろうと）していたところで、いきなり挨拶されたときは驚いた。あんな場所で学院生に出会うとは思わなかったから。予備校にでも来ているのかと訊いたら、そうじゃなく単なる家族旅行だと言っていた。竜宮城の話をしてくれたよ。大変楽しかったそうだ。一番興味深く聞いたのは亀甲学院の生徒たちの件だ。何事もなくてよかった、と青木くんは言う。彼の言葉どおり引用すると、「絶対、何もありませんでした！」――「何も」をさかんに強調していたが、あれは一体どういうことなんだろう？　僕には現在の君の状況の方が心配だ。(弓削くんと二人きりだそうじゃないか。) こんなことを書くのは癪《シャク》なんだが――気になるね。

僕は今、Ｓ予備学院に通っている。休みに入るとすぐこっちに来た。授業は日曜日以外、毎日。時々サボって植物園に行く。予備校に行く途中にあるから、つい足が向いてしまうんだ。小雨の日の午前中など、あまり人がいない。気持ちがいいよ。樹のない所は芝生とクローバーの群落。気候や土壌の違いで高麗芝がうまく育たないとかで、バードグラスやケンタッキー・ブルーグラスという牧草の類が植えてある。あんまり青々として柔らかそうなので、僕も何年か前に初めて来たときは、こんなところを土足で歩いてはいけないと思って裸足になったが、大きな蟻がいっぱいいるんだ。噛まれると非常に痒い。やっぱり靴を履くことにした。

昼頃になると観光客や近くの役所の職員が敷物を広げてピクニックをしている。赤ん坊のおしめを取り替える母親までいる。裸婦の年齢が一歳未満なのに目をつぶれば、ちょっとした『草上の食卓』だ。夜は予備校で知りあった奴らと大通り公園へ飲みに行く。帰りはもちろん朝帰り――

というのは嘘だが、まあ似たようなものだ。北大に知人がいるから、そのコネでテニスコートや体育館を使用させてもらえる。受験勉強に来たわりにはよく動いている、と思う。

こう書いていくと、いかにもよく遊び、よく学び、脳天気に青春を謳歌しているように聞こえるだろう？　そうじゃないんだ。遊んでいるのも——そしてたぶん、学んでいるのも——本当だが、何かもう一つ手応えがない。楽しくても、無我夢中って瞬間がないんだな。浮かれ騒ぎに奇妙な喪失感がつきまとう。何をなくしたわけでもないのに、ぜひとも見つけなくてはならない物がいつもあるような気がする。そのことを考えだすといても立ってもいられなくなるから、よけい精出して遊び呆ける、或いは問題集にかじりついたりする。こうなると、遊びも勉強も方便だ。

僕はこの夏、なるべく一人きりの時間を作らないようにしようと思っていた。一人になると君のことを考えてしまうから。S学院へ夏季講習を受けに来るのは今年で三年目になる。親友とまではいかないが、結構仲良くなった奴もいて、植物園へ草木を泥棒に行くときにもたいてい誰か共犯者がいる。だから昼間は心配ない。問題は真夜中以降だ。一晩中つきあえというわけにはいかないからね。

ホテルへ帰るとまず部屋いっぱいの夜。壁にも床にも本の間にも、そこいら中に午前一時がまといついて、窓の外には葉洩れの雨の音がする。こんな晩が困る。目が勝手に、暗闇を君のシルエットに切り抜いて遊んだりして——既にかなりのmonomaniac《モノマニアック》だ。

君に一つ話しておきたいことがある。君のお父さんに関することだ。

僕は実は、うちの書斎で写真を見る前から、遠野先生を知っていた。僕の母が未婚で妊娠したとき、父と一緒に中絶の相談に行ったのが先生のところだったんだ。（旅先の恋の後始末というわけだ。）K大の付属病院に勤めておられた頃のことで、女は外国人だし、男の方は妻帯者だしで、普通の医者なら黙って言うとおりにしたと思う。だが、遠野先生の場合は普通の産婦人科医じゃなかった。カトリックの洗礼を受けたクリスチャンだった。中絶することはできない、と言われた。それから二人別々にカウンセリングされた。男の方とは話らしい話もなさらなかったそうだ。診察室に入って行くと、遠野先生は開いた窓から外を眺めておられた。五月の初め頃だ。男が声をかけると、先生は振り向いて、返事の代わりにくしゃみをなさった。眼鏡を取ってハンカチで拭きながら、少し眩しそうな目を凝らして男の顔をしばらく見て——非難するでも軽蔑するでもなく、ただじっと見ておられたが、ふいに、面映ゆいような微笑を見せて、『だめだよ、光。僕にはできない』とおっしゃった。

僕はこの話を何度も聞かされた。叔父——いや、僕の実の父から。母は当時、上智の留学生だった。今は函館に住む日本人の陶芸家と結婚して、ミッションスクールでドイツ語を教えている。犬を飼って、夏には庭で採れたスグリのジャムや果実酒なんか作って、幸せそうだ。学生時代、その同じ町で、長田光と過ごした数日のことなんか忘れたみたいに。

　僕が生まれた後も、遠野先生はいろいろと気にかけて下さった。七歳頃まで東京で母と暮らしたが、外国人のことだし、住居や就職の保証人になって下さるなど、何かと相談にのって頂いたそうだ。母が一度帰国するときになって、僕は長田光の姉の嫁ぎ先へ引き取られることになった。養家はE県だった。遠野先生はそこへも訪ねて来て下さった。毎年、春の、教会暦で言えばちょうど復活祭の季節だ。渓谷美で有名な町に、家族連れで一週間ほど宿をとって、そこから日帰りで僕の養父母の家のあったM市まで出かけていらした。決まって一人で来られたけど、あれはなぜかな？　僕にあまり家庭的な情景を見せてはいけないとの配慮からだろうか？　そんな点、よく気のつく方だった。

　僕が自分の境遇をあまり深刻に思いつめずに育ったのは遠野先生のおかげだ。両親のこと――特に父のことを、僕の年齢にふさわしい言葉を選んで少しずつ話して下さった。最初の結婚相手（富美子さんではないよ）とうまくいかなくて悩んでいたというのは、かなり後になってから聞いた。長田くんは典型的な外弁慶だ、と言われたことがある。人前では強気だが、家に帰ると甘ったれで淋しがりなんだそうだ。初めの奥さんは女医で、どうも甘えさせてくれるタイプじゃなかったらしい。医者になって間もない忙しい時期に、突然函館のハリストス正教会なんかへ同窓生を訪ねて行ったというのも、一種の逃避行だったんだろう。こういう男が家庭を作るんだから、見合い結婚というのは恐ろしい。

僕は遠野先生が大好きだった。旭日学園を受験したのも、先生が住んでおられる東京に近くなると思ったからだ。僕の在学中、暇をみて時々横浜まで来て下さった。ウォリック先生に会うついでだったのかもしれない。

父は僕が旭日に入った頃、ようやく最初の妻と別れて富美子さんと結婚した。富美子さんは大変包容力のある、母性の塊みたいな人だ。先妻の子の幸とも仲良くやっている。父が思い切って僕のことを打ち明けたときも、あまり動じなかったそうだ。（いつも甘いものに気を取られているから、いちいち世間の俗事に拘泥する余裕がないのかもしれない。）中二のとき、養父母が車の追突事故で死んだ。富美子さんはわざわざ横浜まで鶴島名物の何とかいうお菓子を持って訪ねて来て、鶴島でみんな一緒に暮らしましょう、と言ってくれた。迷ったね。一番相談したかった遠野先生は日本におられない。東南アジアへ行かれてからも毎月手紙を戴いていたのが、しばらく途絶えていたから、心配していた。そしたらある日、ウォリック先生から、遠野先生が亡くなったことを聞かされた。僕にとっては神様が死んだようなものだ。野瀬の両親にはすまないけど、こちらの方がずっとこたえた。一時は立ち直れないいんじゃないかと思ったよ。

鶴島へ来たのは、父と富美子さんの勧めがあったからというより、遠野先生の郷里だったから、それで心が決まったのだと思う。先生のことを話し合える人も、ウォリック先生を除けば父しかいなかった。長田家に初めて来た日、書斎で遠野先生の学院時代の写真を見つけた。眼鏡はかけておられなかったが、全体的な雰囲気はほとんど変わっていなくて、僕が知っている遠野先生をそのまま少し幼くしたようだった。ポートレートで一枚特に気に入ったのがある。少しもの淋しい感じがするほど整った目鼻立ちが、ふとした微笑に和《やわ》らいで、何と言ったらいいか――たとえば英語で"seraphic《セラフィック》"と表現するものを、初めてこの目で見たような気がした。父に対して「僕にはできない」とおっしゃったときも、たぶんこんな風に微笑まれたのだろう。一つの微笑が僕の運命を決定したのだと思うと感無量だ。僕は、感謝の意味もこめて、朝夕この写真を眺めて暮らすようになった。

君がいつか熱を出した日を覚えている？ あのとき見舞い（？）に行ったのは、太刀掛に教えられたせいじゃない。君を診察した帰りの父に出会って、今往診してきたのは遠野の息子に間違いない、と言うのを聞いたからだ。それまでは、もう一つ確信が持てなかった。他人の空似というのはよくある。自分の偏執癖《モノマニア》の徴候にも薄々気づいていたから、苗字が同じというだけで、君と遠野先生のイメージを無理に重ねているんじゃないかと思っていた。そうではなく、やはり最初の勘が正しかったとわかって、つい有頂天になってしまった。不思議な嬉しさだったよ。旧友に再会したようでもあり、今まで見たこともない宝物を新しく発見したようでもあり……説明できないな。

宝物を見つけると所有したくなる。独占欲が湧いてくるのをコントロールするのが大変難しい。人間性に反する行為だから。（理性と本能の間の振子である僕の人間観は、今夜はわりと動物に近い。もう少しで藤井のことをケダモノと呼んだのを後悔しそうになるくらいだ。）しかし僕のeuphoria《ユーフォリア》が一方的な感情だということは承知している。君にとっては、ここに書いたことの大部分が寝耳に水だろう。こんな知識が増えたところでわずらわしいだけかもしれない。忘れてもいいよ。ただ、一度は話しておきたかった。

明日から二、三日、母が札幌へ来る。母はなぜか日本びいきで、Japanologie《ヤパノロギー》（日本学）の学位を取っている。現在の生活には満足しているようだ。何事も割り切って考えるさばけた性格かと思えば、その反面、妙に感傷的な、子供っぽいところのある人だ。二年ほど前だったか、鶴島の家へ電話をかけてきて、北海道で結婚したと言われたときは、父も返答に困ったらしい。これがきっかけで、僕は休みになると母を訪ねるようになった。春休み夏休みと毎年出かけるので、幸なんか本当に、こっちにガールフレンドがいると信じている。（僕のことだから、いつかでまかせでそんなことを言ったのかもしれない。覚えがないけど。）幸は僕の生い立ちを知らない。いとこだと信じている。』

野瀬さんから貰ったこの手紙は、天宮くんの手紙と共に長いこと手元に保存してあったのだが、惜しいことに一番終わりのページが欠落している。どこかに紛れ込んだのかと方々探した挙句、最近になってようやく真相を思い出した。

私はこの手紙の最後のページを、寝室のナイトテーブルの抽斗《ひきだし》にあった聖書の間に挟んで、竜宮城にいる間、毎晩寝る前に読み返していた。滞在の終わり頃には文章をすっかり覚えてしまったので、目は機械的に文字を追っているだけだったが、それでも一度は目を通さないと気がすまなかった。ところが、鶴島へ戻る新幹線の中で、何とこのページだけ忘れてきたことに気がついた。母に問い合わせて送ってもらおうかと思ったが、そうなると読まれることはまず間違いないので、二の足を踏んでいるうちに、結局うやむやになってしまった。

一時は暗記していたのに、もうはっきりとは思い出せないのが残念だ。優しい言葉がたくさんあった。あからさまにそう書いてあったわけではないが、読んだ後で、何か自分が世界中で一番大切にされているような気持ちになって、幸せな眠りにつける、そんな終わり方だった。後で連絡も何も来なかったから、もしかしたら今でもまだあそこにあるのかもしれない。それとも泊まり客の誰かが見つけて、こっそり抜き出していっただろうか？　竜宮城へはあれっきり行かなかった。

INTERMEZZO　飛行機雲《ひかうきぐも》

始業式の前日、合宿を終えたテニス部員たちは、学院のホールで解散した。私は靴とラケットを置きにクラブハウスへ寄った。後期合宿の参加者は前期より大幅に少なかったが、それだけに中身の濃い練習ができたとも言える。（血と汗と涙に明け暮れた二週間であった。）チャペルの前を通りかかった時、頭上から人が何やら大声で呼ばわるのが聞こえた。見上げるとペン先生が滅茶苦茶に手を振っている。鐘楼に山鳩が棲みついて、そこら中糞《ふん》だらけにするので、時々誰かが掃除に上がらなければならない。ひょっとして手伝いを要求されているのかとうんざりしたが、よく見れば手はしきりに、向かいの聖母マリア学園のある丘の方を指している。まさか手旗信号が本当になったわけではなかろう。指示された方角の天空を仰ぐと、飛行機であった。銀色の極小点に縮まった機体が一条の尾を引きながら飛んで行くところだ。軌跡はほぼ直線をなして北東に向かっている。私はにわかに胸痛むほどの旅心を誘われ、始業式も学校も何もかも放っぽって、一筋の白い光芒をどこまでも追いかけて行きたくなった。

秋に高みから白金色《プラチナ》の音色がほとばしると、魂は虚空に向かって誇らかに瞳を張る。風は解かれて、広々と野を駆け、海を巡り、香料を吹き送り、丘を均《なら》す。朝《あした》にはものが皆けざやかに澄み、日の終わりは冴えざえと暮れなずむこの季節を、私は年ごとに、疼くような漂泊の衝動と共に迎えた。そして旅情は、奇妙に郷愁に似た風味を持っていた。

人は見たことのないものにも郷愁を覚える。過去にも未来にも存在しない故郷《ふるさと》を、憧れ求めることができる。官舎と借家育ちの私には実質的な故郷と思える土地がないのに、心はいつもどこかへ帰りたがっていた。帰りついたところには、なぜか父がいるような気がした。唇や目元を仄かに和《なご》ませて。（私の思い出す父はたいてい微笑んでいる。）だが、この年、微笑の性質が少し変わった。絵の上に落ちる一筋の夕光《ゆうかげ》が、表情や風景を微妙に変化させるように、父の眼差しは、これまで私の知らなかった柔和な寂しさに潤い、いっそう優しく見つめるようになった。それはもはや私の心にしか飾ることのできない肖像画《ポートレート》だった。私と一緒に記憶の回廊を訪ねて、この面影を、優しさをそのままに、眺めてくれる人はもういないのだ。たぶん――野瀬さん以外には。

櫟林《くぬぎばやし》はまだ青々と繁り合っていたが、葉末には早や琥珀色《こはくいろ》に透き徹る凋落《ちょうらく》の気配が滲《にじ》んでいた。いつかロビン・フッドの矢に傷ついた巨木はそのままだった。あの時は、矢があまり深く幹に刺さって、射た当人が抜き取るのに苦労していた。ところが、私がちょっと手を添えた途端にどうしたはずみかするりと抜けたので、まるでエクスカリバーだねと言って野瀬さんは笑ったものだ。

気紛れな先輩から少しだけ〈友達〉に近づいてくれたような気がしたのはその時だった。それまでは、どちらかと言えば、この人の存在には夢のような質量しか感じられなかった。白昼夢めいた非現実的な光輝《かがよい》と、お伽の国から射《さ》してくるような月の光に淡く照らされた抱擁場面は、私にしてみれば金星の影にも似た想い出であった。目を逸《そ》らせばそこにあることがわかるけれど、まともに見つめると眩暈《くるめき》はたちまち散じ、後には薄霧《うすぎ》るような沈黙が降りる。

あの日、森林警備隊の野瀬さんは初対面の時と同じく運動服姿だった。白い生地の上に、ところどころ青葉の影が斑《まだら》に映っていた。ひっそりした木下闇《このしたやみ》から、淡緑の透明な陰翳《いんえい》を移り香のように纏《まと》いつけて現われた人は、鳥や獣よりもはるかに長く深く森に馴染《なじ》んだ、野生《のお》いの半神であるように見えた。それなのに、〈野獣〉をめでたく撃退して矢を回収する段になって、私が形ばかり手を貸したために、その人はもう神様でも幻でもなく、すっかり人間になっていたのだ。

見つめるだけでなく、懐かしむだけでなく、私もまた自ら手を伸べて彼に触れ、言葉にはならない様々な感情の精髄を、互いの指先から、温もりから、伝え合いたいという欲求は、今や私の生の本能と同じく、抜き差しならないものになっていた。だが、それを素直にさらけ出すことは、自分の心臓を取り出して、その熱と血と鼓動を相手に突きつけるような、恐ろしさを感じさせもした。誰かの心が深傷《ふかで》を負うだろう。私自身が傷つくのでなければ、きっと他《ほか》の誰かが。

下生えを踏みしだく微かな音がした。林の遠い外れに、まっすぐな白い人影が現われた。偶然とは偽装した運命であるとどこかで読んだ。〈友達〉は、天使が天使の孤独に応えるように、素早く、約束もなく、草いきれの冷《さ》めかけた時刻の中へ静かに降りてきたのだ。そして当たり前のように微笑んで、腕を広げた。

突然私の内部《なか》で何かが勢いよくはじけたような気がした。途方もなく熱い念《おも》いが切れるように胸を走って、考える前に私はもう駆け出していた。「急げ！」とのみ、ひたむきに繰返すものがある。考えてどうなるのだ？　いつかは飛行機雲も私を感動させなくなる。木立の涯で金色の腕が、私を——私だけを——待っている九月は、この一度きりかも知れない。理性や分別に追い着かれる前に、あの中へ飛び込まなくては！　願うのはそれだけだった。そして夢の向こうへ、清らかな明るい忘我の邦《くに》へ、私をさらってほしい。夏が果てる前に。

著　者
古谷清刀（ふるたに　さやと）

1957年生。国際基督教大学教養
学部人文科学科卒。翻訳家。

君よ知るや五月の森　上

平成16年12月１日　発　行

著　者　古　谷　清　刀（ふるたに　さやと）

発行所　㈱ 溪 水 社
広島市中区小町１－４（〒730－0041）
TEL（082）246－7909／FAX（082）246－7876
E-mail:info@keisui.co.jp
URL:http://www.keisui.co.jp

ISBN4-87440-848-6　C0093